La utilización del libro de texto de Historia de España dentro y fuera del aula: alumnos, manuales, huella, interpretación y contexto

Colección:
La construcción de los recuerdos escolares de Historia de España en Bachillerato (1980-2015):

Bases para la memoria educativa.

Enseñanza, aprendizaje, Evaluación y Memoria Educativa

Nicolás Martínez Valcárcel
Mª Dolores Alarcón Hernández

UNIVERSIDAD DE MURCIA

Cómo se enseña Historia. La utilización de los libros de texto por el profesorado de Bachillerato
MICINN I+D+I 2006-2009
Proyecto SEJ2006-07485/EDUC

UNIVERSIDAD DE MURCIA

La Formación de los Jóvenes en Historia de España y su Relevancia en el Desarrollo de las Competencias Ciudadanas
MICINN I+D+I 2010 - 2013
Proyecto EDU2010-16286

Grupo de Investigación de la Universidad de Murcia
E074-07
EDUCS

eaeme
Enseñanza Aprendizaje, Evaluación y Memoria Educativa

DM
DIEGO MARÍN
LIBRERO EDITOR

Primera edición, 2016

La Construcción de los Recuerdos Escolares de Historia de España en Bachillerato: Bases para la Memoria Educativa

© Nicolás Martínez Valcárcel, Mª Dolores Alarcón Hernández

Imagen portada: Ministerio de Educación, Cultura y Deporte - CC BY-NC-SA 3.0

© DM

ISBN: 978-84-16908-11-0

D.L.: MU 1236-2016

Edición a cargo de: Diego Marín Librero-Editor
                       Merced, 25. 30001 - Murcia
                       Tfnos. 968 24 28 29 / 968 23 75 78

ÍNDICE

ÍNDICE

PRÓLOGO

Joan Pagès Blanch

PRÓLOGO

Como es sabido, el libro de texto ha sido, y sigue siendo, la herramienta principal para acercar los saberes de las disciplinas escolares al alumnado. En algunas se combina con otros medios, pero en otras es la única fuente que utiliza el profesorado para enseñar y el alumnado para aprender. Se ha escrito mucho sobre los libros de texto. En particular, sobre su contenido. En el ámbito de la enseñanza de las ciencias sociales, de la geografía y, muy en especial, de la historia se sabe prácticamente todo lo que hay que saber sobre los contenidos de los libros de texto. Sobre lo que se enseña y sobre lo que no se enseña. Sobre lo que falta y, de vez en cuando, aunque en mucha menor medida, sobre lo que sobra.

Pero, ¿qué sabemos del uso real de los libros de texto por parte de los y de las docentes y del alumnado?, ¿del uso en contextos prácticos, para enseñar y para aprender? Mucho menos. Sin embargo, el libro de texto se usa para enseñar y para aprender. Para enseñar y aprender contenidos de geografía, de historia, de educación para la ciudadanía y de otras disciplinas sociales ¿Cómo los usan los y las docentes?, ¿cómo los usan los y las estudiantes? A algunas de estas preguntas da respuesta el trabajo realizado desde hace muchos años por Nicolás Martínez, maestro de ciencias sociales, de geografía y de historia, y profesor universitario de pedagogía en la Universidad de Murcia. Y un investigador constante, inquieto y preocupado por traspasar a las nuevas generaciones un legado tan importante como el que se deriva de las memorias históricas escolares, entre otras las de los libros de texto. El texto que prologo es una evidencia del trabajo realizado por Nicolás Martínez y de su interés en implicar a otros y a otras investigadoras para conocer con mayor profundidad qué se utiliza de los libros de texto y cómo se utiliza.

Como profesor de didáctica de las ciencias sociales hoy utilizo también los libros como objetos de investigación y de formación docente. Como alumno los utilicé de manera muy parecida a cómo los utilizaron los y las jóvenes que han cedido sus textos y sus ideas en este trabajo. Y como profesor de bachillerato elemental y superior, primero, y de la segunda etapa de EGB y de BUP, después, como los utilizaron la mayor parte del profesorado que tuvo este grupo de estudiantes. En realidad, los utilizaba como el sentido común me inspiró ya que nadie durante mis estudios universitarios me enseñó ni a cómo utilizarlos ni mucho menos a cómo analizarlos y adecuarlos a una realidad única e irrepetible, la de mi alumnado de los diferentes cursos y realidades.

En la presentación de un monográfico de la revista de "Rosa Sensat" *Perspectiva Escolar* dedicado al "Uso y abuso del libro de texto"1 indiqué algunos criterios que, en mi opinión, debería tener presente el profesorado para seleccionar los libros de texto pues de ellos dependerá, en buena medida, su uso: "a) la concepción del saber seleccionado y su pertenencia social y educativa; b) el protagonismo que otorga a los y a las maestras para poder adecuar el contenido y las actividades a las características de su alumnado y de su contexto; y c) el papel del aprendiz en relación con las maneras de acceder al conocimiento y hacérselo suyo".

El libro que prologo trata fundamentalmente de la relación del aprendiz con el manual, del uso que realiza de él al margen de las consignas recibidas del o de la docente y de las propias pautas que se marcan en el texto para el trabajo del alumnado. Su principal aporte ha sido analizar las interacciones entre el alumnado y el texto desde muchas de las perspectivas posibles.

El libro de texto, según demuestra el trabajo de Nicolás Martínez y de Mª Dolores Alarcón, es una herramienta utilizada por el alumnado de Historia de España de Bachillerato. Y utilizada de manera realista la mayor parte de las veces. Es decir, para alcanzar los objetivos que espera el alumnado: aprobar la asignatura. El alumnado recurre a muchas estrategias en su interacción con el libro como pone de relieve el pormenorizado análisis realizado de tres escenarios: como apoyo a los apuntes del docente, como apoyo a sus propios apuntes y como objeto de trabajo casi único. Y como detalla en tres ámbitos de acción: el contexto, la apariencia y la organización; las tareas relacionadas con el contenido, con la comprensión,… y, finalmente, con la gestión de los procesos de enseñanza y aprendizaje. Con la ayuda del libro y de los recuerdos de los y las estudiantes que lo utilizaron.

---

[1] Com seleccionar i utilitzar un llibre de text? En Ús i abús del llibre de text. *Perspectiva Escolar*, publicació de "Rosa Sensat" nº 302, febrer 2006, 13-14.

Con este trabajo *Nicolás* y *Mª Dolores* nos señalan las enormes posibilidades de proseguir investigando sobre el libro de texto y sus usos por vías diferentes de las que se han centrado exclusivamente en el análisis del contenido. Nos urgen la necesidad de ubicar el libro en un contexto único y particular, real, el del aula y el del centro, pero también el geográfico y el sociocultural. Nos señalan la importancia de dar la voz a sus protagonistas, a los y a las estudiantes pero también al profesorado. Las palabras de los estudiantes, a través de cuestionarios y de entrevistas, nos dicen sobre sus recuerdos pero dan vida y sentido al uso que en un momento dado hicieron de unos textos en un contexto particular. Completar esta línea con las palabras del profesorado es, sin duda, urgente y necesario pues de él depende, en primer lugar, la elección del texto usado por los estudiantes y, por supuesto, la manera como éstos lo utilizaron al menos en primera instancia.

Creo que este trabajo va a convertirse en un referente para futuros y futuras investigadoras tanto por sus aportes teóricos y metodológicos como por la riqueza y variedad de los ejemplos en los que los autores ilustran sus análisis y sus interpretaciones. Ciertamente, la investigación se centra en el uso del libro en un curso que tienen unas peculiaridades muy determinadas. Y sus interlocutores —estudiantes universitarios de educación- son también una muestra muy determinada por su relación profesional entre su pasado y el presente. Sin embargo, el trabajo de *Nicolás* y *Mª Dolores* marca una ruta con muchísimas posibilidades que espero prosigan tanta una como otro y que predispongan a futuros y futuras investigadoras para seguir en ella. Por otro lado, este trabajo representa un acercamiento más a los y a las docentes de la ingente obra que ha ido realizando *Nicolás Martínez* con distintos colegas, entre los que me encuentro, sobre la historia escolar que espero y deseo prosiga con la misma pasión y los mismos resultados que los que ha obtenido hasta la fecha este gran maestro que es *Nicolás Martínez-Valcárcel*.

Barcelona, 1 de noviembre de 2016

Joan Pagès Blanch

INTRODUCCIÓN

INTRODUCCIÓN

El valor de un objeto no existe en el absoluto; es un valor relativo: es relativo a un proyecto en el que está involucrado el objeto en cuestión (Chevallard, 2006, p.2)

La cita con la que presentamos este libro, muestra adecuadamente el alcance de esta publicación: arrojar luz desde el estudio de un tema concreto (objeto como lo denomina el autor), a un proyecto en el que se inscribe y cobra su sentido más amplio. Durante casi dos décadas esta línea de investigación centró su estudio en la enseñanza de Historia de España en Bachillerato, han sido cuatro proyectos competitivos, varias tesis y tesinas, libros y artículos los que se han realizado en estos años. Más concretamente, el estudio de los manuales de Historia de España ya ha sido abordado a nivel de Tesis de Licenciatura (Pineda, 2008), proyecto de investigación (SEJ2006-07485-EDUC), tesis doctoral (Alarcón, 2016) y varios artículos.

Así pues, partiendo de los datos analizados a lo largo de estos años y del esfuerzo realizado en el trabajo de Alarcón, cobra realidad este libro que permite, tras la revisión de que lo hasta este momento hemos investigado sobre el tema, la difusión de lo que hoy sabemos sobre la utilización de los manuales de Historia de España.

La huella dejada en los manuales por los alumnos, constituye la evidencia en torno a la que describir e interpretar, el uso que hacen del manual de Historia de España en Bachillerato dentro y fuera del aula. El interés por el estudio de los manuales ha ocupado en los últimos años el esfuerzo y trabajo de fundaciones, como el Instituto Alemán Georg Eckert, EMMANUELLE, MANES, o CEME, a los que nos remitimos para cualquier ampliación sobre el tema y que desarrollaremos más adelante. Referido al libro de Historia caben señalar los estudios sobre el currículo y el libro de texto de Martínez y Rodríguez (2010); los trabajos realizados sobre el uso de la editoriales de Burguera (2006), los que recogen las aportaciones concretas de la Didáctica de la Historia de Valls (2007 y 2008) y sobre el uso que hacen profesores y alumnos de Martínez-Valcárcel (2012).

Por otra parte, es también interesante señalar el trabajo de Boyd (2013), que analiza los textos escolares desde el siglo XVIII hasta la actualidad, y el de Sáiz (2014), que investiga una muestra de actividades de los manuales escolares de Historia de ESO y de 2º de Bachillerato. Las aportaciones por todos ellos realizadas han permitido el avance en los estudios sobre manualística, pero también la necesidad de dedicar más investigaciones al "uso que realmente se hace en las aulas por profesores y alumnos"

Más concretamente, vinculados con el objeto de este estudio son los trabajos de Martínez-Valcárcel, Valls y Pineda (2009), Sikorova (2011), Borries, Körber y Meyer-Hamme (2006) y el de Barton (2010). En ellos se trata el tema del uso del libro de texto desde distintas perspectivas (observación, entrevistas, etc.) y en dos escenarios: aula y casa.

Partiendo de esos trabajos, este estudio aborda el manual desde las huellas dejadas por el alumno como consecuencia del trabajo realizado en sus libros de Historia de España, dándoles el sentido y la justificación que, según ellos, tienen.

La muestra alcanzó a 46 alumnos de 34 centros de la Comunidad Autónoma de la Región de Murcia (de un total de 144 que imparten Bachillerato). Dichos alumnos pertenece a 15 localidades diferentes y los datos se obtuvieron durante el curso 2012-2013. La amplitud y el alcance de la muestra queda recogida en el mapa que se presenta a continuación.

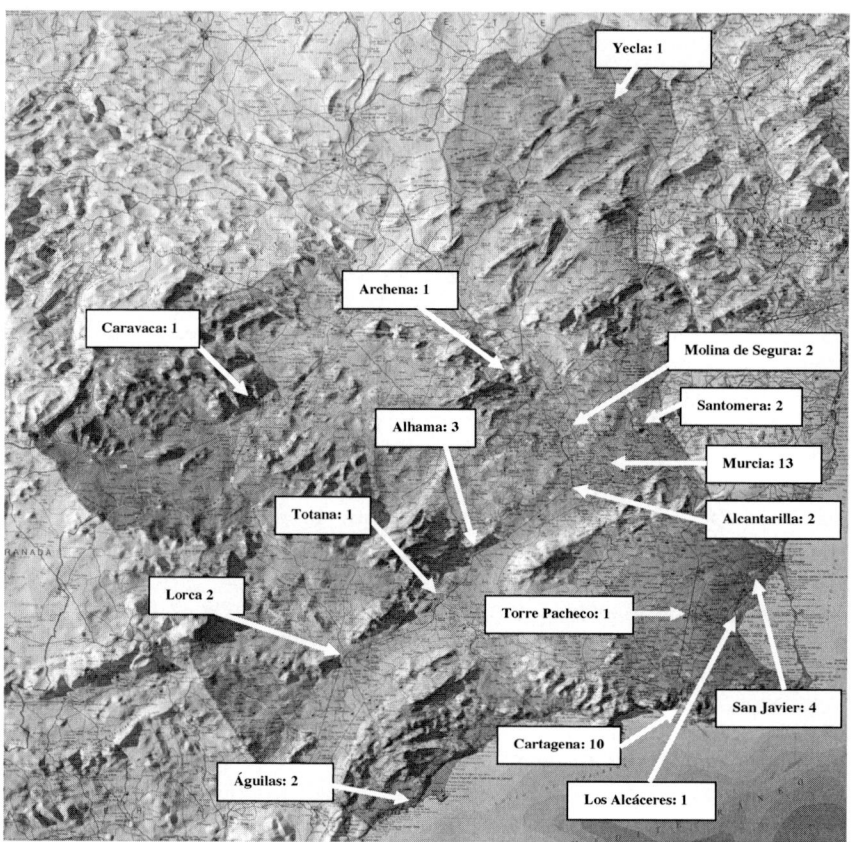

Mapa 1. Distribución de los participantes por número y municipios
Fuente: Martínez-Valcárcel, año 2012-2013

Los resultados del estudio llevado a cabo con los datos, permiten organizar su interpretación en torno a tres capítulos, además de los que se dedican a la fundamentación/metodología, conclusiones y bibliografía.

El primero está vinculado con *los contextos de enseñanza-aprendizaje de Historia de España* y la relación que tiene con el uso del manual. El libro de texto es utilizado dentro de un marco más amplio en el que cobra sentido. Las clases de Historia de España tienen, en general, unos determinados formatos y son en ellos donde el manual cumple una determinada función.

Dichos procesos de enseñanza tienen existencia en unas determinadas aulas, unos espacios en los que los alumnos viven durante años sus procesos de enseñanza-aprendizaje en un sentido (tanto material, como académico y personal), sin el cual sería muy complicado entender todo el proceso educativo. Igualmente, en este apartado, se abordan los recursos que, vinculados con el contenido de Historia de España, son utilizados en las aulas: el libro de texto, los apuntes (Martínez-Valcárcel et al, 2006), e Internet. Sin duda, también sería difícil comprender lo que se hace con los manuales sin relacionarlos con esos dos últimos recursos, pues los tres constituyen una unidad difícilmente separable.

El segundo capítulo describe e interpreta el manual en la *contextualización personal vivida por cada alumno*. Ciertamente el libro de texto recoge en sus páginas parte de ese mundo vivido, es un "objeto con sujeto" lleno de emociones y valoraciones. Así pues, este capítulo aborda ese contenido "particular" en el que se entiende y comprende, desde lo personal, las huellas en él dejadas. De acuerdo con los datos procesados, se han establecido tres escenarios de uso de los manuales, más concretamente son: como apoyo a los apuntes realizados por el discente, como complemento de los materiales proporcionados por el profesor y como centro de todas las actividades de enseñanza-aprendizaje.

En cada uno de esos escenarios el alumno: a) narra su centro, su aula y los compañeros con los que ha convivido muchos años; b) describe a su profesor y a los procesos de enseñanza-aprendizaje en torno a los que ha construido ese saber de Historia; c) relata el uso que hace del texto dentro y fuera del aula, incluyendo sus interpretaciones de lo que ocurría con este recurso y, por último, presenta las evidencias de ese trabajo realizado en su libro de texto de Historia de España, en las que se incluye la forma en la que lo adquirió el manual y cómo aborda las anotaciones llevadas a cabo por el anterior propietario, con las ventajas e inconvenientes que conlleva.

Por último, el tercero, analiza *las regularidades de las huellas dejadas por el alumnado en los manuales analizados en el aula y fuera de ella*. Se profundiza, por una parte, en el análisis del uso de los distintos recursos que ofrece el manual y, por otra, en la identificación y el significado de las huellas dejadas en el libro de texto de Historia de España.

Los resultados se organizan en torno a cuatro apartados de reflexión: uso del libro por parte del profesor en el aula, uso del libro por parte del alumnado en casa, tareas realizadas por el alumno en el aula y tareas realizadas por el alumno en casa. En cada uno los apartados se les solicitó que valoraran el uso de los recursos contenidos en los manuales (utilizados por el profesor en el aula y ellos en casa) y las tareas que realizaban con el manual en los dos contextos indicados. Las regularidades encontradas en los manuales indican un trabajo estructurado en torno a tareas relacionadas con la información del contenido y con la gestión que, ineludiblemente, presentan los procesos de enseñanza-aprendizaje.

CAPÍTULO I

I. EL LIBRO DE TEXTO DE HISTORIA DE ESPAÑA EN BACHILLERATO

CAPÍTULO I

I. EL LIBRO DE TEXTO DE HISTORIA DE ESPAÑA EN BACHILLERATO

> (...) no basta con que conozcamos bien las funciones que los manuales cumplen, ni con que seamos capaces de integrar los diversos enfoques que ellos admiten, es preciso dar un paso más: es forzoso conocer su uso en la escuela, su difusión real en el aula. En tal caso las dificultes a vencer son grandes, tan grandes como las que enfrenta hoy una historia del currículo que no se contente con narrar las peripecias del currículo prescrito y que trate de averiguar el currículo realmente impartido. (Puelles, 2000, p. 6-7)

La cita del profesor Puelles, centra perfectamente las finalidades de este capítulo enmarcándolo en el contexto donde, partiendo de lo que ya se ha investigado, ofrecerá sus aportaciones sobre el manual dentro y fuera del aula. Como bien señala el autor, el estudio de las funciones del manual es necesario (unido a las consideraciones sobre la importancia de su diseño y su comercialización, etc.), pero es en el aula, en la realidad cotidiana, donde es "forzoso" conocerlo, abordando como perfectamente indica Puelles, la complejidad y las dificultades que presenta ese conocimiento.

Este capítulo revisa las aportaciones realizadas sobre el manual y las investigaciones llevadas a cabo, relevantes para nuestros fines, que permiten situar este trabajo precisamente en el marco del uso de los manuales. Evidentemente, se trata de un problema complejo, pues, por un lado, se ha de disponer de los manuales trabajados por los propios alumnos (y la explicación y valoración de las huellas que han dejado) y, por otro, de los estudios relacionados precisamente con ese objeto de investigación y más concretamente sobre su uso y las evidencias que quedan del mismo, como huellas de un quehacer llevado a cabo por los discentes dentro y fuera de las aulas.

I.1. Sentido y significado de los manuales en la enseñanza

El interés por el estudio de los manuales ha ocupado en los últimos años el esfuerzo y trabajo de destacadas fundaciones, como el Instituto Alemán Georg Eckert[1], EMMANUELLE[2] (en Francia), el grupo MANES[3] (en España), o el CEME[4] en Murcia, a los que remitimos para cualquier ampliación sobre el tema. Igualmente, como miembros de estas instituciones o estudiosos individualmente, se pueden citar a un amplio grupo de investigadores (del que solamente se mencionan a los más directamente relacionados con esta investigación), que han trabajado el significado e importancia de los manuales tales como: Choppin (2008), Chartier (2009), Puelles (2007), Valls (2007), Escolano (2012), Pingel (2010), Martínez y Rodríguez (2010), Viñao (2015), entre otros.

Los libros de texto, como señala Choppin (2001), son objetos familiares que pasan desapercibidos, pues forman parte del entorno cotidiano, pero que son perfectamente identificables respecto de otras publicaciones y cobran importancia cuando se habla de ellos provocando recuerdos personales, más o menos gratos, de las experiencias vividas durante los periodos de enseñanza. Un problema más complicado se presenta cuando se quieren definir o conceptualizar estos recursos. Choppin (2001, p. 209) recurre a una declaración de Talleyrand, en septiembre de 1791, para aproximarse a lo que son los manuales, y así recoge que "Es necesario que libros elementales, claros, precisos, metódicos, distribuidos con profusión, conviertan en universalmente familiares todas las verdades, y ahorren los inútiles esfuerzos para aprenderlas". Así pues, son herramientas pedagógicas, soportes de verdades y medios de comunicación muy potentes. Evidentemente, esta definición posee las funciones que el manual escolar tiene, pero no es suficiente, pues, como Choppin (2001, p. 211) señala más adelante, es un "producto fabricado, difundido y consumido", con todo lo que ello supone, provocando incesantes polémicas en torno a él, en lo que Choppin (2000, p. 14) denomina función emblemática y función catártica de los manuales. Por otra parte, como indicó Selander ya en 1990 (p. 346), los libros de texto son "una reconstrucción social, pero una reconstrucción que toma como referencia el mundo exterior". En este sentido, este mismo autor (p. 345) define un contexto en el que comprender el alcance de los manuales, pues parte de que:

1. Hay un mundo objetivo[5] fuera de nuestra mente.
2. Los libros de texto son reconstrucciones determinadas socialmente de ese mundo objetivo.
3. El libro de texto está enmarcado por la institución (por ejemplo el sistema educativo).
4. El libro de texto está estructurado para adecuarse a las necesidades definidas institucionalmente y posee, así, una estructura interna propia.
5. Es posible determinar un nuevo marco, desde el punto de vista analítico, al libro de texto atendiendo a la relación entre: a) su texto y el mundo exterior y b) el propio libro de texto y los demás texto (por ejemplo científicos) que se puedan rastrear.

---

[1] El Instituto Georg Eckert: http://www.gei.de/en/the-institute.html
[2] El Proyecto EMMANUELLE: http://lara.inist.fr/handle/2332/574
[3] MANES: http://www.uned.es/manesvirtual/portalmanes.html
[4] CEME: http://www.um.es/ceme
[5] Esta caracterización evidentemente puede ser discutible.

Profundizando en el punto 4, la estructura del manual, Escolano (2012) expone que los manuales constituyen un género textual con identidad y carácter propio, lo cual es reconocido por los usuarios del mismo, principalmente profesores y alumnos, como por el medio social, cultural y pedagógico en el que está establecido. Por otra parte, señala pormenorizadamente que son evidentes las características de los manuales, indicando que en cualquier versión impresa se pueden identificar: formato, cubierta, maqueta, estrategias, etc.

El formato. La estructura, tamaño y modelo material del libro escolar resulta inconfundible. Sus signos externos evidencian que se trata de un producto impreso destinado a sujetos escolarizados, es decir, un texto con identidad propia.

La cubierta. Esta es la puerta de acceso al manual, una especie de cartel que reclamo con tipografías, formas y colores que estimulan la sensibilidad de destinatarios, niños y jóvenes. Es también en parte un póster motivante de lo que el libro encierra en su interior, dotado de una peculiar estética y de otros recursos simbólicos y comunicativos.

La maqueta de las páginas interiores (mise en page). Su organización, la distribución del espacio gráfico, el uso de recursos para orientar una lectura de estudio y otros elementos de la maqueta textual revelan que su diseño está orientado como guía del proceso de aprendizaje y de enseñanza. Esta característica atribuye identidad al libro escolar.

Las estrategias ilustrativas que utiliza como retórica iconográfica asociada a la escritura. La textualidad del manual suele ser una mezcla de imágenes y palabras, armonizada siguiendo estrategias informacionales, estéticas y didácticas que intervienen en la comunicación de los contenidos e incluso en la activación de actitudes.

El implicit reader que subyace bajo su textualidad. Todo libro destinado a la enseñanza comporta un lector in fabula, un determinado sujeto que se presupone y que ha de comportarse conforme a un protocolo de acciones en parte predeterminadas, con algún grado de indeterminación. Este lector implícito es propio del manual y diferente de los lectores de otras textualidades. (p. 35).

Así pues, el texto escolar es ante todo un instrumento de enseñanza, en él se reflejan los contenidos educativos, los objetivos y los métodos pedagógicos de su tiempo (Alzate, 2000). Es el libro que el profesor utiliza dentro de un diseño curricular concreto, dentro de una acción didáctica y que el alumno emplea dentro de un proceso de enseñanza-aprendizaje (Martínez-Valcárcel, 2012). Aunque el libro ha estado siempre presente en las escuelas, el manual, tal como hoy se conoce, es una creación textual relativamente reciente (Escolano, 2001). Efectivamente, como este autor afirma, la idea que actualmente se tiene de lo que es el libro de texto no es muy lejana en el tiempo, ya que surge vinculada al propio desarrollo del Sistema Educativo y del concepto de Escuela Pública que lleva asociado. El manual escolar es, por tanto, una construcción ideada específicamente para implementar técnica y pedagógicamente la organización del sistema escolar (Escolano, 2001).

En España tiene lugar la creación de la primera generación de libros escolares entre principios del siglo XIX (1812) y principios del siglo XX (1936). La génesis y desarrollo de los manuales escolares no sólo vino influenciada, como se ha comentado anteriormente, por la implantación de un Sistema Educativo Nacional, sino también por el avance tecnológico e impulso de las editoriales, estas últimas responsables de decidir el formato, diseño, ilustración, confección, material, etc. del libro de texto. Ya en las últimas décadas del siglo XX, comienza a configurarse una tipología más moderna y novedosa en los manuales escolares. En 1970 el cambio legislativo y educativo (Ley General de Educación) puso rumbo hacia la edición de manuales de texto adaptados a los nuevos modelos didácticos y tecnológicos del momento.

La importancia de este recurso de enseñanza ha llevado a proponer una denominación propia para su estudio: la manualística. Así, como se viene presentando, ésta se constituye como campo intelectual (Escolano, 2012) que centra su interés en el estudio de los manuales escolares. Como se ha expuesto anteriormente, el libro es una fuente esencial para conocer la educación, la cultura y la sociedad de un determinado momento o época y, como objeto-huella que es, lleva implícitas las claves de la memoria del pasado y del presente, otorgándole valor al manual escolar por sí mismo. De esta forma, la manualística centra su campo disciplinario de conocimiento en el libro escolar, y no olvida la importancia del contexto donde el libro se escribe y sobre todo donde se utiliza, para analizar y profundizar sobre la cultura escolar y social del momento. Por último, no hay que olvidar que todo texto es lo que sus lectores hacen con él en la práctica. Y esa práctica queda reflejada en las evidencias que del uso del libro se realiza (lo que supone el objeto de estudio para este trabajo de investigación), pues como señala Escolano (2012), todo libro de texto:

> (…) es lo que sus lectores hacen con él en la práctica. Ningún texto existe fuera de la materialidad en que se inscribe (Chartier 2006), pero tampoco sin los procesos de apropiación que hacen los sujetos al interaccionar con las formas y contenidos de la cultura gráfica que en él se manifiesta. Estas apropiaciones, que son lecturas, o reescrituras, son las que determinan la construcción y la coautoría del texto. (p. 46)

I.2. Los manuales de Historia de España

El estudio del libro de texto de Historia ha centrado un número considerable de trabajos al respecto. Sin duda, lo que se ha visto en el apartado anterior es también aplicable a la materia de Historia, sin embargo, la particularidad del contenido se presenta como singular en este tipo de estudios. Los trabajos realizados por el Instituto Georg Eckert, ya mencionado, ocupan un espacio central y muy destacado en las investigaciones sobre los manuales, y más concretamente sobre el contenido de ellos. Autores como Falk Pingel (2010), con su trabajo "UNESCO Guidebook on Textbook Research and Textbook", son un referente constante para estos estudios, tanto por su contenido, como por las revisiones que lleva a cabo, la bibliografía que presenta y la guía de instituciones. Las características del manual de Historia, sobre todo el estudio de sus contenidos, posee una razonable producción científica a nivel internacional: Pingel (2010), Rüsen 1997, Borries, Körber y Meyer-Hamme (2006), Barton (2010), entre otros. A nivel nacional, los trabajos de Valls (2010) son un referente para este tipo de estudios, a los que pueden sumarse los de Cuesta (1998), Pagès (2008), Saiz (2014), Benso (2000), Martínez-Valcárcel, Valls y Pineda (2009), entre otros.

El trabajo de Rüsen (1997), con casi dos décadas de existencia, es uno de los que más ha influido (e influye) y clarificado estos estudios. Así, la necesidad de plantear cuestiones sobre el libro de texto ideal (de Historia), lleva consigo un consenso mínimo sobre lo que se entiende por enseñanza de la Historia, una empresa complicada, difícil y siempre discutible, pues, tanto desde posturas ideológicas vinculadas a la propia ciencia histórica, como a las educativas e incluso personales, se encuentran divergencias más que significativas. Esta pluralidad no ha de ser objeto de inhibición y, en este sentido, se debe buscar el máximo consenso posible en este complicado tema. Así pues, podría mantenerse, siguiendo los trabajos de Rüsen (1997), que la *"memoria histórica"* es el objeto en sí de la Historia y que la actividad mental de la misma es la *"conciencia histórica"*, que se convierte así en el ámbito y en el objetivo del aprendizaje histórico. Más concretamente, dicha conciencia histórica se alcanza mediante la interpretación de la experiencia del pasado, que permite la comprensión de las actuales condiciones de vida y potencia perspectivas de futuro de la práctica vital personal y colectiva de acuerdo con tales experiencias.

En un sentido similar se pronuncian el Decreto 11447 n.º 262/2008, de 5 de septiembre, el Decreto de currículo de Historia cuando habla en la introducción de la enseñanza de esta materia: "El estudio de la Historia proporciona un conocimiento esencial del pasado que contribuye a la comprensión del presente". Así pues, la evaluación de la conciencia histórica resulta una pieza clave, siendo los trabajos encaminados a conocer cómo ésta se lleva a cabo por parte de los profesores, una necesidad de la investigación, sin minusvalorar otras que se tienen sobre la enseñanza de la Historia.

Por otra parte, la memoria histórica y su actividad mental, la conciencia histórica, tienen un componente esencial en el recuerdo histórico a través del relato narrativo de la Historia. Relatar no solamente en el sentido de contar y describir para entender, sino en el de saber antropológico y universal, que cumple la misión de orientar la vida actual. Este relato narrativo, que a través del recuerdo recupera la memoria histórica formando la conciencia histórica en el alumnado, sólo es posible mediante los procesos de comunicación dinámica y bidireccional entre los productores de historias y los receptores de las mismas. De esta forma, la competencia narrativa y más concretamente las capacidades que ésta desarrolla son el objeto en sí del aprendizaje de esta disciplina. Dicha competencia se puede articular en tres dimensiones que hacen referencia al aspecto empírico, al teórico y al práctico; más concretamente: contenido, forma y función:

a) La "competencia de experiencia" (Contenido). Es la capacidad de aprender a mirar el pasado y ver en él su especificidad temporal. Por lo mismo, es la capacidad para distanciarse del pasado y diferenciarlo del presente, reconociendo en él la propia experiencia y el paso del tiempo.

b) La "competencia para la interpretación" (Forma). Es la habilidad de acortar diferencias de tiempo entre el pasado, el presente y el futuro a través de la concepción de un todo temporal significativo que abarque todas las dimensiones de tiempo. Se constituye como una competencia que traduce las experiencias pasadas en comprensión del presente y expectativas de futuro.

c) La "competencia de orientación" (Función). Permite la utilización del todo temporal (pasado, presente, futuro) como guía de acción en la vida diaria.

Así pues, al hablar del libro ideal de Historia, Rüsen lo vincula con la adquisición de estas competencias, y para ello destaca como dimensiones positivas de los manuales las siguientes:

- Un formato claro y estructurado.
- Una estructura clara didáctica.
- Una relación eficaz con el alumno.
- Una buena relación entre la teoría y la práctica.

Una característica básica e imprescindible del manual escolar de Historia es que posea un formato claro y estructurado. La forma exterior ya resulta decisiva para la receptividad de la materia presentada en el libro (texto de autores, fuentes de texto e imágenes, mapas, diagramas, etc.). Igualmente es conveniente una maqueta clara y sencilla, una distribución y una estructuración clara de todos los materiales y ayudas para la orientación, las formas de los títulos e indicaciones, los anexos, la existencia de un índice y un glosario con explicaciones de los términos y nombres más importantes y, por último, una bibliografía con libros apropiados para ampliar los temas. El formato del libro y la estructuración de sus materiales deben estar configurados de tal manera que incluso los alumnos puedan ser capaces de reconocer sus intenciones didácticas, el plan de estructuración que forma su base, los puntos más importantes de su contenido y los conceptos metodológicos de enseñanza.

En toda su estructura, el manual escolar tiene que tener en cuenta las condiciones de aprendizaje de los alumnos y alumnas. Tiene que estar en consonancia con sus capacidades de comprensión, y ello vale sobre todo en lo que se refiere al nivel de lenguaje utilizado. Además, la materia presentada tiene que guardar una relación con las experiencias y expectativas de los alumnos y alumnas, sobre todo con su estimación general, específica de cada generación, de sus propias oportunidades en la vida, y además con las experiencias del día al día, como son la situación de la infancia y juventud, la del colegio, y también el conflicto entre generaciones.

Sin embargo, las experiencias históricas, interpretaciones y orientaciones del horizonte de experiencias y expectativas del alumno, naturalmente, se tienen que relativizar. Existen unas necesidades de orientación en el conjunto de la sociedad, que entran en este horizonte solo de forma fraccionada, pero cuya consideración es necesaria para la adquisición de la competencia de una conciencia histórica adecuada a la situación objetiva de las circunstancias de la vida.

Por otro lado, los alumnos tienen una extremada sensibilidad hacia los problemas del presente, que los adultos, demasiado involucrados en estos problemas, no los perciben de la misma manera. La cuestión de si ciertos contenidos históricos son adecuados o no para un libro de enseñanza depende del grado en el que contribuyan a la comprensión del presente y de las oportunidades vitales de los niños y jóvenes. Así pues, al dirigirse a los alumnos, no se debería olvidar que la experiencia histórica tiene un potencial propio de fascinación que se puede aprovechar como oportunidad de aprendizaje. Por otra parte, Valls (2008) sintetiza esta y otras propuestas y propone para el estudio de los libros de texto de Historia: la relación entre las características básicas del conocimiento historiográfico y el conocimiento escolar propuesto, la función asignada a la historia enseñada en relación con el alumno (relación pasado-presente-futuro), modelo didáctico en el que se basa y consecuencias del mismo y, por último, la adecuada legibilidad y estructuración del manual (coherencia entre macro y micro secuencias, adecuación a las zonas de desarrollo próximo, etc.).

El trabajo que presentan Borries, Körber y Meyer-Hamme (2006) aborda los retos y uso de los manuales escolares, distinguiendo las características del manual ideal (según los alumnos y docentes), diferenciando en él para su estudio los siguientes referentes, muy reveladores para este trabajo:

- Ser fácilmente legible.
- Contener historias emocionantes e ilustraciones expresivas y contenidos variados.
- Mostrar con claridad y de forma inequívoca lo que aconteció.
- Dejar claros los nombres, datos hechos y conceptos que se tendrán en cuenta realmente en la evaluación.
- Permitir únicamente una interpretación de materiales y textos del autor (inequívoca).
- Ofrecer una valoración clara.
- Considerar los acontecimientos desde el punto de vista correcto.
- En los materiales, indicar su origen y qué punto de vista reflejan.
- Exponer los motivos y la forma de selección de las informaciones.
- En las fuentes adjuntas no limitarse a los textos del autor, para así permitir la crítica y la reflexión.
- Sopesar los aspectos positivos y negativos de los hechos y acontecimientos.
- Hacer referencia por igual a los vencidos y sin poder, como a los vencedores y gobernantes.
- Capacitar y animar al lectorado a formarse su propio juicio,
- Plantear elevadas exigencias de comprensión del lenguaje y conceptos. (p. 4)

Sin duda, unos y otros, coinciden en las características de estos manuales y hacen especial hincapié en la importancia del contenido y la necesidad de estudios sobre el mismo y sobre su tratamiento, sin embargo, tal y como señala Rüsen (1997):

> (…) en la investigación aún hay otro déficit más grave que reside en otro ámbito: casi no existe ninguna investigación empírica sobre el uso o el papel que los libros de texto verdaderamente desempeñan dentro del proceso de aprendizaje en las aulas. Este déficit es aún más grave si consideramos que sin él no es posible un análisis completo de los libros de texto. (p. 80-81). Esta última afirmación, lejana en el tiempo, sigue presente hoy en día, aunque ya se encuentran algunas investigaciones sobre dicha utilización en las aulas.

I.3. Investigaciones sobre el libro de texto de Historia

Como el dios Jano, que con dos caras una mira al presente y otra al pasado, este trabajo tiene esa doble finalidad: contribuir al conocimiento del presente y apoyar la memoria educativa mediante la preservación de los documentos primarios a los que se accede. Así pues, en esta revisión de las investigaciones que están realizándose sobre el tema se incluye esta doble perspectiva: estudio del presente/preservación en la memoria, por una parte y, por otra, los estudios realizados a nivel internacional/nacional, que nos ayudan a plantear la prregunta ¿Qué se investiga sobre el uso del libro de texto de Historia de España dentro y fuera del aula?

Una breve síntesis de las investigaciones realizadas destacaría, ya mencionado, el Instituto alemán Georg Eckert[6] y, dentro de él, el trabajo de Falk Pingel (2010): "UNESCO Guidebook on Textbook Research and Textbook Revisión". Dicho libro presenta una revisión general de las investigaciones realizadas, destacando la fundamentación que las sustenta, las revistas especializadas que lo abordan, los trabajos publicados y los ámbitos investigados de los manuales escolares. Otro trabajo significativo es el de Walker y Horsley (2006), en la medida en la señala la pertinencia de incluir la perspectiva sociocultural en el estudio de los manuales y la validez de los trabajos sobre el "conocimiento pedagógico del contenido" propuestos por Shulman (1987, 2005).

Ya en el campo de la Historia, hay que señalar el estudio pionero de Rüsen (1997) y su propuesta para la investigación sobre los libros de texto de esta materia. También en esta breve referencia internacional, no puede dejarse fuera el análisis que realiza Nicholls (2003) sobre la fundamentación teórica de las investigaciones realizadas sobre los libros de texto, destacando sus puntos fuertes y débiles. Cabe finalizar con los trabajos que se están realizando en el IARTEM[7], sobre todo los llevados a cabo por Sikorova (2011), principalmente su trabajo: "The role of textbooks in lower secondary schools in the Czech Republic", que se constituye en un buen referente para este trabajo.

Las investigaciones sobre el libro de texto llevadas a cabo a nivel español e iberoamericano, inspiradas en el proyecto EMMANULLE[8], hay que referenciarlas en torno al proyecto MANES[9], del que se destacan las aportaciones de Tiana[10] (2000) y la de Puelles

---

[6] En 1951 el profesor e historiador Georg Eckert inicia en Alemania lo que en 1975 se consolidará como el *Instituto Georg-Eckert para la Investigación Internacional sobre los Libros de Texto*. Este instituto que surge con la finalidad de revisar el contenido de los libros de texto después de la Segunda Guerra Mundial, desarrolla su trabajo principalmente valorando el contenido y el enfoque que adoptan los manuales escolares sobre la historia acontecida. Posteriormente se volverá a nombrar esta institución para describir las investigaciones realizadas sobre el libro de texto en la materia de Historia.

[7] International Association for Research on Texbooks and Educational Media. http://www.iartem.no es una comunidad de investigadores que tiene como propósito promover la investigación en el ámbito de los libros de texto y los medios didácticos. Está desarrollando una importante y potente línea de investigación relacionada con los manuales escolares, y a través de su revista IARTEM eJournal se están publicando numerosos artículos cuya temática principal es el libro de texto y su relación con los medios educativos y los procesos de enseñanza-aprendizaje. También organiza conferencias internacionales bianuales con el objetivo de intercambiar opiniones y estudios relacionados con el libro de texto y, hacer públicos sus resultados. La primera conferencia tuvo lugar en Suecia en 1991, en Santiago de Compostela (España) se celebró en el año 2009 y la última conferencia tuvo lugar en Ostrava (República Checa) en el año 2013. En Berlín (Alemania) en septiembre de 2015 tendrá lugar la decimotercera conferencia internacional de IARTEM cuyo tema central versará sobre "Los Libros de texto y los Medios de Comunicación Educativos: Aprendizaje, Recursos de las clases y Disciplinas" (Textbooks and Educational Media: Learning, Classroom Resources and Disciplines").

[8] El Proyecto EMMANUELLE (Francia, 1980) es desarrollado por el Institut National de Recherche Pédagogique (INRP) bajo la dirección de Alain Choppin. La labor de este proyecto fue fundamentalmente documental e investigadora; por un lado, construyó una base de datos con el propósito de registrar todos los libros escolares publicados en Francia desde la Revolución hasta nuestros días y por otro lado, inició un conjunto de estudios y publicaciones con el objetivo fundamental de explotar y difundir dicha base de datos.

[9] MANES. El Centro de Investigación MANES tiene como objetivo principal la investigación de los manuales escolares producidos en España, Portugal y América Latina durante los siglos XIX y XX. Puede consultarse su trabajo en la dirección http://www.uned.es/manesvirtual/portalmanes.html El Proyecto francés, surge en 1992 en España el Proyecto MANES de la mano del profesor Federico Gómez R. de Castro y del Departamento de Historia de la Educación y Educación Comparada de la Universidad Nacional de Educación a Distancia (UNED), cuyo objetivo principal se centra en el estudio de los manuales escolares publicados en España durante los

(2007), en la que analiza las relaciones de la elección de los manuales por los profesores y el Centro de Estudios sobre la Memoria Educativa CEME[11].

Igualmente, es significativo el ensayo de tipificación de los ámbitos de estudio realizado por Martínez y Rodríguez (2010) sobre el currículo y el libro de texto; los trabajos realizados por Burguera (2006), los de Valls (2007 y 2008), que recogen las aportaciones concretas de la Didáctica de la Historia y los manuales, con un balance de los estudios realizados y una muy razonada propuesta de las líneas de investigación a seguir, y Martínez-Valcárcel (2012). Es también interesante señalar el trabajo de Boyd (2013), que analiza los textos escolares desde el siglo XVIII hasta la actualidad, y el de Sáiz (2014), que investiga una muestra de actividades de los manuales escolares de Historia de 1º, 2º, y 4º de ESO y de 2º de Bachillerato. Todos estos trabajos nacionales e internacionales, relacionados entre sí, son una base de referencia para comprender nuestra aportación en la investigación sobre los libros de texto de Historia.

Presentada una revisión general de las investigaciones sobre este campo de estudio, se exponen, con mayor profundidad, las investigaciones más vinculadas con el objeto de este estudio: los trabajos de Martínez-Valcárcel, Valls y Pineda (2009), Sikorova (2011), y Borries, Körber y Meyer-Hamme (2006)

El trabajo realizado por Martínez-Valcárcel, Valls y Pineda (2009), recoge la colaboración entre dos líneas de investigación y diferentes proyectos en los que están implicados dichos investigadores y supone la referencia más cercana a esta publicación. El estudio presenta los resultados del uso que se hace del libro de texto de Historia en las aulas de 2º de Bachillerato en la Comunidad Autónoma de la Región de Murcia, abarca el periodo 1993-

---

siglos XIX y XX. El Proyecto MANES se ha ocupado por un lado de realizar una labor documental realizando un censo de los manuales escolares editados en España entre 1808 y 1990, a través de fichas bibliográficas de una base de datos informatizada. También se han recopilado otro tipo de documentos relacionados con los distintos planes de estudios, programaciones y marcos legislativos del momento. Por otro lado, está llevando una labor investigadora en el campo educativo relacionada con los manuales escolares. En este sentido se ha iniciado un estudio sobre el currículo prescrito y los libros de texto; sobre los contenidos curriculares y la estructura didáctica del libro, sobre las tendencias didácticas y científicas de algunas disciplinas como la historia; sobre las tendencias políticas, religiosas, culturales, sociales... y su reflejo en los manuales escolares. Pero como se observa sigue sin abordarse la temática del uso del libro de texto en los procesos de enseñanza-aprendizaje en la realidad y práctica diaria, es decir, en el aula, en la clase habitual. No obstante, son destacables otras áreas del Proyecto MANES como la biblioteca que se encuentra ubicada en la Biblioteca General de la UNED, las publicaciones MANES cada vez más extensas, el programa de doctorado MANES y numerosos cursos sobre el estudio histórico de los manuales escolares, y las reuniones científicas dedicadas a este mismo tema.

[10] En él, como editor, recoge un pionero trabajo de casi 30 autores sobre las intenciones políticas y la influencia pedagógica en los manuales

[11] Respecto a la memoria educativa también es notable la labor investigadora que se está realizando desde la Universidad de Murcia a través del CEME, esto es, el Centro de Estudios sobre la Memoria Educativa. Este centro fue creado el 2 de abril del año 2009 y pretende fomentar la salvaguarda, el estudio y la difusión de la memoria y el patrimonio histórico-educativo de las instituciones educativas de la Región de Murcia. Entre sus importantes funciones se destacan dos por su relación más directa con la temática de esta tesis y su objeto de estudio: una de esas funciones es, crear un archivo audiovisual y visual de imágenes escolares y entrevistas o historias de vida de profesores, alumnos o personas que hayan tenido alguna relación con actividades de formación y enseñanza; y otra de esas funciones es, promover la creación de colecciones específicas como, a título de ejemplo, de manuales y cuadernos o trabajos escolares y de material didáctico-científico. Sería deseable que en el desarrollo de estas funciones, y otras, del centro CEME se contemplara el uso de los manuales escolares en los centros educativos por parte del profesorado y del alumnado en la realidad diaria de la vida del aula.

2003, se recurre a los relatos realizados por 1264 alumnos y llega a casi todos los Centros de Secundaria de la Comunidad[12]. Como sus autores señalan:

> Esa mirada desde el recuerdo, que nos ha facilitado entrar en la intimidad del millar y cuarto de aulas a lo largo de una década, ha permitido identificar tres ámbitos del quehacer educativo de la enseñanza de la Historia de España y del uso del libro de texto. Del primero, muy brevemente, daremos cuenta de los grandes referentes que constituyen el interés del alumno. Por su parte, el segundo muestra como el libro de texto es algo más que un medio de la enseñanza; por último, el tercero profundiza en el uso de los manuales escolares. (p. 9)

Relacionados con este trabajo, indicaremos algunos datos de los ámbitos segundo y terceros en él presentados. Así pues, el segundo señala que el recuerdo tiene un carácter global e integrado de lo que ocurre en el aula y en él, el libro de texto es aludido constantemente (en la entrada del profesor a clase, en su desarrollo, al finalizar la clase, en la forma de ser del docente, en la planificación, la evaluación, en el control de asistencia, en las relaciones con otros grupos del mismo nivel educativo, etc.). La vinculación de las descripciones con lo que ocurre en el aula llega incluso a acciones tales como: la forma de entrar en clase, la de ocupar el espacio de clase o si el docente planificaba o no la asignatura. Así lo describe el participante 1880 (año 1998) "Entraba en clase y siempre lo hacía con una sonrisa saludando a todos, entonces *dejaba su libro* y sus cosas encima de la mesa"; el alumno 1084 (año 1999) "Tenía dos maneras de explicar: o sentado en su sitio sin moverse o dando vueltas por la clase. Si estaba sentado *recurría al libro de texto* y si estaba levantado recurría a los mapas o a las diapositivas"; o el participante 1949 (año 2000) "Sus clases las llevaba muy preparadas, tanto que es raro que tenga que mirar *el libro* o sus apuntes".

El uso del libro de texto, estudiado en el ámbito tercero, indica que en el período 1993-2003 es utilizado por 70% por ciento de los docentes[13]. Es también significativo dicho aumento y la tendencia a bajar de los dos últimos años de esta década, tal y como describen sus autores:

> También es relevante señalar la evolución media seguida por el uso del manual en esta década estudiada (línea de tendencia polinómica de la gráfica 1), con un ascenso de casi un 10% respecto de 1993. Igualmente, cabe destacar la caída de su uso en los dos últimos años estudiados (2002-2003), acercándose a los valores de 1993, año en el que se inicia el cambio progresivo de la LOGSE[14] por la LGE[15]. (p.20)

---

[12] Toda la base ha sido publicada Martínez-Valcárcel 2016.
[13] De acuerdo con las declaraciones realizadas por los alumnos.
[14] Ley Orgánica General del Sistema Educativo (LOGSE de 1990).
[15] Ley General de Educación (LGE de 1970).

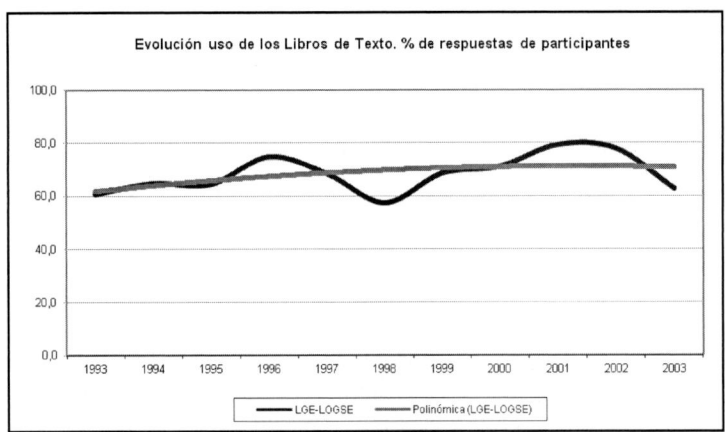

Gráfica 1. Evolución del uso de los libros de texto. % de respuestas de participantes.
Fuente: tomada de Martínez-Valcárcel, Valls y Pineda (2009, p. 20)

En cuanto a las actividades que genera el uso del libro de texto, cabe señalar la de ampliar los contenidos, las propias relacionadas con los procesos de enseñanza-aprendizaje y las vinculadas con los ejercicios. Así los autores, en la página 32, señalan que la ampliación de los contenidos del manual es la más habitual y va desde las "tradicionales (dar apuntes o proporcionar fotocopias), pero otros indican líneas mucho más renovadoras que están en aumentando y que requerirán de nuestro apoyo y potenciación (emplear distintos libros, remitir a distintos materiales o introducir la prensa)". En cuanto a las vinculadas con los procesos de enseñanza-aprendizaje "van desde la actividades más triviales (leer, dictar o copiar), pasando por (...) la comprensión (explicar), (...) profundización en los contenidos, que tiene que ver con las síntesis de los mismos mediante esquemas, (...) gráficos y ejes cronológicos". Las tareas vinculadas con los ejercicios se reducen prácticamente a "los comentarios de texto (...) sin olvidar la realización de meros subrayados de los mismos y aún más escasos son los referidos a llevar a cabo ejercicios de investigación".

***Los estudios realizados por Zuzana Sikorova* (2011)** sobre los manuales profundizan en el campo de la utilización de estos recursos. Centrándose en los que se vinculan con este trabajo, se destaca la investigación que llevó a cabo sobre el uso de los libros de texto en las escuelas secundarias de primer ciclo en Ostrava, en la República Checa (IARTEM e-Journal, 2011). El objetivo principal era identificar el papel que los libros de texto juegan en la enseñanza-aprendizaje de diversas materias escolares. La función de los libros de texto se estudió a partir de cuatro aspectos principalmente:

a) La prevalencia del uso del libro de texto.
b) Las actividades basadas en los libros de texto.
c) El papel del libro de texto para el trabajo en casa de los estudiantes.
d) El control de los libros de texto.

Algunas de las cuestiones que se plantearon a partir de las funciones anteriormente señaladas fueron:

¿Cuál es la frecuencia y el tiempo de uso de los libros de texto?
¿Qué actividades basadas en los libros de texto se utilizan en las clases?

¿Cuál es la complejidad cognitiva de las actividades basadas en los libros de texto?

¿Con qué frecuencia los estudiantes utilizan los libros de texto para su trabajo en casa?

¿Qué estrategias de aprendizaje aplican los estudiantes mientras estudian el libro de texto?

¿En qué medida los profesores siguen el libro de texto en la planificación de las lecciones?

La metodología seguida consistió, mediante un muestreo aleatorio, en llevar a cabo observaciones estructuradas en las clases de octavo grado de diez escuelas secundarias de primer ciclo; en total 155 lecciones fueron observadas y grabadas, 40 de Historia, 40 de Inglés, 37 de Matemáticas y 38 de Educación Cívica. Además, se complementó con entrevistas semiestructuradas a los profesores y a los alumnos.

Entre los resultados que se obtuvieron, destaca un porcentaje elevado (en el 76% de las clases observadas) de la utilización del libro de texto; hay que resaltar que en la materia de Historia los libros se utilizaron con más frecuencia que en otras asignaturas y durante períodos de tiempo más largos. En general, y en todas las materias, se utilizaron sobre todo para la presentación y práctica de los nuevos contenidos. Gran parte de este tiempo de utilización (40%) se dedicó a la realización de las actividades de los manuales. Es de nuevo en la materia de Historia dónde con diferencia se usaron con más frecuencia los componentes no verbales de los libros de texto, tales como imágenes, dibujos, esquemas y gráficos. Respecto al uso del libro de texto por parte del alumnado para su trabajo en casa, se detectó que la utilización era muy baja, un 70% de los alumnos informó que no estudiaron el libro de texto de Historia. Sin embargo, es llamativo que la mayoría de los estudiantes (73%) estaban convencidos de que los libros de texto son necesarios por una razón u otra: buscar información, realizar los deberes en casa y para el aprendizaje en casa. Mayoritariamente (80%), los alumnos opinaban que los manuales eran más útiles para el profesorado que para el alumnado.

Finalmente, sobre la influencia de los libros de texto en la enseñanza, se evidenció que el profesorado utilizaba el manual escolar en mayor porcentaje como recurso para el contenido de la materia y para la asignación de tareas y ejercicios; en menor proporción era utilizado como medio para iniciar las discusiones en el aula y como fuente de motivación para el alumnado. Un porcentaje alto del profesorado (85%) informó que utilizaba el libro de texto como una guía para determinar la secuencia de los temas y la profundidad del tema. También se constató la importancia del libro de texto para la planificación de la enseñanza y el desarrollo del currículo.

Por otra parte, *el trabajo de Borries, Körber y Meyer-Hamme (2006)*, dentro de un amplio Proyecto "PARA la conciencia histórica"[16], realiza una encuesta a docentes y alumnos con el objeto de obtener respuesta (entre otras cuestiones y partiendo de la base de que los manuales escolares son el recurso básico para la enseñanza), a las siguientes preguntas ¿Qué esperan los alumnos de los manuales escolares? ¿Cómo se utilizan realmente? ¿Qué

---

[16] "PARA la conciencia histórica", coordinado por Waltraud Schreiber y con la colaboración de Wolfgang Hasberg, Andreas Körber, Michael Erber, Sibylla Leutner-Ramme, Bodo von Borries, Reinhard Krammer, Franz Melichar, Irmgard Plattner, Sylvia Mebus, Barbara Dmytrasz, Barbara Jedliczka, Friedrich Öhl, Guido Havenith, Janos Flodung, Alexandra Binnenkade, Peter Gautschi, Oliver Näpel, Manfred Seidenfuss

características debe tener, según el alumnado y el profesorado, el manual escolar? El estudio, como indican los autores:

> Se realizó durante el verano, otoño e invierno de 2002 en los cursos escolares de 6º y 12º en países de lengua alemana, así como en seminarios de escuelas superiores. Participaron aproximadamente 1.240 alumnos y universitarios (N= 838 en el cuestionario cerrado y N= 413 en el abierto), así como 70 docentes. Cerca de 180 alumnos participantes provenían de Austria y 120 de Hungría. Dentro de Alemania se consideraron en igual medida los (nuevos) länder del este, Baviera y los länder del noroeste. (p. 7-8)

Señalan estos autores que "en general, los jóvenes tienen una concepción del manual muy distinta a la del profesorado porque su visión no implica la reflexión, dado que tienen una representación ingenua de la realidad" (p. 5). Por otra parte, vuelven a constatar los investigadores que "según alumnos y docentes, el manual se utiliza más en el aula que en casa; parece que los deberes ya no son habituales en Historia" (p. 5). Son también significativos los resultados vinculados con las actividades realizadas en el aula, pues "se basa más bien en la comprensión de las fuentes del texto y en las ilustraciones, que en las discusiones sobre las dificultades y contradicciones y en la crítica y verificación" (p. 5).

Concluyen este apartado, directamente vinculado con este trabajo, con los datos recogidos en la tabla 1.

Tabla 1. Uso del manual por el alumnado y por el profesorado

Curso	Uso del manual en clase	Uso del manual en casa
6º	3,32	3,05
9º	3,09	2,56
12º	2,73	2,62
Profesorado	3,08	2,32

Fuente: elaboración propia a partir de Borries, Körber y Meyer-Hamme (2006)

De acuerdo con los resultados anteriormente indicados, presentan la conclusión a continuación recogida:

> Según estos datos, el uso del manual es, en general, muy bajo, en especial durante el trabajo en casa. El profesorado insiste mayormente en el uso en clase más que en casa, al contrario del alumnado. Este hecho debe estar relacionado con la "respuesta deseada socialmente". (p. 5)

I.4. El marco investigador

Una línea de investigación no solamente es una continuidad en el contenido, sino también lo es en los procesos necesarios para alcanzar los objetivos que se persiguen. En ese sentido, de acuerdo con Salkind (2006) "si se dedica tiempo a seleccionar un problema de investigación es porque éste tiene sentido para el investigador" (p. 38), siendo además relevante para el tema que se estudia.

Conocer lo que está ocurriendo en las aulas es y ha sido el objeto de múltiples investigaciones, pues su conocimiento es básico para cualquier acción educativa que se quiera emprender. Emplear adecuadamente los recursos que se tienen y focalizarlos en un tema concreto, como han sido los manuales, constituyó ese foco y ese tiempo al que hacía alusión Salkind. Un problema que fácilmente se constituyó en una interrogante, tal y como la señalan Borries, Körber y Meyer (2006): *"¿Qué uso se hace efectivamente del manual?"*, respondiendo el problema de investigación, al interés existente en la comunidad científica y en el grupo de investigación por el tema.

Así pues, se partió de las evidencias dejadas por los alumnos en los libros de texto (un contenido observable) y de la interpretación necesaria realizada por los discentes de esas huellas dejadas en sus libros de Historia de España. Por otra parte, la realidad de los escenarios en los que ocurrían esos procesos: el aula y la casa, hacía necesaria la pertinente indagación para que esas tareas pudieran diferenciarse. Por último, es también evidente su concreción en tiempo, espacio, centros, cursos y aulas específicas. Más particularmente, partiendo del interrogante general ¿Cuál es el uso del libro de texto de Historia de España dentro y fuera del aula?, se concretaron las otras interrogantes más específicas que ayudarían a su desarrollo tales como: ¿Cuáles son los contextos de enseñanza-aprendizaje en los que se utiliza el libro de texto? ¿Qué huellas encontramos en los manuales utilizados por los alumnos? ¿Qué interpretaciones dan los discentes de esas evidencias que tienen sus libros? ¿Podrían encontrarse regularidades en esas huellas o son exclusivamente personales? ¿Qué evidencias de las registradas en los libros se realizan en el aula? ¿Qué recursos del manual son los más utilizados? ¿Qué valor pueden tener la preservación de lois manuales utilizados para la memoria educativa?, como más significativos.

Siguiendo con el trabajo de Salkind (2009), puede constatarse la existencia de distintos tipos de investigación, que difieren en la naturaleza de las preguntas que formulan y el método empleado para contestarla. Las tres principales categorías de métodos de investigación (no experimental, experimental y cuasi-experimental) se caracterizan cuando se refieren al propósito que pretende alcanzar, al marco de referencia temporal y al grado de control que se tiene sobre las variables. Así, de acuerdo con las investigaciones "no experimentales descriptivas", en las que se incluye este trabajo, se pretende proporcionar, en primer lugar, una imagen amplia del fenómeno que interesa explorar, en este caso el uso del libro de texto a través de la evidencia que representa la huella del alumno en ellos. Igualmente, entender la naturaleza descriptiva de un acontecimiento es tan importante como entender el fenómeno en sí mismo, por la sencilla razón de que no se puede evaluar ni apreciar los avances que se han logrado, en este caso en el uso del libro de texto, sin entender el contexto dentro del que tuvieron lugar tales sucesos.

Por otra parte, Stake (2006), señala las dos grandes formas de enfocar la investigación: una orientada a las mediciones, y otra a la experiencia; ambas enriquecen la comprensión de la realidad analizada de forma distinta. Stake (2006: 17) indica a los "estándares y criterios" como conceptos clave de la vía de las mediciones y por "comprensividad del evaluador e interpretación "como los de la otra vía". En este trabajo, el análisis de los resultados estará orientado hacia el segundo enfoque, el de la experiencia, sin olvidar las regularidades que proporciona la medición.

La muestra (curso 2012-2013), se centró en el alumnado y tuvo como marco espacial la Comunidad Autónoma de la Región de Murcia. Los recursos de los que se dispone y las características de la investigación que se realiza, muestran como pertinente que el criterio para la selección de los participantes sea por "cúmulos" y por "cuotas" (Stake, 2006: 102).

Así pues, la distribución territorial, el tamaño de la población y la representación de los Institutos en estas localidades, constituyen los "cúmulos" (no se seleccionan a los individuos, sino a las unidades organizativas, en nuestro caso los Institutos de Secundaria). Una vez determinados los institutos de las localidades que conforma la muestra y las características deseadas (alumno de 2º de Bachillerato), los participantes se seleccionan por azar entre los alumnos que cumplen las condiciones exigidas y desean colaborar, con la condición de que, al menos, participe un alumno por centro (cuota).

Cabe señalar, que son discentes que han concluido sus estudios e inician las enseñanzas universitarias. Esto significa que han transcurrido 4 meses entre la culminación del bachillerato y el recuerdo de esos estudios y, presumiblemente, estas valoraciones se hacen desde un momento de optimismo por haber concluido con éxito esa etapa y encontrarse con lo que es y significa la universidad[17].

Los datos son recogidos por medio de un cuestionario, éste se inicia solicitando información del alumno sobre el contexto donde estudió (su centro, su aula y la convivencia entre los compañeros, *se incluyen también fotografías de algunas aulas y centros*). A continuación, se indaga sobre el currículo (nacional, autonómico, del profesor y las relaciones entre ellos, *recogiendo los programas originales de cada profesor*).

Situado el alumno en su centro y en su aula, se les pregunta por *los procesos de enseñanza que se llevan a cabo*, iniciando el recuerdo por una descripción general de las características del aula, de cómo era una clase habitual (desde la llegada por los pasillos del profesor, hasta la salida del aula), de los recursos que utiliza, cómo estudia el alumno en casa, el papel de cada recurso en ese estudio y su valoración (*con especial énfasis en los libros de texto, los apuntes y fotocopias, etc., recogiendo parte de esos materiales originales*).

La base sexta partió de una propuesta de 56 participantes, de los que no se ajustaban a los criterios de selección 10, quedando 46 alumnos; de ellos 29 utilizan libro de texto y los 46 apuntes. La distribución por municipios y población, tal y como se muestran en la tabla 2, nos presentan una muestra muy equilibrada. La tabla 3, por su parte, viene a completar y pormenorizar todos y cada uno de los institutos y declarantes, mostrando la amplitud y la localización de todos los datos, con la importancia que para el presente y el futuro puede tener.

Tabla 2. Características generales de la muestra objeto de análisis, población y municipios implicados.

Población	Institutos (Muestra de 46)
Más de 200.000 Murcia y Cartagena (44,63% de la población)	23 (50%)
Entre 100.000 y 40.001 Lorca, Molina de Segura y Alcantarilla (13,67% de la población)	6 (13,04%)
Entre 30.000 y 30.000 Águilas, Yecla, Torre Pacheco, San Javier y Totana (16,09% de la población)	9 (19,56%)
Menos de 30.000 Caravaca de la Cruz, Alhama de Murcia, Archena, Santomera y Los Alcázares (25,60% de la población)	8 (17,40%)

Fuente: elaboración propia, a partir de los datos de la investigación 2012-2013

---

[17] El trabajo de Gairín, J., Muñoz, J., Feixas, M. y Guillamón, C. (2009) o el de divulgación de Vázquez-Reina, M. (2010) abordan esta problemática.

Tabla 3. Municipios e Institutos de los participantes

Nº de habitantes	Localidad	Nombre del Instituto	Nº entrevistas
439.712	Murcia	IES Floridablanca	1
		Colegio Maristas "Fuensanta"	2
		Colegio San Buena Ventura "Capuchinos"	1
		Colegio Santa María de la Paz "Jesuitinas"	1
		IES Infante D. Juan Manuel	3
		IES Juan Carlos I	1
		IES Antonio Nebrija (Cabezo de Torres)	1
		IES La Flota	3
216.451	Cartagena	IES Los Molinos	1
		Colegio San Vicente de Paul	1
		Maristas La sagrada Familia	2
		Colegio Inmaculada "Franciscanos"	1
		IES Jiménez de la Espada	1
		IES San José Obrero	1
		IES el Bohío	2
		IES Juan Sebastián Elcano	1
91.759	Lorca	IES Francisco Ros Giner	1
		IES José Ibáñez Martín	1
67.382	Molina de Segura	IES Vega del Tader	1
		Colegio San Jorge (La Alcayna)	1
40.907	Alcantarilla	Colegio Samaniego	2
34.632	Águilas	IES Europa	2
34.130	Yecla	IES José Martínez Ruíz Azorín	1
33.911	Torre Pacheco	IES Luis Manzanares	1
32.641	San Javier	IES Mar Menor	2
		IES Salinas del Mar Menor (La Manga)	1
		IES Ruiz de Alda	1
30.549	Totana	IES Juan de la Cierva y Codorniú	1
26.280	Caravaca de la Cruz	IES Oróspeda	1
21.298	Alhama de Murcia	IES Miguel Hernández	3
18.570	Archena	IES Vicente Medina	1
15.860	Santomera	IES Poeta Julián Andújar	2
15.735	Los Alcázares	IES Antonio Menárguez Costa	1
Total de entrevistas			46

Fuente: elaboración propia, a partir de los datos de la investigación 2012-2013

Los instrumentos para obtener información han sido en el grupo una preocupación constante y un ámbito de formación continua. La síntesis realizada por Martínez-Valcárcel *et al.* (2014) recoge fielmente la evolución seguida. En este trabajo, como ya se ha mencionado, se recurre al cuestionario de opinión y a los materiales utilizados por el alumnado (libros y apuntes). Referido al cuestionario, una vez estudiada la bibliografía y la aplicación a otras investigaciones similares, se elaboró una primera redacción que se estructuró en torno a preguntas de valoración (mediante escala Likert) y preguntas abiertas, bien relacionadas con la ponderación que se realizó (dando las razones de valoración), o de opinión completamente abierta. Posteriormente, el cuestionario fue analizado por 4 expertos y aplicado experimentalmente a 3 participantes, las valoraciones realizadas por una y otra aplicación se incorporaron a la redacción definitiva.

Por otra parte, el proceso de aplicación llevó consigo los siguientes pasos: se identificaron a los posibles participantes, se les informó sobre las finalidades de la investigación y se les solicitó su colaboración asegurando los procesos de privacidad. Por último, aquellos que aceptaron trabajaron durante 4 sesiones en la redacción de la información que se les solicitaba.

La estructura del cuestionario, en cada una de las bases, puede verse a continuación. Consta de dos partes: I. Los datos de identificación, y II. El contenido a investigar (preguntas relacionadas).

I. LOS DATOS DE IDENTIFICACIÓN. Dichos datos se agruparon en tres apartados. El primer bloque trató la identidad de los alumnos y los docentes aludidos (tabla 4), lo que permite para hoy y para el futuro localizar en centros, localidades y provincias la información alcanzada con todo lo que ello supone.

Tabla 4. Identificación, localización y datos del entrevistado y los docentes referenciados

Identificación, localización y datos del entrevistado						Docentes referenciados	
Columna 1	Columna 2	Columna 3	Columna 4	Columna 5	Columna 6	Columna 7	Columna 8
Participante nº	*Edad*	*sexo*	*Instituto*	*localidad*	*provincia*	*sexo*	*Edad estimada*

Fuente: elaboración propia, a partir de los datos de la investigación 2012-2013

El segundo apartado se centró en los datos académicos y la temporalización de los estudios realizados, diferenciando los referidos al Bachillerato y las PAU (tabla 5).

Tabla 5. Datos académicos y situación temporal de los estudios cursados.

Datos Académicos			Temporalización		
Bachillerato	Universidad		Bachillerato	PAU	
Columna 9	Columna 10	Columna 11	Columna 12	Columna 13	Columna 14
Modalidad de Bachillerato	*Rama de estudios*	*Titulación de estudios*	*Curso*	*Año*	*Convocatoria*

Fuente: elaboración propia, a partir de los datos de la investigación 2012-2013

El tercero está referido a las calificaciones obtenidas, en el que se distingue entre Bachillerato y PAU, e incluye en su estudio comparaciones entre unas y otras, con la finalidad de poder establecer algunos patrones referenciales (tabla 6).

Tabla 6. Calificaciones obtenidas en Bachillerato y pruebas PAU.

CALIFICACIONES						
Bachillerato			PAU			Historia de España
Columna 15	Columna 16	Columna 17	Columna 18	Columna 19	Columna 20	Columna 21
Historia de España	*Bachillerato*	*Diferencia entre ambas*	*Historia de España*	*Media*	*Diferencia entre ambas*	*Diferencia entre Bachillerato/PAU*

Fuente: elaboración propia, a partir de los datos de la investigación 2012-2013

II. EL CONTENIDO DE LA INFORMACIÓN.

II.A. Contextualización.

II.A.1.- Cómo era tu centro. Empieza localizándolo y hablando de aquellas cosas que más te llamaron la atención: tamaño, instalaciones, antigüedad, organización... No hay que contestar a todas y puedes referirte a otros aspectos. Sería interesante disponer de fotos tuyas del instituto, aula, etc.

II.A.2. ¿Había un aula especial para Historia de España?

II.A.2.1. ¿Puedes describir cómo era el aula habitual donde dabais las clases de Historia de España?
II.A.2.2. ¿Puedes decir dónde te sentabas tú habitualmente?
II.A.2.3. ¿Alguna razón, si la quieres dar, del lugar donde te sentabas?

II.A.3. Relaciones.

II.A.3.1. ¿Definirías la clase como conflictiva, normal, excepcional? ...
II.A.3.2. ¿Por qué?
II.A.3.3. ¿Cómo eran vuestras relaciones?

II.B. El profesorado y la enseñanza.

II.B.1. El profesorado
II.B.1.1. ¿Era profesor o profesora?
II.B.1.2. Recuerdas algún rasgo típico de su personalidad?
II.B.1.3. ¿Era buen docente?
II.B.1.4. ¿Se interesaba por la enseñanza?
II.B.2. Los procesos de enseñanza-aprendizaje
II.B.2.1. ¿Cómo era una clase habitual de Historia de España?
II.B.2.2. Llegada del profesor e Inicio
II.B.2.3. Desarrollo

II.C. Las fuentes de la información. La asignatura de Historia de España se apoyó en:

	nada	poco	algo	bastante	mucho
II.C.1.a. Libro de texto					

II.C.1:b. Razona tu valoración

	nada	poco	algo	bastante	mucho
II.C.2.a. Apuntes dictados					

II.C.2:b. Razona tu valoración

	nada	poco	algo	bastante	mucho
II.C.3.a. Apuntes entregados o fotocopiados					

II.C.3.b. Razona por qué de tu valoración

	nada	poco	algo	bastante	mucho
II.C.4.a. Fotocopias de libros u otros materiales					

II.C.4.b. Razona por qué de tu valoración

	nada	poco	algo	bastante	mucho
II.C.5.a. Internet					

II.C.5.b. Razona por qué de tu valoración

III.C. El libro de texto.

III.C.1. Existencia.

III.C.1.1. ¿Utilizabas el libro de texto?
III.C.1.2. ¿Cuál era la editorial?
III.C.1.3. ¿Cómo lo adquiriste?

III.C.2. Uso en el aula. Los libros de texto tienen distintas fuentes de información, vamos a ver, en primer lugar el uso que se hacía de ellas por parte del profesor

Uso por parte del profesor	nada	poco	algo	bastante	mucho
III.C.2.1. El texto del autor del libro (contenido)					
III.C.2.2. Los documentos (Leyes, constituciones, opiniones, …)					
III.C.2.3. Mapas					
III.C.2.4. Ejes cronológicos					
III.C.2.5. Gráficos y estadísticas					
III.C.2.6. Imágenes (fotos, cuadros, dibujos, etc.)					
III.C.2.7. Actividades					
III.C.2.8. Páginas de Internet o WEB para visitar					
III.C.2.9. C.D.					
III.C.2.10. Comentarios de Texto					

III.C.3. ¿Qué es lo que hacías tú en clase mientras el profesor desarrollaba el tema?

III.C.4. Uso fuera del aula. Los libros de texto tienen distintas fuentes de información, vamos a ver, en segundo lugar el uso que se hacía de ellas tú.

Uso por parte del estudiante	nada	poco	algo	bastante	mucho
III.C.4.1. El texto del autor del libro (contenido)					
III.C.4.2. Los documentos (Leyes, constituciones, opiniones, …)					
III.C.4.3. Mapas					
III.C.4.4. Ejes cronológicos					
III.C.4.5. Gráficos y estadísticas					
III.C.4.6. Imágenes (fotos, cuadros, dibujos, etc.)					
III.C.4.7. Actividades					
III.C.4.8. Páginas de Internet o WEB para visitar					
III.C.4.9. C.D.					
III.C.4.10. Comentarios de Texto					

III.C.5. Otra cosa muy importante es todo lo que en tu libro llevas anotado, subrayado, etc. Es necesario que hagas un pequeño esfuerzo y lo expliques (colores, anotaciones en los márgenes todo eso que cuando se abre el libro se ve. Haz un esfuerzo para explicarlo.

De acuerdo con la información obtenida de los cuestionarios y los libros de texto, la informatización de los datos recogidos y transcritos se ha llevado a cabo mediante el uso del programa Microsoft Word y Excel. Dichos programas ofrecen, para el estudio de la información, la posibilidad de trasladarlo a otros programas de análisis y la potencialidad que el propio programa tiene, puesta de manifiesto en consultas realizadas al Servicio de Apoyo a la Investigación (SAI) de la Universidad de Murcia. Por otra parte, los soportes de Word y Excel han facilitado su traslación a otros programas tales como SPSS, AQUAD, QSR NVivo o ATLAS.ti, con los que se han realizado estudios de resultados.

CAPÍTULO II

II. EL CONTEXTO DE ENSEÑANZA:
marco para la comprensión del uso
de los manuales dentro y fuera del aula

CAPÍTULO II

II. EL CONTEXTO DE ENSEÑANZA:
marco para la comprensión del uso
de los manuales dentro y fuera del aula

La investigación sobre el uso de los manuales cobra mayor compresión cuando forma parte de una línea de trabajo y cuando se inscriben en los procesos de enseñanza aprendizaje donde los libros de textos son utilizados. Así pues, presentamos la línea de estudio que se sigue, pasamos revisión a las aulas y los procesos metodológicos que se llevan a cabo en ellas, centrándonos en la figura del docente y se destacan los tres soportes de información que se utilizan para la enseñanza de la Historia de España.

II.1. El valor del uso del libro de texto en
el marco de una investigación longitudinal

Los datos, hechos, procesos, anécdotas e historias que ocurren tienen un significado y un valor, pero también es cierto que toda esta información adquiere un sentido y una interpretación mucho más completa y enriquecedora cuando: a) se es capaz de analizarla inmersa en el momento, tiempo y forma en el que tuvo lugar y, b) se sitúan esos conocimientos dentro de las investigaciones longitudinales que pretenden aproximarse a estas realidades, como se viene diciendo.

El libro de texto ha sido objeto de estudio en numerosas investigaciones, esencialmente a lo largo de los últimos años. Es un elemento fundamental para entender los procesos de enseñanza-aprendizaje que tienen lugar en cualquier sistema educativo. Sin embargo, es difícil entender su verdadero alcance si no se inserta dentro de la cultura escolar como objeto histórico (Dominique Julia, 1995) y su influencia es muy ardua de reconstruir, pues las huellas de las prácticas que en las aulas ocurren, muchas de las veces, no son visibles.

Cuando esas evidencias quedan impresas en algunos de los recursos utilizados en la enseñanza, constituyen lo que Pier Paolo Sacchetto denominaba ya en 1986 "objetos huella"[18]. Así, como señala Ossenbach (2010), hay que conocer las prácticas de aula y, en ellas, buscar indicadores que permitan situar "las mediaciones que se produjeron entre el libro escolar y sus receptores" (p. 126-127) Unas mediaciones cuyas evidenicas difícilmente pueden verse si no disponemos de los libros escolares utilizados por los alumnos y, además, si no son interpretadas por sus autores. En ese sentido, como bien señala Rockwel (2004)[19], debido tanto a la complejidad del aula, como a los cambios que se observan entre las planificaciones y las prácticas llevadas a cabo por profesores y alumnos en los procesos de enseñanza-aprendizaje:

> Detrás de la imagen de la escuela que uno pudiera evocar al examinar los libros escolares, yace una compleja historia de la práctica real en el aula (...) En parte, mi precaución surgió de la distancia evidente, en las aulas actuales, entre las lecciones prescritas en los libros de texto y las prácticas efectivas que se observan. (p. 327)

La investigación que en éste estudio se realiza sobre los manuales escolares, adquiere un mayor sentido y valor al desarrollarla dentro de un estudio longitudinal iniciado hace ya más de veinte años, como ya se ha comentado, que tiene como finalidad *La construcción de los recuerdos escolares de Historia de España en Bachillerato (1980-2016)*[20]. Sin duda, en indagaciones que se desarrollan a lo largo de décadas, los contenidos a investigar se concretan y completan entre sí aportando información de situaciones específicas que son necesarias conocer.

Este trabajo se centra en el uso del libro en el aula y fuera de ella como objeto-huella-interpretación por parte del alumnado, la significación que tienen los aprendizajes que declaran alcanzar los participantes y sus preferencias sobre la utilización de este recurso. En este apartado se sitúa el libro en algunas de las dimensiones de los procesos de enseñanza-aprendizaje ya investigados: el aula donde se desarrollan, la enseñanza que predomina en esta asignatura, los intentos de renovación didáctica que se realizan, la valoración del alumnado hacia el profesorado que imparte esta materia y, por último, su relación con el presente y entorno próximo.

La finalidad que tiene esta contextualización es la de crear una imagen más cercana a la realidad dónde es utilizado el libro de texto, antes de que los protagonistas rememoren sus vivencias con su manual de Historia de España.

---

[18]Sacchetto, P.P. (1986). El objeto informador. Los objetos de la escuela: entre la comunicación y el aprendizaje. Barcelona: Gedisa.

[19] Rockwell, E. (2004). Entre la vida y los libros: prácticas de lectura en las escuelas de la Malintzi a principios del siglo XX. En C. Castañeda, L.E. Galván y L. Martínez (Comp.), *Lecturas y lectores en la historia de México* (pp. 327-357). México: CIESAS.

[20] La preocupación tanto por la difusión de los resultados alcanzados ha llevado a la realización de 3 Tesis doctorales, 5 Tesis de Licenciatura, 4 proyectos de investigación (dos I+D+i y dos Séneca), tres publicaciones de datos con 9 volúmenes, un libro de conclusiones y numerosos artículos y ponencias invitadas, todo este material está reseñado en la bibliografía.

II.2. Las aulas donde se llevan a cabo los procesos de enseñanza

Una de las primeras imágenes que casi todas las personas guardamos en nuestra memoria es la de la escuela a la que asistimos de niños, como también la del instituto donde continuamos la enseñanza, más adelante, al crecer. Recordamos como una instantánea fotográfica el edificio escolar, la entrada, los pasillos que conducían al aula, la clase, el lugar donde nos sentábamos. (Martín y Ramos, 2014, p. 131)

El trabajo de Martín y Ramos (2014)[21] ayuda a comprender el sentido de este apartado: continuar con la línea de investigación aludida, contextualizar el manual en un espacio concreto y comprender la necesidad de preservar para la memoria educativa una muestra significativa de las aulas en las que los libros de texto son utilizados. Así pues, no hay que olvidar que el aula forma parte de un todo general: el Centro Educativo[22], donde se ubica, y que también determina la relación del alumno con sus compañeros, profesores y procesos de aprendizaje. Las características y peculiaridades de funcionamiento de cada centro, así como su diseño arquitectónico, suponen un marco diferente para cada sala de enseñanza. Además, este marco constituye parte del medio donde el alumno aprende, convive, se relaciona y siente. El edificio y su entorno, por un lado, y el aula y su organización interna, por otro, constituyen parte de la realidad de la enseñanza y del medio en el que hay que entender todo lo que acontece y el que hay que preservar para comprender, en el futuro, lo que ocurrió.

Los alumnos recuerdan el aula y el centro educativo en base a unos rasgos, no solamente de infraestructura, sino también en base a todo aquello que conforma un ambiente donde se desarrolla la clase de Historia. Es significativo observar que algunos alumnos consideran, y así lo denominan, el aula como "su" aula, y el centro educativo como "su" centro.

Entender lo que supone el aula y cómo es una parte influyente en la metodología docente del profesor y, por tanto, en la utilización del libro de texto, fue el trabajo desarrollado por Martín y Ramos (2014), enfatizando en esta publicación algunas de las características que permitan comprender mejor el uso del libro de texto.

El centro y el aula, como espacios escolares, suponen una infraestructura determinada del edificio y de la sala con un tamaño, diseño, mobiliario y distribución de los mismos. Estas características del espacio condicionan e influyen en la actividad del aula, en la didáctica de la materia, en la metodología docente y en las relaciones e interacciones sociales entre los componentes que conviven en el aula. Por otra parte, y según las descripciones realizadas por el alumnado, se identifican como más destacables las siguientes. Sobre el tamaño, un 66% del alumnado valora el tamaño de su centro como grande y un 40% considera amplia el aula. Igualmente se destaca que habitualmente la clase de Historia es clasificada como de

---

[21] Desarrollados a partir de la base de datos de esta línea de investigación 2009-2011. Publicada en 2014.

[22] *3020. Era bastante grande, más o menos, amplio; las clases eran bastante grandes, lo único que como éramos mucha gente en clase, éramos 34, pues estábamos un poco apretados, pero se fue yendo gente, abandonando el bachillerato y acabamos teniendo la clase bastante bien. Estábamos mezclados social y humanístico y después nos partíamos según las clases, si era humanístico o social y después nos quedábamos en el humanístico unas 15 personas.*
3030. Pues… No era muy grande, porque además era privado, y a mí no me gustaba mucho, pero estaba muy cerca de mi casa, entonces era muy cómodo. Y yo vivo en medio de la nada, entonces…
3047. Se trataba de un centro mediano porque le hicieron ampliaciones pero yo creo que, como nos conocíamos todos tanto, se veía súper pequeño. Éramos como una gran familia allí todos.

tipo general (válida para impartir cualquier otra materia) en un 75% de los casos y, mayoritariamente, acondicionada para usar las nuevas tecnologías (ordenadores y cañones). (figuras 1-5, realizadas por los alumnos que forman parte de los recursos propios).

Con la finalidad de configurarnos una idea de estos espacios, presentamos algunas de las imágenes de las aulas que el alumnado participante en esta investigación ha aportado[23]. Sin duda constituye una amplia muestra de "cómo son" y un testimonio que queda para la comprensión actual y futura. Se ha ido progresando en la personalización de las aulas para las clases de la asignatura de Historia de España. Se presentan una serie de ejemplificaciones que van desde las aulas inexpecíficas (mayoritarias) válidas para todas las asignaturas, hasta las paradigmáticas de Historia (constatando que aún existen, aunque escasísimas). El estudio de cada una de ellas, incluso la mera observación de las imágenes, permite apreciar ambientes de aprendizaje que quedan en la memoria del alumado y del profesorado.

Figura 1. Ejemplo de aula clasificada como general-inespecífica. Suponen la casi totalidad de las utilizadas. Están aceptablemente dotadas de medios entre los que se incluye el cañón-proyector y la pizarra electrónica Fuente: fondos propios (Legado **NMV**) **(Legado Nicolás Martínez Valcárcel)**

Figura 2. Ejemplo de aula clasificada como general-inespecífica, pero con un rincón con cartografía. Fuente: fondos propios (Legado NMV)

---

[23] Todas las aulas pueden ser identificadas en los IES donde han cursado sus estudios de Bachillerato el alumnado participante.

Figura 3. Ejemplo de aula clasificada como general con un espacio habitualmente dedicado para los medios de la enseñanza de la Historia, como puede verse en el mapa y en los dos paneles de información.
Fuente: fondos propios (Legado NMV)

Figura 4. Ejemplo de aula básicamente de Historia
Fuente: fondos propios (Legado NMV)

Figura 5. Ejemplo paradigmático de un aula de Historia
Fuente: fondos propios (Legado NMV)

El aula que describen es ocupada por 25-30 alumnos en el 64% de los casos, aunque en ocasiones se desdoblaban en grupos más pequeños. En cuanto al lugar físico que ocupan los discentes en clase, viene marcado por criterios de regulación para asegurar la disciplina y la vigilancia por parte del profesor, para la aplicación de una determinada metodología en la enseñanza o para el establecimiento del orden (Martín y Ramos, 2014).

La percepción de las aulas por los alumnos. Siguiendo con el interés de mostrar algo más que un manual o un recurso descontextualizado, también los alumnos ofrecieron perspectivas personales de sus aulas, figuras 6-9. En ellas se puede apreciar cómo cambia un mundo aparentemente uniforme al ser vividas por los implicados y señalar las visión que tiene el profesorado o el alumnado.

Figura 6. Ejemplo de aula, vista desde la mesa del profesor
Fuente: fondos propios (Legado NMV)

Figura 7. Ejemplo de aula, vista parcial desde la mesa del alumno
Fuente: fondos propios (Legado NMV)

Figura 8. Ejemplo de aula masificada
Fuente: fondos propios (Legado NMV)

Figura 9. Ejemplo de aula con bajo número de alumnos
Fuente: fondos propios (Legado NMV)

En definitiva, estas son las aulas en las que estudian los alumnos de segundo de Bachillerato la asignatura de Historia de España (y otras más por supuesto), y es ahí donde el libro de texto es utilizado tanto por el profesorado como por el alumnado. Un espacio lleno de vivencias y emociones como puede apreciarse en estas últimas imágenes en las que se ha llenado de vida este espacio escolar (figuras 10-13), como se verá más adelante en cada descripción realizada por el discente cuando habla de su profesor, metodología, compañeros y del manual. En dichas descripciones nos cuentan la historia de la Historia de España cursada en su instituto, en su aula y con sus compañeros. Cada aula, cuya distribución es la de filas alineadas, invita a considerar otros aprendizajes distintos a los que habitualmente son evaluados oficialmente.

Figura 10. El aula ocupada. La perspectiva habitual de una clase reducida
Fuente: fondos propios (Legado NMV)

Figura 11. El aula ocupada. La perspectiva habitual de una clase masificada
Fuente: fondos propios (Legado NMV)

Figura 12. El espacio particular de cada alumno, un mundo personal lleno de significados
Fuente: fondos propios (Legado NMV)

II.3. La enseñanza de la Historia de España: demandas y realidades

La preocupación por conocer lo que ocurre en los procesos de enseñanza-aprendizaje de Historia de España en Bachillerato, estaba presente en la línea de investigación desde el año 2001 en donde se preguntaba por ¿Cómo era una clase habitual de Historia de España según el recuerdo de los alumnos?

Una breve síntesis de los resultados obtenidos, que son necesarios para comprender mejor el uso del libro de texto, lo presentamos a continuación. Sin duda, es en el aula habitual, en las clases de todos los días, donde el manual ocupa el papel que, desde los diseños y desarrollos de las acciones educativas, se le designa. Sería improbable que la utilización del manual, dentro y fuera de las aulas, fuese distinta a lo que el profesorado tiene planteado y lleva a la práctica en su aula concreta, con unos alumnos determinados y en cada curso escolar. Así pues, este apartado se centra exclusivamente en los resultados que, en esta línea de investigación, se han realizado sobre las "prácticas habituales" en los procesos de enseñanza-aprendizaje de Historia de España.

En esta dirección, que permite contextualizar y comprender mejor el uso del libro de texto, es necesario disponer de un número suficiente de descripciones de las clases de Historia de España. Más concretamente (Martínez-Valcárcel, 2014), de acuerdo con la base de datos del 2009-2011, en el 70% de las aulas la "explicación por parte del docente" es la actividad habitual, siguiendo con la "lectura del texto o de apuntes" (18%), continuando solamente con el 7% del "dictado o copiado del libro o de los apuntes" y cerrando con un 5% la "participación entre el alumnado y/o profesorado"[24] (gráfica 2). Unos resultados muy alejados de lo que los grupos de renovación han procurado desarrollar como nos narraban Merchán y Duarte (2014)

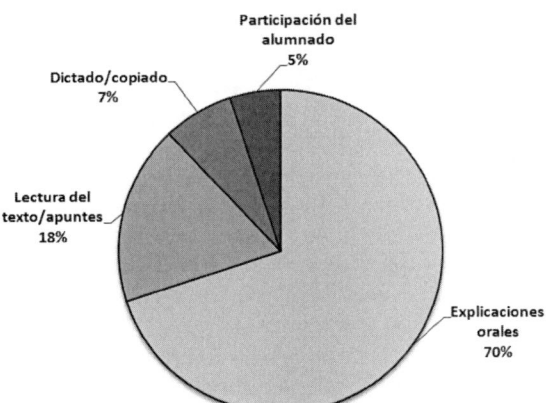

Gráfica 2. Distribución relativa del uso del libro de texto en el aula
Fuente: Vera, Moreno y Torres (2014)

---

[24] Es interesante recordar los datos del periodo 1993-2003. Los resultados que obtenidos fueron los siguientes: explicar el 57%, dictar/copiar el 22%, leer el 16% y debatir el 5%. Como puede verse, y con todas las reservas que hay que hacer, se mantiene en el mismo nivel los debates, ha subido ligeramente la actividad de leer y ha bajado significativamente la de "dictar" en beneficio de "explicar".

Estos resultados invitan a pensar que la utilización del libro de texto no puede ser algo distinto a esa realidad, y que es en ella donde, acertada o desacertadamente, el manual colabora con los procesos de enseñanza-aprendizaje. Centrándonos en cada uno de estos grandes apartados, se presentan las narraciones que los alumnos realizaban de sus clases de Historia. Así pues, siguiendo a Martínez-Valcárcel (2014, p. 219-220):

El 70% de los casos la enseñanza de esta asignatura estaría dominada por la tarea de explicar por parte del profesorado (un 17% más respecto de la base de 1993-2003, que procede de lo que ha bajado dictar/copiar). Unas explicaciones que pueden estar totalmente centradas en esa tarea o acompañadas por otras actividades en las que se incluyen las consultas a libros, aclaración de dudas, conclusiones finales, saludos, uso de medios (entre los que ya se incluye el ordenador como bastante generalizado), realización de esquemas y, muy destacado, el determinar que explicaba "en lenguaje más normal" un contenido científico. (p. 219-220)

Los alumnos describen esas clases de una forma muy personal y cargadas de significados y emoción. Estas narraciones incluyen un amplio abanico de realidades que, bajo una cobertura de explicar, tienen múltiples manifestaciones diferentes:

3069. Entraba, preguntaba por dónde nos habíamos quedado, sacaba los apuntes correspondientes y empezaba a explicar. Y después pues dudas y tal.

3032. Pues normalmente llegábamos, nos sentábamos y empezábamos siempre corrigiendo los comentarios de texto: primero lo hacíamos en voz alta y luego ya se los entregábamos a ella para que los corrigiese personalizados; le preguntábamos las dudas y eso –que no era su fuerte– y ya empezábamos a desarrollar el tema. Dependiendo del tema pues hacía esquemas o directamente lo redactaba o ella también lo que hacía era que nos pasaba unos apuntes hechos por ella y entonces pues en esos apuntes había actividades, esquemas y ya pues los íbamos hablando...

3025. Pues mira, pues entraba, se ponía su microfonillo porque tenía la voz muy... y nos decía a todos buenos días, muy amable, y cuando sacábamos el material se ponía a impartir por donde nos habíamos quedado el día anterior y nada, se ponía a explicar y luego, a mitad de la clase, nos hacía comparaciones, nos pedía que nos metiéramos en algún sitio para ver imágenes.

4042. Pues nos explicaba con PowerPoint, el esquema lo ponía con PowerPoint, iba así explicando los puntos y, yo que sé, y si le preguntábamos en clase nos respondía siempre, nos dejaba, y a lo mejor los últimos minutos los dejaba así para comentar lo que habíamos explicado, qué nos interesaba.

4004. Las clases empezaban con una pequeña introducción de lo que íbamos a dar en esa clase, después seguía con la explicación haciendo preguntas a los alumnos sobre lo que habíamos dado anteriormente (las preguntas no las hacía siempre, sólo cuando sobraba tiempo, es decir, en muy pocas ocasiones) y por último, nos mandaba realizar actividades o comentarios para casa.

4012. En sus clases, cuando llegaba, empezaba a preparar su ordenador y sus cosas y empezábamos la clase recordando lo del día anterior. Sus clases se hacían muy amenas y entretenidas ya que él conseguía eso. Explicaba muy bien, dando pie a que nosotros interviniésemos en las clases, haciéndolas más llevaderas.

3020. El modo en que el profesor abordaba el contenido tras hacer la introducción era la explicación, durante la hora de clase completa el profesor explicaba el tema que tocaba en ese momento, mientras los alumnos prestábamos atención y quien quería tomaba apuntes. Cuando alguno de nosotros tenía una duda, el profesor intentaba despejarla repitiéndolo de nuevo pero de manera distinta y ejemplificándolo, y hasta que el alumno no había comprendido la cuestión no continuaba explicando; insistía mucho en que si teníamos una duda la preguntásemos sin vacilar.

3051. Mi profesora iba leyendo sus apuntes y nosotros los íbamos siguiendo porque al ser suyos se los conocía perfectamente. No obstante iba metiendo explicaciones por medio de la lectura aclarando ciertos aspectos más complicados. En ocasiones, nos mandaba pequeños trabajos individuales de conceptos, los cuales consistían en definir con nuestras palabras esos conceptos específicos que señalaba mientras explicaba y leía el temario. Cuando algún alumno tenía una duda ella intentaba aclararla mediante esquemas y dibujos incluso que ponía en la pizarra. Si este alumno/a después de ciertas explicaciones en clase no adquiría los conceptos le decía algo de este estilo: "al finalizar la clase o en el recreo en el departamento te lo explico mejor con más tranquilidad que allí tenemos ayuda de libros y sobretodo de mis compañeros".

3047. La forma de dar clase. Siempre estaba de pie, dando vueltas por la clase, escribiendo las palabras extrañas o desconocidas en la pizarra para que las copiásemos bien, otra veces se sentaba en las mesas vacías pero nunca solía sentarse en su silla, porque a él le gustaba alzar la voz, remarcando cosas importantes. Siempre que podía, para entender mejor lo que él estaba diciendo recurría a refranes o a frases hechas que todos entendíamos para así poder entenderlo todo muchísimo mejor. Primero recordábamos de forma resumida lo explicado en la clase anterior. Pasados los 15 minutos, continuaba con la materia, primero dictaba o mandaba a alguno de los alumnos que leyésemos los apuntes o comentarios, a fin de que estuviésemos atentos, puesto que si preguntaba por dónde íbamos o que estábamos dando y no lo sabías, corrías el riesgo de que te echase bronca o que te pusiese un punto negativo que luego repercutía en la nota final de la asignatura. Nosotros seguíamos la lectura, estábamos atentos normalmente. Cuando teníamos alguna duda, la respondía sin ningún problema, pero tampoco quería perder mucho tiempo respondiendo dudas concretas de una persona, por ello nos respondía a todo pero si seguíamos sin entenderlo o teníamos dudas más concretas nos decía que fuésemos a su hora de atención de por la tarde y nos las respondía sin ningún problema.

3043. Usábamos el libro, aunque también dictaba él cosas de vez en cuando. Nos hacía leer los apartados en voz alta a nosotros para toda la clase dependiendo de el apartado que se tratara y la personalidad del alumno, por ejemplo como según él yo era muy pacífica, me hacía leer siempre los tratados de paz, mientras a otro chico que era un poco bruto por ejemplo le hacía leer la guerra púnica. Cuando habíamos leído el apartado él había algún comentario y ejemplificaba y nos preguntaba si lo habíamos entendido.

3031. Abríamos el libro y buscábamos la página correspondiente. Su principal método era explicar guiándose por el libro, ella nos contaba la historia con algunos detalles, anécdotas y numerosas llamadas de atención con el fin de que lo recordáramos más fácilmente. Hay que decir que ella misma decía que era un poco "cotilla" y siempre nos hablaba de los numerosos líos amorosos entre la aristocracia y especialmente en el tema de Los Reyes Católicos que hasta nos entregó un esquema de con quién se casó cada uno y su correspondiente descendencia (...) además hacía referencia a la serie de Isabel que ponían en la TVE y a la de Águila Roja. En cuanto a las explicaciones, se apoyaba en las diapositivas, proyectaba los mapas y los explicaba, proyectaba fotos, esquemas, e incluso imágenes del propio libro. Nosotros copiábamos las diapositivas que no eran fotos ni mapas y nos íbamos guiando con lo que ella decía señalando lo más importante mientras subrayábamos el libro ya que, al empezar nuevo tema nos decía las páginas del libro que entraban para el tema (separándolas en introducción, desarrollo y conclusión) y nosotros las resumíamos en dos caras para que nos diera tiempo a escribirlas en una hora. Normalmente explicaba rápido y tardábamos menos de 1 semana en dar cada tema por lo que tampoco podíamos profundizar mucho en ninguno. Las dudas se las preguntábamos levantando la mano y las respondía interrumpiendo la lección en la parte que estuviera relacionada con la duda que teníamos ya fuera tanto en los textos como en el tema. Durante toda la clase estaba sentada en su mesa, no se levantaba prácticamente nunca porque manejaba a la vez el ordenador, pasando diapositivas y el libro.

La posibilidad de entrar a un aula y encontrar que la actividad principal es leer contenidos es declarada en el 18% de los casos, y se mantiene en el tiempo con el mismo porcentaje durante los 20 años de estudio. Pueden encontrarse variaciones de la situación del profesorado en el aula e incluso si era un aula especial, pero las tareas son prácticamente las mismas... leer y tal vez alguna explicación. Las siguientes descripciones representan estas aulas de Historia:

3004. Entraba y pasaba lista, y la participación que nosotros teníamos en clase era: lee, porque no pedía comentarios, nada más que en los exámenes y, si los pedía, a lo mejor se los entregábamos a principio de marzo y los daba a final del trimestre corregidos y no teníamos oportunidad de corregir el texto en la clase ni nada. Es decir, que daba las clases con sus apuntes y poco más.

4056. Pues él entraba, nosotros nos sentábamos, él se sentaba en su silla y con los apuntes que él tenía y el libro, él leía en voz alta y de vez en cuando hablábamos nosotros; y entre párrafo y párrafo contaba una historia.

3040. Empezaba un alumno leyendo el contenido de los apuntes, y ella lo iba parando y explicando cuando creía que era necesario. Ese era el papel del alumno, leer, aparte de poder preguntar las dudas que tuviera cuando quisiera. Para explicar las dudas remitía a hechos cotidianos que nos sonaran o que conociéramos bien, o simplemente intentaba explicarlo de otra manera más clara. Durante toda la hora estaba moviéndose. De pie de un lado para otro pero siempre delante de la pizarra. Nunca se recorría la clase ni iba hacia el final de ésta. 3033. Cuando termina con el recordatorio de la clase anterior, abría el libro y nos dice la página por la que iba a empezar a explicar. Se le veía una mujer que sabía mucho, y que tenía seguridad en lo que explicaba.

3024. Su forma de llevar la asignatura es por medio de fotocopias que él mismo nos proporciona, las cuales están clasificadas y ordenadas por temas, siguiendo el orden establecido. Por lo tanto en clase el profesor, con los apuntes en mano comienza a explicar, dentro de un contexto histórico el tema en cuestión. Nuestro único papel como alumnos es llevar el temario a clase, ya que el profesor, nos pedía muchas veces que leyéramos en voz alta. Dependiendo del tema, el profesor nos indica lo que debemos estudiar y lo que no, de manera que muchas clases las pasábamos subrayando lo que él nos decía. En ocasiones también realizaba en la pizarra esquemas que nosotros teníamos que copiar, y que nos servían como guía y base de estudio.

3067. La profesora leía normalmente sus apuntes, y si había algo en lo que teníamos dudas lo explicaba, o si había algo más complicado o difícil de entender en los apuntes también lo explicaba, pero lo normal era que ella misma leyese los apuntes. Además, si algo era muy importante lo decía y además lo repetía bastantes veces para que se nos quedase. Siempre se paseaba por la clase, hacía todo corriendo, enchufaba el ordenador y corriendo volvía al centro de la clase a seguir explicando. Las clases eran todas iguales, excepto en las que veíamos algún video o alguna foto, y en los tres primeros temas que mandaba alguna actividad de relación de mapas de las conquistas... Respondía a las dudas muy claramente, y no perdía ni un segundo de su clase. También preguntaba si habíamos entendido sobre todo las cosas más importantes del tema.

4022. Al llegar a clase se sentaba y leía sus apuntes y cuando sonaba el timbre se iba. No nos hacía participar en clase y era solo escucharlo hablar. Las dudas casi nunca las contestaba. Además ponía los exámenes muy largos y los quería tal cual él decía.

Dictar-copiar sigue presente, pero con un enorme descenso entre los dos periodos estudiados (desciende del 22% en 1993-2003, al 7% en 2012-2014). Evidentemente, es una metodología poco recomendada, pero que resiste el paso del tiempo. Las declaraciones siguientes representarían estas aulas:

4090. Ella entraba y se ponía a hablar, a hablar pues del tema que tocara. Y tú tenías que coger apuntes y si no los cogía pues decía que te dejaras un hueco, que ella no repetía, y que lo buscaras por el libro.

4010. Sus clases eran intensas, tan fuertes que se pasaban rapidísimas. Se resumían en estar una hora entera copiando apuntes que ella misma iba dejando en la pizarra para luego pasarlos a limpio en casa. Al empezar la clase siempre hacía una ronda de preguntas para ver que habíamos tratado el día anterior.

4001. Como he señalado en la primera pregunta, las clases de esta asignatura consistían en que la profesora recitase el temario y nosotros escuchásemos. Las consecuencias de esto eran que los alumnos no desarrollásemos interés alguno por una asignatura tan enriquecedora como es Historia. Incluso, algunos alumnos llegaban a dormirse o abstraerse durante las clases.

Una última forma de entrar en un aula de Historia de España y encontrarse con otra dinámica sería la de *debatir*, con una secuencia muy baja, 5% de los declarantes, que, al menos, no ha bajado en este periodo estudiado. Algunos ejemplos son los siguientes:

3023. Ella traía los libros, entonces empezaba a recordar en qué punto se quedó la clase anterior y desde ese punto pues empezaba la explicación. Y también pues nos hacía preguntas sobre que pensábamos o sobre qué hubiésemos sentido nosotros o cómo nos hubiésemos comportado y, sobre todo, nos hacía que tuviésemos en cuenta que la historia teníamos que aprenderla para no volver a cometer los mismos fallos.

4013. Mis clases habituales de Historia eran una variada mezcla de actividades. Dedicábamos parte de la clase a la teoría y otra parte a prácticas en grupo relacionadas con la investigación. También hacíamos presentaciones de nuestro trabajo por parejas. Un ejemplo de estas fue cuando repartimos en clase las etapas de la conquista de América.

4007. Las clases de historia funcionaban de manera muy dinámica. La profesora empezaba explicando y ambientando el tema a estudiar y a partir de ahí, el trabajo se centraba en los alumnos, a través de la interacción mediante preguntas entre la profesora y estos. Esta interacción iba dando sentido al tema de estudio y al cabo de "x" sesiones, el tema estaba completamente dado y prácticamente sabido por la mayoría.

3023. Durante todo el curso explicó el temario a través de documentales, los cuales captaban nuestra atención perfectamente, en alguna ocasión también nos ponía capítulos de alguna serie que ilustraba perfectamente el temario que en ese momento estuviésemos dando, como por ejemplo la serie de 'Isabel', por supuesto esta actividad captaba aún más nuestra atención que los documentales pero no siempre era posible realizarla. Esta forma de dar el temario era muy cómoda sobre todo a la hora de realizar preguntas por parte de los alumnos sólo tenía que parar el documental y luego darle al play y no había peligro de perder el hilo de la explicación, siempre resolvía nuestras dudas detalladamente y poniendo en la mayoría de veces distintos ejemplos asegurándose así de que todo quedaba claramente entendido por nuestra parte.

4023. Solíamos trabajar con "PowerPoint" y con muchos apuntes tomados en clase eran en clases participativas en las que establecíamos debates con respecto a determinados sucesos históricos o tratábamos de relacionarlos con hechos actuales, como el nacionalismo catalán, con sus motivaciones históricas.

Estas serían las imágenes, con todas las reservas que hay que hacer lógicamente, de los procesos de enseñanza-aprendizaje desarrollados en las aulas de Historia de España. En ellas los libros de texto, los apuntes dictados o proporcionados por los profesores y, en algunos casos, la búsqueda de información por Internet, constituirán el referente del contenido de esta materia.

II.4. Los recursos de contenido utilizados: manual, apuntes e Internet

Continuando con la línea de contextualización, que permite acercarse al uso de los manuales en las aulas, es preciso reseñar las fuentes de información que habitualmente se utilizan en las aulas de Historia de España en Bachillerato. Al respecto, cabe señalar que ante una imagen del libro de texto como única fuente de información, se antepone otra en la que "los apuntes" ocupan un lugar predominante, siendo utilizados por todos los alumnos25 (revisando los datos de los apuntes dictados, facilitados e incluso los que suben los docentes a Internet). Los resultados recogidos en la gráfica 3 exponen dicho uso que se comentará a continuación.

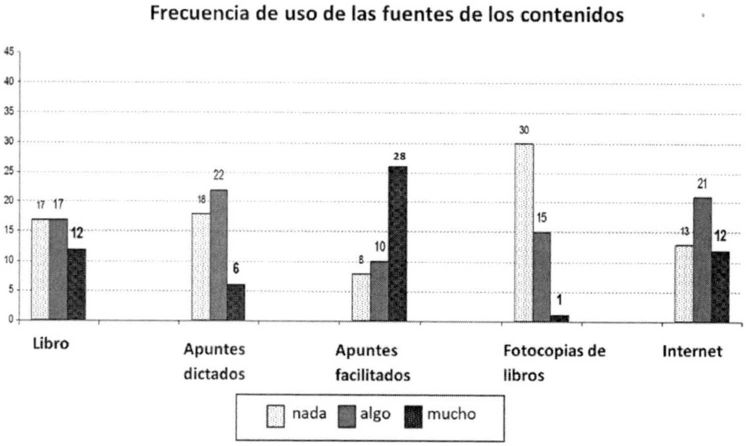

Frecuencia de uso de las fuentes de los contenidos

Gráfica 3. Uso de las fuentes de información de los contenidos en el aula
Fuente: elaboración propia (Legado NMV)

Cabe señalar, siguiendo los resultados que expresan los alumnos, que el *libro de texto era seguido con mayor o menor intensidad por 29 declarantes,* lo que supone el 75% de los discentes. Las explicaciones sobre el uso del libro de texto van desde una presencia total (que a veces es aburrida o tremendamente útil), parcial (en la mayoría de las referencias y vinculado con temas, imágenes, apoyo del docente e incluso para alumnos con problemas), ninguna (relacionada con los problemas de la calidad del libro por parte del docente e incluso se llega a recomendar pero no se utiliza), o es el propio alumno que decide adquirirlo para completar y seguir de esa manera la asignatura. Algunos ejemplos son los siguientes:

3031. La mayoría de la asignatura la dábamos siguiendo el libro de texto, del que teníamos que resumir los temas en un folio por ambas caras y estudiar para el examen. Dependiendo de la calidad de tu resumen y de lo que hubieras aprendido te calificaba el examen porque estos resúmenes no se corregían.

---

[25] Conviene recordar que son 46 los declarantes de esta base de datos. Por otra parte, los dos alumnos que declaran no utilizar los apuntes, el profesor les ha proporcionado un libro elaborado por él donde estaba toda la materia de estudio.

3034. *Como dijo la profesora el primer día de clase, "el libro se da de cabo a rabo", toda la asignatura se basaba en él, pues la profesora seguía en orden de los puntos, temas, apartados... de modo que dimos el libro entero, con algunas excepciones.*

3043. *Seguíamos siempre el libro del texto pero si el profesor encontraba un tema poco desarrollado o mal explicado nos lo dictaba él para que lo entendiéramos mejor.*

3045. *"Historia de España (Proyecto Hispania) de la Editorial Almadraba". Debido a esto, las clases se hacían más pesadas, porque al no tomar apuntes la mayoría de los alumnos desconectábamos un poco de las clases.*

3054. *El 90% de los temas dados en la asignatura han sido sacados del libro, por lo que ha sido in instrumento básico durante todo el curso.*

3057. *La profesora explicaba siguiendo el libro de texto, por lo que era necesario seguir la clase con el libro y el estudio para los exámenes se realizaba con él.*

3064. *Mucho porque la verdad es que todo el contenido que entraba a examen se basaba exclusivamente en el libro de texto de Historia de España que nos entregó ella en la fotocopiadora a principios de curso. Como el libro contenía todo el contenido de desarrollo y además los comentarios de texto relacionados con ese contenido en el final del libro, pues no hubo otro material, se trabajaba y se estudiaba partiendo siempre del libro de texto.*

3029. *El libro era utilizado para cosas puntuales, en plan biografías, textos...*

3020. *El profesor dijo que era opcional seguir el libro que nos sugirió o simplemente tomar apuntes de lo que él iba explicando. Aunque si es cierto que, en muchas ocasiones, para explicar se apoyaba en el contenido del libro.*

3005. *Realizábamos algunos ejercicios de los que venían en el libro, como los ejes cronológicos. Además, algunos apuntes que nos facilitaba la profesora eran el resumen del libro de texto.*

3009. *Principalmente porque a mi profesor no le gustaba el libro que llevábamos y apenas lo utilizaba, simplemente para guiarnos porqué tema más o menos iba explicando, y nos hacía añadir cosas que en el libro no estaban y que él consideraba importantes.*

3037. *El libro de texto lo utilizaba solo cuando quería mostrarnos ilustraciones, o imágenes de restos, pinturas, rostros... También era utilizado en algunas ocasiones por aquellos alumnos con dificultades en el aprendizaje (bien sea TDH-A, dislexia, u otros) a los que pedía no menos conocimientos pero si menos detallados.*

3032. *La profesora nos hizo la mayoría de temas que teníamos que estudiar, pero Fernando VII y la Segunda República tuvimos que hacer nosotros los temas apoyándonos en el libro de texto que teníamos.*

3011. *- El profesor nos hizo entender que lo utilizaríamos, y por este motivo lo compré, pero luego no lo utilizamos en absoluto, sólo lo teníamos por si había alguna cuestión que no entendiéramos en clase.*

3007. *No seguía mi profesor ningún libro de texto, pero yo lo pedí prestado a propósito para poder ampliar conocimientos y me sirvió mucho para estudiar historia en la PAU, a pesar de eso, yo seguía basándome para hacer los temas en los apuntes que tome de mi profesor.*

3051. *No teníamos libro de texto pero la profesora recomendó uno y yo me lo compré para ayudarme a estudiar con otras fuentes y para realizar mis contextualizaciones. Este libro me ayudó muchísimo en la asignatura.*

3066. *El libro lo teníamos, pero no era obligatoria su compra. Yo lo tenía porque me lo dejaron, pero no pensaba comprármelo, ya que únicamente lo utilizaba para hacer las introducciones y conclusiones de los temas, pues mi profesor no nos las dabas hechas, tenías que trabajártelas tú y con el libro a mí me resultaba más fácil hacerlas, ya que introducía en tema con ellas. En mi opinión, el texto estaba muy incompleto, en cambio los apuntes que nos proporcionaba mi profesor era idóneos.*

Los apuntes constituyen una preocupación en la línea de investigación[26], por lo que no se profundizará ahora en el estudio de estos materiales, pero sí resulta interesante dejar constancia de su alcance, y señalar lo imprescindible que es contar con sus estudios para comprender mejor el uso de los manuales en las aulas. Por último, señalar que todas las declaraciones realizadas por el alumnado han tenido "sus materiales delante", disponiendo en la actualidad de 40 de ellos, donados para formar parte de la memoria educativa.

En primer lugar, como se ha señalado en la nota a pie de página anterior, solamente dos alumnos declaran explícitamente que no utilizaron apuntes (todo el material lo proporcionó el profesor a modo de libro). Por otra parte, señalar que los apuntes pueden adoptar distintas formas de acceder a ellos (dictados, proporcionados de manera directa o a través de Internet). Referidos a los apuntes dictados, hay que señalar posiciones totales de ser o no la única "metodología" (como la define algún alumno que la valora positivamente), utilizada por el profesor o, por el contrario, no ser usada nunca en el aula, porque exigía la participación del alumnado en los procesos de comprensión de la materia en el aula. El uso más habitual es el de completar información, que bien por la necesidad de clarificar, ampliar, hacerla más asequible, presentar visiones generales o sintetizadoras de un tema, etc., eran expresamente dictados por los docentes. Es también interesante indicar que en las declaraciones el alumnado señalaba dónde se ponía esa información (en los márgenes del material proporcionado o del libro, si eran muy extensos en hojas e incluso con post-its). Ejemplos de estas consideraciones realizadas son los siguientes:

3037. Las clases diarias consistían en la toma de apuntes por parte del alumno como he dicho anteriormente. Método que valoro mucho ya que de esta forma el alumno tiene la obligación de prestar atención y así captar más conocimientos.

3056. Todos los apuntes que teníamos y el material de estudio eran dictados.

3017. Los primero temas nos los dictó para que los entendiésemos mejor, pero al ver que perdíamos mucho tiempo dejamos de usar ese método.

3009. Nunca nos dictó apuntes, nosotros de sus explicaciones cogíamos esos apuntes, pero él nunca los dictó, a pesar de que en ocasiones sí que copiábamos pequeños párrafos que él nos dictaba para completar la información.

3036. Nunca nos dictó los apuntes, solo al principio, que nos dictó los temas que íbamos a dar. Era preferible prestar atención, ya que el profesor pedía constantemente la participación de los alumnos.

3013. El profesor solo solía dictar si necesitábamos más información acerca de algún apartado de distintos temas, o si él consideraba que tenía que profundizar en algún aspecto concreto.

3027. En algunos temas en los que la información era insuficiente o incompleta en el libro, la profesora se apoyaba en apuntes, que ella misma dictaba.

3033. La profesora dictó algunos temas para que los tuviéramos resumidos, con vistas a que en selectividad fuéramos bien de tiempo y espacio. Los temas que nos dictó fueron los Reinos Cristianos y la Guerra Civil española.

3045. Los apuntes dictados por el profesor fueron escuetos y en algunos temas concretos de los contenidos, como la crisis general de 1917, la economía y sociedad en el primer tercio del siglo XX, la

---

[26] Desde los inicios, hace ya 20 años. Estos datos pueden encontrarse en la memoria del proyecto de investigación aprobado por la Fundación Séneca "Los procesos de enseñanza-aprendizaje de Historia de España Contemporánea". I.P Nicolás Martínez Valcárcel (PI-50/00694/FS/01) depositada en la Fundación Séneca, una Tesis de Licenciatura, la publicación disponible en Digitum, Depósito Digital Institucional de la Universidad de Murcia y la publicación de la base de datos de 2016. En todos estos trabajos se puso de manifiesto la existencia de ese referente, su relación con los libros de texto y, sin duda, emergiendo de esa importancia, la necesidad de una recogida de información con las evidencias concretas de esa producción de conocimiento

evolución de la situación política durante 1936: de las elecciones de febrero al inicio de la guerra civil, el desarrollo del proceso autonómico y la consolidación de la democracia en España a partir de la aprobación de la Constitución. De esta manera, se amplía la información sobre algunos contenidos, algo que en mi opinión, lo hace más interesante.

3058. Muchos de los temas que eran desarrollados por el libro mi profesora de historia los complementaba con apuntes suyos. Ella los dictaba, nosotros los relacionábamos y redactábamos en relación con el tema vinculado.

3054. Únicamente se nos fueron dictadas algunas de las introducciones y conclusiones de los temas y partes de comentarios de texto que eran teorías a la hora de corregirlos y practicar en clase.

3004. En las fotocopias que nos daba nos dictaba cosas para poner al margen.

3024. Los apuntes dictados eran escasos, apenas nos dictaba temas a estudiar puesto que él era el que nos proporcionaba el material listo para estudiar. En cualquier caso no pedía que anotásemos ciertas aclaraciones para completar los apuntes.

3043. Nos hacía apuntar cosas en el margen del libro o si el contenido era extenso sacábamos una hoja de papel para apuntar lo que el profesor nos explicaba.

3068. Como bien se puede observar en el libro, hay muchísimos apuntes en post-its ya que mi profesor le gustaba añadir cosas a las explicaciones del libro porque lo veía más completo. Un ejemplo de esto son las Constituciones, aunque venían explicadas en el libro, a mi profesor le gustaba seguir un orden en las Constituciones, es decir le gustaba hacerlas por puntos y todas en el mismo orden.

La situación más habitual es la de los apuntes proporcionados por el profesorado, fruto, como así lo manifiestan algunos declarantes, de la experiencia de los docentes. Puede destacarse que la totalidad de la asignatura se organizó en torno a ellos, llegando a ser definida como "la metodología usada por el profesor". También es interesante señalar como en determinadas ocasiones todo este material adquiría la forma de libro, que pasaba a ser el eje sobre el que se articulaba todo el proceso de enseñanza-aprendizaje de Historia de España. Otro dato significativo es cómo y dónde se adquiría este material, llegando en ocasiones a estar fuera del centro, en librerías cercanas. Las razones por las que se elabora este material pueden ser diversas, pero se destacan dos: la síntesis de la información, que el alumnado puede interpretar como lo esencial que hay que dominar; o bien, en otra dirección muy distinta, ser la base de información que permite al alumno elaborar sus propios apuntes, sin duda, más comprensivos y que obligaba a la organización y elaboración de los mismos. Declaraciones de este uso son las siguientes:

3003. La asignatura se basó totalmente en los apuntes que había desarrollado el profesor a lo largo de los años.

3014. Esta era la base de la asignatura, todos los contenidos están extraídos de estas fotocopias hechas por la profesora.

3059. Todos los temas venían fotocopiados por temas que había elaborado ella, y fue con lo que trabajamos todo el curso. Incluso los comentarios de texto eran mediante fotocopias.

3042. El profesor nos los proporcionaba para que no copiásemos en clase porque quería que centrásemos toda nuestra atención en él con el objetivo de que pudiésemos comprender mejor la asignatura.

3024. Este es el punto que más refleja la metodología usada por mi profesor: Nos proporcionaba los apuntes —que teníamos que comprar en la fotocopiadora— ya clasificados y organizados para una mayor comprensión de los temas.

3048. Al no llevar libro, el se encargó a principio de curso de darnos todos los temas en fotocopias, explicándonos que temas y que apartados eran los que entraban para PAU y cuáles no. Por mi experiencia puedo decir, que particularmente, me resultó muy cómodo y fácil más que llevar un libro de texto, puesto que ya sabíamos que era el contenido que el profesor quería que aprendiésemos, y que era lo que de verdad era importante para él.

3051. Nuestro "libro" eran unos apuntes editados por ella misma que tuvimos que comprar y adquirir de una manera o de otra porque si no, no podíamos seguir las clases. Por tanto, de aquella manera podríamos decir que si nos proporcionó apuntes fotocopiados.

3030. Toda la asignatura se basaba en apuntes tanto entregados por el profesor, subidos a su Web o fotocopiados porque los dejaba en conserjería o en una librería que había enfrente del instituto. Este ha sido el medio principal y que considero que ha sido el más acertado porque el temario se ha podido dar prácticamente en su totalidad.

3055. El profesor nos facilitaba unas fotocopias, las cuales nosotros comprábamos en conserjería y durante todo el curso mantuvimos el mismo método. Se puede decir que el 90% del temario lo tenemos en apuntes.

3008. De todos los temas nuestro profesor nos hacía una especie de esquema muy resumido con todos los contenidos y el orden en el que íbamos a darlos. En esos esquemas ponía lo más importante del tema y había cosas que salían en el libro pero que si no las ponía en el esquema no había que estudiárselas ya que no salían en el examen.

3020. Como he dicho anteriormente, el profesor no entregó apuntes, cada uno elaboraba los suyos propios. El profesor dijo que esto nos beneficiaba, pues nos obligaba a estar atentos en clase para poder tomar apuntes de lo que explicaba y a la hora de estudiar nos resultaba más fácil de comprender, pues nosotros mismos los habíamos redactado y organizado.

Se señalaba anteriormente que estos apuntes proporcionados por los docentes podían adquirirse en diversos medios, sin duda uno de ellos es en Internet. No es el uso de este medio como portador de información, sino sencillamente como un vehículo de comunicación que cada día está más presente en las aulas. Explícitamente señalan que es en ese medio donde se relacionan con el docente y donde el profesorado deja los materiales. Las modalidades de uso sería el correo electrónico, el uso de páginas Web del Instituto o personales (señalando en algún caso concretamente cual es), y la creación de grupos en Facebook. Sin duda es un recurso que ha pasado de estar casi ausente a presentar una presencia cada vez mayor en los procesos de enseñanza de esta asignatura. Ejemplos de estas declaraciones son los siguientes:

3003. Lo usábamos mucho ya que a través de él el profesor nos enviaba todo el material que necesitábamos.

3031. Algunos de los temas, como mucho dos o tres, nos los envió el profesor por correos ya completos de forma esquemática para que sólo tuviéramos que estudiárnoslos y nos sirvieran tanto para desarrollar como tema como para analizar en un comentario de texto.

3032. Todas las semanas teníamos en el e-mail de cada uno el tema entero que íbamos a dar esa semana.

3009. Nunca utilizamos el Internet para nada, y creo que era principalmente, porque era un profesor mayor, que estaba acostumbrado a la vieja usanza y no le gustaban mucho las nuevas tecnologías.

3009. Sí que dábamos bastante uso al Internet empezando por la causa de que sin él no podríamos descargarnos los apuntes de los temas, y también como he señalado anteriormente la profesora lo utilizaba bastante para proyectar vídeos.

3008. Usábamos Internet porque en nuestro instituto había una página Web donde cada profesor colgaba los apuntes, trabajos, esquemas o temas. El profesor de historia colgaba en la página los esquemas de los temas que dábamos y las presentaciones en PowerPoint que explicaba en la clase. Así, nosotros nos sacábamos esos esquemas y los PowerPoint y nos los estudiábamos.

3017. Ya que ella subía a la página Web los temas y nosotros nos los imprimíamos. Además cuando realizábamos algún resumen de un tema se lo mandábamos a su email y ella nos lo devolvía corregido con los fallos que teníamos y demás.

3030. Internet era nuestra principal fuente de comunicación. A través de la página Web Aula XXI, el profesor creaba su cuenta como docente, agregaba a mis compañeros y a mí como alumnos, nos facilitaba la clave de acceso y ya podíamos acceder al temario, power points, vídeos y demás que era subido ahí, o lo dejaba en conserjería o en cualquier librería, como he dicho anteriormente.

3066. Prácticamente fue la única herramienta con la que trabajábamos. Aquí dejo su página Web por si quieres echarle un vistazo: http://geohistoriarte.wikispaces.com/ HISTORIA+DE+ESPA%C3%91A+2%C2%BA+BACHILLERATO.

3067. Como he citado anteriormente, solamente seguíamos los apuntes de clase que la profesora subía al grupo de Facebook, donde cada día debíamos descargar tanto los temas como los ejercicios propuestos en clase.

En cuanto a Internet propiamente dicho, hay que especificar que solamente en 11 ocasiones (24%) su uso está destinado a buscar información, siendo el resto de las referencias declaradas por el alumnado para colgar documentos o realizar consultas al profesorado, como hemos visto. Concretamente, es aconsejada por el profesorado en pocas ocasiones y para usos limitados en torno a núcleos muy concretos de contenidos. Es muy importante destacar ya el uso personal de los discentes, cuando toman decisiones para encontrar información distinta y, normalmente, al margen de su profesor. Declaraciones en este sentido de fuente de información son las siguientes:

3007. Buscábamos cosas interesantes por Internet, por ejemplo algún mito que estuviera unido a alguna persona o rey, nos ponía vídeos o fotos sobre la arquitectura creada en esos años, así como vídeos e imágenes de manifestaciones, proclamaciones etc.

3036. Siempre nos recomendaba coger información de Internet y sacar de ahí noticias relacionadas con la actualidad. Por ejemplo: el hecho de que los musulmanes quieren recuperar el territorio que perteneció a sus antepasados aquí en España en la época de Al-Ándalus o en el tema del Franquismo la gente que hoy en día lo sigue apoyando...

3042. Cuando nos mandó el trabajo grupal nos dio varias páginas de Internet de las cuales podíamos sacar información para nuestros trabajos, pero ahora mismo no las recuerdo..

3068. Algunas veces, pero muy de vez en cuando, mi profesor nos mandaba buscar información sobre alguna cosa que a él le parecía que tenía gran importancia y para investigar sobre algún acontecimiento importante. Pero no lo utilizaba para nada más, solo nos hacía buscar información sobre algún acontecimiento y al día siguiente nos preguntaba.

3014. Sólo lo utilizábamos cada uno por nuestra cuenta para ampliar o mejorar algunos apuntes de cara a la PAU.

3024. Las nuevas tecnologías no era algo que estuviera muy integrado en historia de España. El profesor no hacía uso de él, pero sin embargo los alumnos si lo usábamos de manera ocasional para consultar y realizar determinados ejercicios.

3045. Internet era poco utilizado en las clases de Historia de España debido a la edad del profesor, que no estaba familiarizado en este aspecto. Lo utilizábamos en casa si queríamos buscar información adicional o para realizar los trabajos anteriormente mencionados del descubrimiento de América. Pero sólo recuerdo este hecho relacionado con Internet a lo largo de todo el curso.

3059. Internet no fue muy utilizado, pues todo el material nos lo daba ella. Solo se utilizaba para mirar el correo o para buscar alguna información para un comentario de texto o por si querías buscar tú más información a parte.

Una última fuente de información, vinculada con los contenidos, es la que puede proporcionar materiales ajenos a los apuntes, el libro de texto o Internet. De acuerdo con en el sentido tradicional de esos materiales, se puede ver que es el menos señalado por los declarantes, e incluso que su uso se remite casi a los Comentarios de Texto, motivar y aclarar. Son pocas las ocasiones en las que expresamente se declara que servía como visiones diferentes de un mismo hecho o búsqueda de relaciones, en este caso del pasado con el presente. Algunas declaraciones son:

> *3008. El profesor nos entregó unos textos para hacer un comentario de texto histórico pero solo hicimos dos comentarios de texto que fueron los únicos que mandó como deberes. Los demás textos era opcional hacerlos y los hacían los que se iban a presentar a selectividad por historia.*
>
> *3011. Nos daba material complementario, con algunas imágenes o viñetas que nos ayudaban a entender mejor el temario.*
>
> *3013. Al igual que a la hora de dictar algo, solía dar alguna fotocopia si creía que la información que teníamos en los apuntes no era suficiente o era necesario complementarla.*
>
> *3024. Apenas trabajábamos con documentos anexos que no eran los apuntes fotocopiados. En todo caso, recuerdo en algún momento fotocopias sueltas que servían de manera aclarativa para comprender alguna parte de los contenidos, pero en cualquier caso era igualmente proporcionado por el profesor.*
>
> *3027. Los comentarios de texto, sí que los daba fotocopiados, pues no aparecían en el libro.*
>
> *3042. Algunas veces nos proporcionó algún documento para complementar algún tema especialmente difícil que fuera importante que tuviésemos claro de cara a la selectividad.*
>
> *3045. Se repartieron a los alumnos, textos y mapas proporcionados por el profesor. Algún ejemplo de fotocopias de textos fue "La huelga de 1917 en Yecla" y ejemplo de mapas los de la evolución de la Guerra Civil Española desde el bando tanto Nacional como Republicano.*
>
> *3050. A veces nos entregaba fotocopias de un artículo de prensa para que comparásemos los hechos pasados y los del presente, después había que hacer un breve comentario de las diferencias que nosotros podíamos observar.*
>
> *3054. Cuatro temas de los 24 del currículo no se encontraban en el libro por lo que se nos fueron dadas fotocopias sacadas de otros libros o información buscada por la profesora.*
>
> *3057. Los materiales complementarios al libro eran fotocopias de artículos o comentarios de texto para complementar la explicación teórica y, por ejemplo en los comentarios de texto, para aplicar los conocimientos estudiados. También se utilizaron unos capítulos de una serie de televisión española que contaba la historia de España desde el primer tema que empezamos a estudiar hasta el último. Esto ayudaba a tener una visión general de los acontecimientos antes de estudiarlos en profundidad y a tener un concepto temporal en la sucesión de los hechos.*

Así pues, a modo de reflexión y ejemplificación de este apartado, se puede mantener que es muy difícil entender el papel que juega el manual al margen de los tres referentes de información: libro de texto, apuntes e Internet. Por otra parte, tal y como se ha señalado, esta publicación se centra solamente el primero de ellos. A lo largo de este bloque se ha ubicado el manual en un contexto más amplio (no total) de los procesos de enseñanza-aprendizaje. Es pertinente concluirlo con una breve presentación de las tres fuentes de información, figura 3, en la que se presenta tres ejemplos más amplios de estos documentos utilizados por los alumnos. La finalidad no es la de analizarlos, sino mostrar una imagen real de cada uno de ellos, para que cada lector pueda configurarse una idea de lo que, en la casi totalidad de las aulas de Historia de España en Bachillerato, se está utilizando.

Apuntes 46 declarantes (100%)	Libro de texto 29 declarantes (75%)	Internet 11 declarantes (24%)

Figura 13. Tipificación del acceso a los contenidos de la asignatura de Historia de España en Bachillerato. La Primera República en apuntes del profesor, libro de texto e Internet

Fuente: elaboración propia (Legado NMV)

CAPÍTULO III

III. EL VALOR DE LA EVIDENCIA:
el manual vivido por el alumno

CAPÍTULO III

III. EL VALOR DE LA EVIDENCIA: el manual vivido por el alumno

En el capítulo anterior se han desarrollado algunas dimensiones de los procesos de enseñanza-aprendizaje desde una *perspectiva general*, en éste se va a presentar *el material individual* de referencia de cada alumno, ejemplificado en tres situaciones de uso del libro de texto en las que narran cómo era su propio centro, aula, enseñanza, profesor y muestran y explican las huellas dejadas en los libros de texto.

Tal y como se ha señalado, este trabajo desarrolla en profundidad el uso del libro de texto dentro y fuera del aula, partiendo de la evidencia del manual de cada participante. Es importante recordar que este estudio se asienta en la consideración de los manuales como objetos-huella, la voz del alumno como testimonio vivo (Portela, Martínez y García, 2016), la contextualización y localización espacio temporal de los libros de texto, la necesidad (una vez producida la recogida de información) de preservar todas las donaciones realizadas de estas evidencias para que constituyan parte de la memoria educativa sobre la enseñanza de la Historia de España en Bachillerato y, por último, entender el uso del libro de texto en un contexto más amplio cómo es el lugar y las personas implicadas.

Así pues, se presentan tres ejemplificaciones del material del que, gracias a las donaciones, se dispone ya para su estudio y preservación en el legado correspondiente. Tal y como se expuso en el apartado metodológico la información está referida al curso de Bachillerato 2012-2013, el instrumento para obtener la información que se utiliza (partiendo de las evidencias de los libros y los apuntes), es un cuestionario abierto en el que se les solicita que recuerden algunas informaciones sobre la asignatura de Historia de España, valorando los ítems con una escala Likert y razonando el porqué de la ponderación.

Cabe igualmente recordar que de los 46 participantes que constituyen la muestra, 29 utilizaron el libro y 46 apuntes. De todo ese material, 13 donaron su libro y 36 los apuntes para el legado de la memoria educativa[27]. Es preciso también constatar que se va a focalizar

---

[27] Es preciso señalar que todo este legado está siendo, en la medida de los recursos disponibles, informatizado y organizado con la misma estructura de los tres casos que más adelante presentamos.

el estudio en el libro de texto, realizando algunas reseñas de los apuntes[28]. En ese sentido, se hablará de las evidencias y las vivencias del uso que el alumnado hace, de acuerdo con las indicaciones del profesorado y de su personal estilo de abordar esta asignatura.

Así pues, el material recogido va a ejemplificarse en tres escenarios, de acuerdo con las declaraciones del alumnado, que son: 1.) el libro de texto como apoyo a los apuntes del profesor, 2.) el manual como apoyo de los apuntes del alumno y, 3.) el manual como uso exclusivo ¿libro-cuaderno de trabajo?

Más concretamente, cada uno de estos entornos va a construirse desde la narración personal de los actores que han vivido, en primera persona, esta situación de enseñanza-aprendizaje. Para ello se estructura la información en torno a cuatro referentes que se describen y luego se desarrollan en los apartados siguientes, estos son:

A. *El contexto* donde el alumno ha cursado esta materia: su centro, su aula y los compañeros con los que ha convivido muchos años.
B. *Enseñanza-aprendizaje*: profesor, currículo, recursos y procesos en torno a los que ha construido ese saber de Historia.
C. La *utilización del libro* de texto dentro y fuera del aula, narrando sus interpretaciones de lo que ocurría con este recurso.
D. *Las evidencias* de ese trabajo en su libro de texto de Historia de España: las huellas dejadas. También recoge si el manual era nuevo o de segunda mano, una realidad bastante importante para comprender las huellas registradas, pues supone que las anotaciones llevadas a cabo por el anterior propietario son una ventaja o un problema que tiene que afrontar y resolver.

III.1. PRIMER ESCENARIO: El uso del manual como apoyo a los apuntes del profesor[29]

Es habitual que el profesorado elabore, y facilite a los alumnos, los apuntes y materiales de la asignatura y señale el papel que va a jugar el libro de texto. En esta situación el manual es un apoyo a los apuntes por él facilitados. Esta situación y la ejemplificación que sigue, es recogida directamente por la alumna: así concretamente declara:

> *3029. Cuando iniciamos el curso, el profesor escribió en la pizarra el libro que íbamos a utilizar a lo largo del año, el cual era obligatorio, ya que el profesor exigía que lo incorporásemos a la clase cada día. Era únicamente utilizando como apoyo para la asignatura de "Historia de España", ya que realmente se basaba en apuntes. Es decir, su uso era para completar información, usualmente de los apuntes–fotocopias.*

---

[28] Con plena conciencia de lo que esa focalización significa, pero también de la limitación de los recursos que en estos momentos se disponen.
[29] Participante 3029.

A. EL CONTEXTO:
el centro, el aula y los compañeros

El medio que rodea la enseñanza-aprendizaje no es ajeno a todo lo que ocurre en él. Así, la propia estructura material del Instituto, tiene su historia que, por su tamaño y singularidad, impacta en el alumno. Son muchos años de convivencia, de madurez y de emociones que constituyen el bagaje con el que se va cada alumno al acabar sus estudios e iniciar los siguientes. Así, cuando habla de su centro emergen esas vivencias indicando realidades y valoraciones que se mezclan entre sí y se ilustran con imágenes:

3029. Mi instituto, (...), empezó siendo muy grande y acabó siendo muy pequeño, pero aún tenía la grandeza del primer día. Digo esto porque mi pobre instituto fue derribado tras el terremoto, desaparecieron paredes, clases etc. pero nunca se perdió el buen ambiente de siempre. Recuerdo mi primer día de instituto como si fuera ayer, era un edificio grande, situado en el centro de la ciudad, mucha gente por los pasillos y mucho alboroto. En él he pasado 6 años muy a gusto, tanto con mis compañeros como con los profesores. He aprendido a ser estudiante y a ser persona. He conocido a personas muy importantes en mi vida, amigos que a día de hoy lo siguen siendo. Como he dicho al principio, tengo dos imágenes en mi cabeza del instituto, la imagen del edificio grande y nuevo y la otra imagen de las apenas 6 aulas que quedaron. Esos 6 años han sido muy importantes en mi vida y los llevaré siempre conmigo.

Figuras 14 y 15. Mi centro: antes y después del terremoto. Declarante 3029
Fuente: fondos propios (Legado NMV)

Esa estructura general es ocupada por el alumno en un espacio singular: su aula. Este espacio es conocido con un nombre específico "Segundo de Bachillerato-B" y en este espacio que es caracterizado por presentar un "aspecto monótono, sin nada por destacar", que también incluye a la asignatura pues la "historia no tiene nada especial por destacar":

3029. Mi clase de Historia de España era normal, con esto me refiero a que las clases de dicha asignatura se impartían en mi aula habitual. Todas las materias se impartían en esta clase, conocida con el nombre de "Segundo de Bachillerato-B", a excepción de la asignatura de Imagen y Comunicación, ya que se basaba en un constante uso del ordenador. Estaba formada por treinta mesas y con sus correspondientes treinta sillas, de color verde. Estaban distribuidas por la clase en conjuntos de dos o tres pupitres. El profesor, que sumaría una mesa y una silla más, tenía una mesa de mayor tamaño y una silla más cómoda, de color negro. El sitio del profesor se encontraba junto a la gran pizarra verde, con sus correspondientes tizas y borradores. La pizarra estaba situada frente a los alumnos. Mi clase tenía un aspecto monótono, sin nada por destacar. Desde mi punto de vista, no era de gran agrado, es decir, una clase como otro cualquiera. No tenía ningún aparato electrónico (como puede ser una televisión), tampoco mapas, póster, paneles, ni nada semejante. Por lo tanto, las paredes eran blancas sin nada colocado en ellas. Así, la clase donde se desarrollada la asignatura de historia no tiene nada especial por destacar, una clase normal y habitual, típica.

En dicho espacio, ella se sienta en un lugar muy concreto, junto a la ventana pues había mucha luz y se veía un paisaje agradable. En cuanto al ambiente que había, no puede caracterizarse de conflictivo, pero sí que reinaban los intereses particulares:

3029. "Yo me sentaba en la parte izquierda de la clase, junto a la ventana." Las razones para ocupar ese lugar en el aula eran "Sí, me gustaba ese sitio ya que al estar junto a la ventana entraba más luz. Además estaba cómoda al sentarme próxima a la ventana, la cual daba a las pistas del Centro, a la vez que se podía apreciar un parque muy bonito a lo lejos con árboles. Desde ese sitio, podía gozar de una mayor iluminación. En cuanto a las relaciones y el ambiente de clase preciso que "La clase estaba dividida en diferentes grupos, los cuales estaban formados por alumnos que tenían una gran relación entre sí y congeniaban bien. Pero entre grupos las relaciones eran un poco más conflictivas, ya que en mi clase reinaban los intereses de cada uno, y cada grupo defendía los suyos".

Figura 16. Mi aula: un espacio amplio, con luz y ventanales. Declarante 3029
Fuente: fondos propios (Legado NMV)

B. ENSEÑANZA-APRENDIZAJE:
el currículo, el profesor, los recursos y los procesos de enseñanza de Historia de España

Ese centro (con una grandeza que nunca perdió), esa aula (monótona pero con luz y paisaje) y esas relaciones (grupales y muy particulares), son el marco donde el profesor y los alumnos abordarán los contenidos, y los procesos de enseñanza-aprendizaje.

El contenido, en éste y en otros muchos casos, está dictado por la selección que se realiza desde la coordinación de las PAU, constituyéndose dicha propuesta en el programa de la asignatura. Un programa que se focaliza en las PAU, pero que también coincide con el decreto de currículo como atestigua las huellas que se aprecian en la figura 17, en la que se puede ver el trabajo realizado bien directamente con las anotaciones manuales, o aquellas que ya venía destacadas para ese curso escolar por el docente. La alumna describe esa realidad narrando que:

3029. *Ya desde el primer día de segundo de bachillerato, todos los profesores se centraron en la palabra "PAU", por lo tanto el de Historia de España también. Mi profesor se basó prácticamente en el programa de la PAU, el cual he descrito anteriormente. Dimos todos y cada uno de ellos, de forma amplia, a excepción de algunas partes no consideradas con demasiada relevancia. Por lo tanto, cumplió e impartió el temario que se propuso, a excepción de algunos temas como ya he comentado. En clase expuso el temario que daríamos, y así fue, trabajamos constantemente para poder aprender bien los contenidos y tener el tiempo suficiente para cada tema. En un primer momento nos adjuntó el papel del programa de selectividad, y a partir de ahí empezó por el primer bloque. Utilizábamos una dinámica muy monótona, ya que el profesor hablaba toda la clase y explicaba los temas de forma aburrida. Pero a pesar de ello, he aprendido bastante, ya que nos hacía trabajar por nuestra cuenta en gran cantidad y preguntaba a diario sobre la asignatura.*

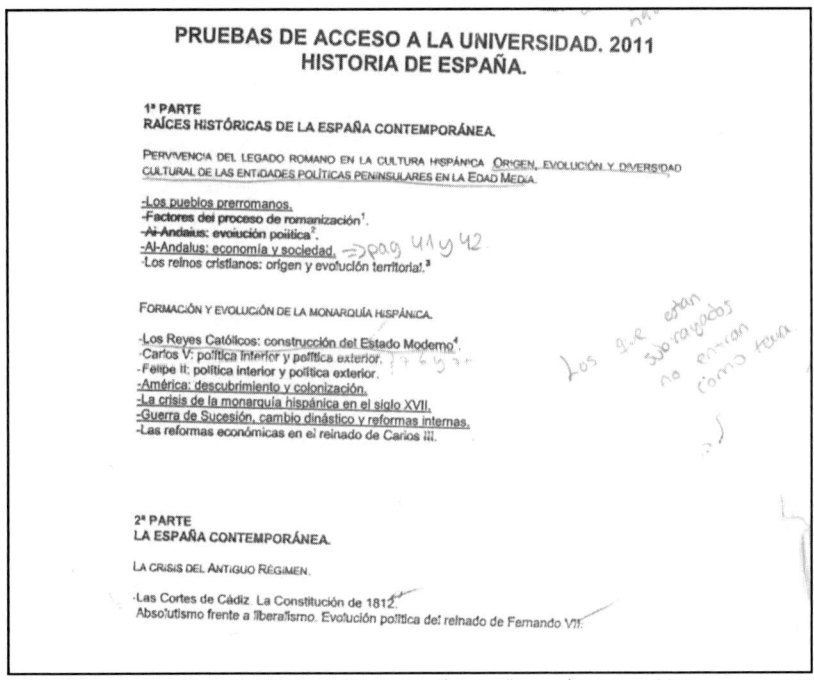

Figura 17. El programa de Historia de España. Declarante 3029
Fuente: fondos propios (Legado NMV)

Por otra parte, la figura de su docente va a ser referida varias veces en esta narración, que se adentra ahora en la realidad de lo que ocurre en su aula. Al profesor lo caracteriza como serio, con experiencia y con conocimientos. A lo largo de su actuación en el aula, marca esas tres características en su narración, pero la perfila con el diferente rol que adopta fuera del aula y una valoración final muy positiva entre el aula y los otros tiempos académicos "Es decir, en clase guarda una postura para ser respetado y admirado por los alumnos, pero cuando no está en clase, es uno de los profesores más encantadores que conozco". Los recursos mencionados permiten apreciar la centralidad de los apuntes del docente como estructuradores de toda la actividad desarrollada. La clase, basada en la explicación y con y un ambiente de aprendizaje muy estructurado, tenía como preocupación los contenidos de la asignatura y el dominio de los mismos por el alumnado. En ella se describen los distintos momentos sobre los que se les solicito su recuerdo y vuelven a insistir en lo secundario que eran el resto de los referentes de la información: el libro e Internet. Más concretamente expresa que:

3029. Me gustaría primero describir a mi <u>profesor</u>. Era un hombre, aproximadamente de unos cincuenta años, alto, delgado, con una vestimenta que transmitía seriedad (camisas), una persona con gran experiencia y una capacidad muy amplia de conocimientos.

En cuanto a los <u>recursos</u> que empleaba el profesor, podemos encontrar algunos de gran utilidad. Principalmente se basaba en fotocopias, que debíamos recoger cada semana en la copistería situada junto al Centro Educativo. A partir de ellos, estudiábamos el temario. Así, mi asignatura de Historia, partiendo de los recursos utilizados por el profesor se centra, en la mayoría del tiempo, en las fotocopias que nos entregaba cada semana. Además utilizábamos el libro, pero en menor medida. La utilidad del libro era únicamente para buscar y leer alguna biografía concreta, hechos relevantes, fechas decisivas…, es decir, apuntes puntuales. Nos mandaba también elaborar esquemas para que aclarásemos las ideas y para que el contenido quedase más recogido y más claro para nosotros. De forma irregular, nos dictaba o escribía en la pizarra algún apunte concreto para que tomásemos nota y lo aprendiésemos. Por otra parte, si algún contenido precisaba de un mapa para su explicación, el profesor adquiría uno acorde con el tema a tratar. Con respecto al tema virtual, usábamos el ordenador muy pocas veces. Únicamente para ver algún video en clase, el cual explicaba de forma más amena el tema que estábamos aprendiendo. También lo usábamos para buscar en Internet algo concreto que el profesor pedía. En resumen, mi profesor de basó en las fotocopias junto a otros recursos (ya citados) en menor medida, e intentó que a partir de dichas estructuras desarrollásemos de forma adecuada la asignatura y aprendiéramos todo lo posible.

Pues bien, ahora me centraré en el <u>inicio</u> de la clase. La clase se iniciaba cuando el profesor entrase por la puerta. Concretamente, mi profesor detestaba que pasáramos el tiempo en el pasillo antes de cualquier clase, ya que lo consideraba una falta de respeto y una pérdida de tiempo, es decir, según él entre clase y clase debíamos estar repasando el temario de la clase siguiente. Esto deja ver su gran afán por aprovechar el tiempo y su interés hacia que aprendiéramos. Debíamos permanecer de este modo dentro de la clase, a excepción de que nuestra aula estuviera cerrada y tuviésemos que esperar a que él llegase para poder abrirla con las llaves. Pues bien, una vez dentro, cerraba la puerta y sus primeras palabras solían ser: "Buenos días". Dependiendo del día, mi profesor llegaba al aula contento o serio y desagradable (la mayoría de las veces). Siempre detectábamos su estado de ánimo cuando entraba a clase. Llevaba un maletín marrón desgastado (por lo que en la fiesta de final de curso, mis compañeros y yo le regalamos uno nuevo. Era nuestro tutor), que contenía el temario de la asignatura. Dejaba su maletín en la silla, cogía sus apuntes y los ordenaba en la mesa a su gusto. Durante este proceso, los alumnos incorporábamos a nuestras mesas el material necesario para dar la clase. A su vez, ningún alumno hablaba, ni el profesor, aunque a veces si comentaba algún tema puntual. Así, una vez terminado dicho proceso de entrada y acomodación del profesor en el aula, comenzaba la clase.

Una vez acabado el proceso anterior, lo primero a lo que aludía el profesor era a la lista de clase. Nunca pasaba lista en voz alta, sino que observaba de forma detenida la clase y apuntaba a los alumnos que faltaban. Para asegurarse, nos citaba a los alumnos ausentes para que le confirmásemos si estaba en lo cierto, o por lo contrario, si se había equivocado. Una vez que apunta las faltas de asistencia tanto en la lista general de clase, como en su lista personal, cogía los apuntes que íbamos a tratar en la clase y los abría sobre la mesa o sobre sus manos, dependiendo del contexto. Con los apuntes frente a él, comenzaba a leerlos para si solo, es decir, sin pronunciar ninguna palabra. Si en ese momento algún alumno hablaba, el profesor se mantenía callado a la espera de un silencio absoluto. Si el murmullo continuaba y no era silenciado por el aspecto que el profesor presentaba en ese momento, se disponía a llamar la atención. Cuando estas circunstancias se superaban, los alumnos entendemos que la clase ha iniciado. Dependiendo del día, iniciaba la clase preguntando individualmente acerca del contenido dado en la lección anterior, o escribía en la pizarra el titulo del tema que íbamos a desarrollar ese día, o anotaba un esquema, o quizás directamente comenzaba la clase impartiendo el temario, es decir, explicándolo de forma inmediata. Por lo tanto, depende del día, del temario más concretamente, utilizaba un método u otro para empezar la clase.

En este punto nos centramos en como el profesor _desarrolla_ la clase. El profesor, partiendo del temario escrito en las fotocopias principalmente, llevaba a cabo la clase. La mayoría de las veces, explicaba el temario, el cual lo llevaba muy bien preparado y organizado, usando el lenguaje oral, a veces utilizaba el lenguaje escrito basándose en la pizarra, donde anotaba esquemas, frases concretas, títulos importantes... A veces, nos dictaba algo importante y que debíamos de ser, lo cual no aparecía en los apuntes. Nunca leía él el temario, y en el caso de que el profesor quisiera que fuera leído, seleccionaba a un alumno para que realizara dicha labor. Para llamar nuestra atención, el profesor preguntaba sobre el tema que estaba desarrollando, sobre todo a aquellos alumnos que en ese momento parecían despistados. Las preguntas que nos realizaba no eran de carácter sencillo, para responderlas debíamos de saber al menos la base del temario que se estaba llevando a cabo. Era un profesor muy activo, por lo que quería que interviniéramos en clase, así a la vez que preguntaba, intentaba establecer debates entre toda la clase, intentaba que interactuásemos sobre el contenido. Nosotros, los alumnos, intentábamos prestar atención a toda la clase, ya que en cualquier momento el profesor podía dirigirse hacia nosotros para realizarnos alguna cuestión. Partiendo de mi experiencia personal, yo prestaba atención a las explicaciones de mi profesor, anotaba en mi libreta algunos puntos que el profesor comentaba, o aquello que copiaba en la pizarra inmediatamente lo añadía a mis apuntes. El resto de la clase hacia algo parecido. Casi nadie hacía preguntas, ya que el profesor transmitía una seriedad importante y nos imponía, por lo que nos manteníamos al margen de atender y copiar la lección. Sin embargo, si en algún momento algún alumno pregunto una duda, el profesor se mostraba atento ante ella e intentaba responderla lo más adecuadamente posible, bien explicándola en la pizarra para todos, o utilizando el lenguaje oral, o raramente preguntando a todu lu clase si alguno era capaz de solucionar dicha duda. Las dudas podían ser preguntadas en cualquier momento de la clase, de hecho el siempre comentaba que si no había dudas es que el temario no estaba claro. Con respecto a su comportamiento, el profesor se muestra activo durante la clase, es decir, raramente se sienta en la silla, siempre se mantiene activo dando tambaleos de un lado para otro, pero siempre por la zona que comprendía la pizarra y su mesa. Muy poco habitual era que el profesor se sentase en mesas vacías cerca de su mesa, o en la suya propia.

En cuanto a las _incidencias,_ he de decir que no he encontrado ninguna relevante en mi clase durante la clase de Historia de España. Ante pequeñas incidencias, las cuales no son de gran importancia, el profesor intentaba resolverlas en clase, y no acudiendo a niveles superiores escolares, como puede ser la dirección. En su labor de profesor de historia, no todo se basaba en la teoría, sino que también había una parte práctica, la cual comprende una serie de actividades como pueden ser ejercicios del libro o ejercicios dictados por él. Estas actividades se centraban únicamente en el trabajo individual. Nunca realizamos trabajos de forma colectiva. Dichas actividades, eran corregidas a lo largo de la semana en la que fueran mandadas. El profesor seleccionaba a un alumno, normalmente a aquel que muy pocas veces respondía a los ejercicios, y le pedía que lo corrigiera para toda la clase. El profesor no se conformaba con una respuesta básica y simple, sino que la respuesta debía estar bien elaborada. A veces, recogía los ejercicios al final de la clase para tomar nota y observar si los hemos corregido, por lo tanto, podría comprobar si hemos estado atentos en clase.

Otra cuestión es como el profesor mantiene la atención, pues bien, como ya he comentado casi siempre el profesor llegaba serio a clase, pero de esas pocas veces que entraba a la clase más contento, podía llevar a gastar alguna broma a los alumnos, comentar su día, hablar del tiempo, nos preguntaba cómo nos encontrábamos, sobre otras asignaturas (ya que como he añadido, era nuestro tutor)... pero este proceso raramente ocurría, ya que en el aula se mostraba como un profesor serio y trabajador. En cuanto al factor tiempo, le gustaba aprovechar cada minuto de la clase, ya que tenía que impartir un gran temario en muy poco tiempo. No daba el temario por encima, sino que profundizaba pero teniendo en cuenta el tiempo limitado del que se disponía. Se expandía más en los temas que eran de más relevancia. De hecho, puso dar todo el temario a excepción de un bloque ("España Actual"). Los demás contenidos los aprendí de la mejor manera posible, ya que el profesor aparte de explicar muy bien, se preocupaba constantemente de que los contenidos quedasen comprendidos. Preguntaba a menudo si el temario que estamos desarrollando estaba claro y si lo conocíamos bien. Como un buen profesor, se preocupaba de que los alumnos aprendieran los temas que se explicaban cada día en el aula.

Relación con el presente. Mi profesor explicaba el temario de las fotocopias, y si en algún momento un apartado podía ser relacionado con un tema recurrente en la actualidad, lo hacía de la mejor manera posible. Se centraba más en explicar el temario que en poner ejemplos, por lo que recuerdo muy pocos. Recuerdo ejemplos sobre política (comparaciones sobre el estado de nuestro país en el momento actual con años atrás), y sobre todo con la actividad económica (Crisis 2008 con crisis anteriores, las cuales pueden servir de precedente). Lo hacía de forma oral, es decir no se basaba en ningún periódico, texto, ni ningún documento. En este punto no puedo añadir más información, ya que los ejemplos que cito fueron sobre todo los dos anteriores.

Conclusión de la clase. Mi profesor aprovechaba las clases hasta el último momento. Si estaba empezando a explicar algún punto y el timbre sonaba, lo dejaba para el próximo día, pero si por el contrario, estaba casi terminando de explicarlo, lo hacía hasta el final, y si los alumnos no prestaban ya atención, alargaba aún más la clase, hasta que el profesor de la siguiente hora llegase a clase. Pues bien, nunca hacía un resumen de la clase al final de la hora, ya que argumentaba que nosotros solos debíamos de saber hacerlo si hemos atendido a la clase. Pero sí que mandaba ejercicios para que hiciéramos en horario extraescolar, siempre teníamos tareas de esta asignatura. Así, una vez que termina de explicar el temario y mandar actividades, recogía sus cosas, las metía dentro de su maletín, y abandonaba la clase con un "Adiós" o un "Hasta Luego". A veces, hacía algún que otro comentario no relacionado con la asignatura. He de añadir, que nunca se olvidaba de borrar la pizarra y de recordarnos que no se nos olvidara todo el material necesario para la siguiente clase. Pues bien, este profesor en clase impone un respeto y nos hace trabajar, pero fuera del horario de clase, es una persona muy simpática y agradable, que para todo lo que necesites te va a ayudar. Es decir, en clase guarda una postura para ser respetado y admirado por los alumnos, pero cuando no está en clase, es uno de los profesores más encantadores que conozco.

C. EL LIBRO DE TEXTO: utilización dentro y fuera del aula

Se ha descrito hasta ahora a la alumna en su centro, con sus compañeros, en su aula, con el programa que tiene que desarrollar en el curso y con los recursos utilizados. Después se ha dado realidad a su profesor y a los procesos de enseñanza-aprendizaje realizados. Es pues en este ambiente en el que el manual puede ser comprendido en toda su extensión. Así pues, con los materiales delante (libro y apuntes), se le pidió que valorase y razonase el uso del manual dentro y fuera del aula. Los resultados, tal y como fueron redactados por la alumna, se exponen a continuación. En las tablas 7 y 8 se evidencian el uso destacado que se hace de los mapas, ejes, actividades y comentario de texto, tal y como narraba de cómo eran sus clases. Igualmente indica lo que registraba en el libro, la intencionalidad de esas acciones y el sentido que tienen la apariencia de la huella que quedaba registrada en el libro de texto de Historia de España.

Tabla 7. Valoración de la alumna del uso del libro que hace el profesor. Declarante 3029

Uso del libro por parte del profesor	nada	poco	algo	bastante	mucho
El texto del autor del libro (contenido)			X		
Los documentos que tiene (Leyes, constituciones, opiniones, …)		X			
Mapas				X	
Ejes cronológicos				X	
Gráficos y estadísticas			X		
Imágenes (fotos, cuadros, dibujos, etc.)			X		
Actividades				X	
Páginas de Internet o WEB para visitar	X				
C.D.	X				
Comentarios de Texto			X		
Otros (poner y valorar)					

Fuente: fondos propios (Legado NMV)

Actividad en clase:

3029. Atendía a las explicaciones del profesor, siempre siguiendo el libro. Este era utilizado, como ya he añadido, como apoyo para la asignatura. El profesor explicaba el temario y yo acudía a la página en la que se encontraba la información que el profesor estaba desarrollando. En dicha página me situaba en el temario que estábamos llevando a cabo y leía la información contenida en el libro para poder entenderlo mejor. Si era necesario subrayaba también. Otras veces, dependiendo de la circunstancia, aunque el temario fuera desarrollado basándose en el libro, yo no prestaba atención a él, ya que me era suficiente con lo que el profesor explicaba, o no lo consideraba importante, o tomaba apuntes en otra hoja a parte, es decir, dependiendo del temario. A veces, preguntaba algunas dudas, ya que había que dar mucho temario en muy poco tiempo por lo que en algunos casos estaba en cierto modo perdida y preguntaba para poder situarme y seguir la clase.

Tabla 8. Valoración del uso del libro en casa por parte del alumno. Declarante 3029

Uso por parte tuya para estudiar	nada	poco	algo	bastante	mucho
El texto del autor del libro (contenido)			X		
Los documentos que tiene (Leyes, constituciones, opiniones, …)		X			
Mapas				X	
Ejes cronológicos				X	
Gráficos y estadísticas		X			
Imágenes (fotos, cuadros, dibujos, etc.)		X			
Actividades				X	
Páginas de Internet o WEB para visitar	X				
C.D.	X				
Comentarios de Texto			X		
Otros (poner y valorar)					

Fuente: fondos propios (Legado NMV)

Actividad en el estudio:

3029. El libro no lo utilizábamos mucho, más bien era usado como apoyo como ya he anotado anteriormente. Esto significa que el libro está muy poco marcado. El libro está muy limpio, a excepción de algunas páginas consideradas importantes, por lo que estas están marcadas, bien con un subrayador amarillo, con un bolígrafo, o en menor medida, con un lápiz. Puedo encontrar algunas anotaciones en los márgenes del libro, las cuales son muy puntuales. Estas anotaciones están relacionadas con el temario del libro a partir de asteriscos o flechas.

Los apuntes. En estos apuntes-fotocopias, como he nombrado anteriormente, se basaba la asignatura. Esta es la parte que más trabajé durante el curso. Siempre tenía en la mano un subrayador amarillo para ir marcando el temario que el profesor explicaba en la clase. Solo usaba el amarillo. Casi siempre usaba un subrayador, y en menos medida un lápiz o un bolígrafo. Estos apuntes estaban muy llenos de palabras sueltas consideradas relevantes, anotaciones a los márgenes con lápiz o bolígrafo, flechas, pequeños esquemas, guiones, asteriscos. ..., es decir, todo aquello que en los apuntes no aparecía y el profesor había nombrado en la clase, yo lo anotaba en estos. Por lo tanto, los apuntes se componen de lo subrayado por mí en la clase (y lo que no me daba tiempo en casa) y por anotaciones puntuales realizadas por mí a lápiz o bolígrafo.

Como puede apreciarse, para entender el uso del manual hay que referirse a los apuntes, aunque sea en el sentido de completar el significado del tema que se está estudiando: el manual. Sin embargo, como se verá en el siguiente epígrafe, los procesos seguidos con los apuntes son los mismos que los que se encuentran en el manual.

D. LAS EVIDENCIAS: las huellas del alumno en el manual de Historia de España

Como se ha indicado anteriormente, este es el material personal que el alumno tenía delante en toda esta investigación. Exponemos, a continuación, la imagen del manual (figura 18) y posteriormente el material concreto del discente y lo que hacía en su libro de texto. En primer lugar es evidente el trabajo realizado en la gestión (figura 19) cuando pone "libreta", también el del subrayado, las ampliaciones y la realización de esquemas que recoge de acuerdo con las indicaciones de su profesor (figuras 20-21). Por otra parte, no hay duda de la actividad que realizaba en el manual sobre los ejes y gráficos, pues las figuras 22 a 25 lo ponen de manifiesto. Por último, señalamos el trabajo recogido en los apuntes personales que el alumno realizó sobre "Los reinos cristianos" (figuras 26-29) y su vinculación con el manual, aunque en éste no registra la huella de su uso.

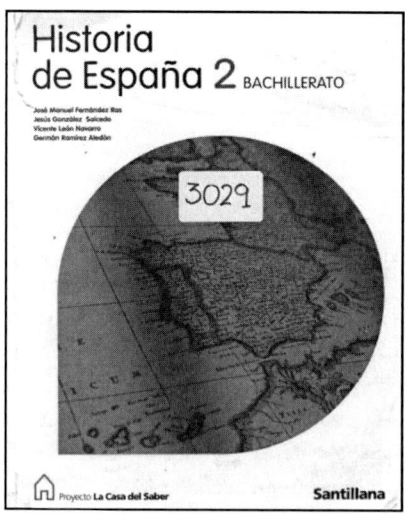

Figura 18. Portada del manual de Historia de España. Declarante 3029
Fuente: fondos propios (Legado NMV)

El trabajo en los temas: ideas importantes, gestión, ampliaciones, esquemas, etc. a las que la alumna aludía en sus explicaciones: ejemplos extraídos de su manual.

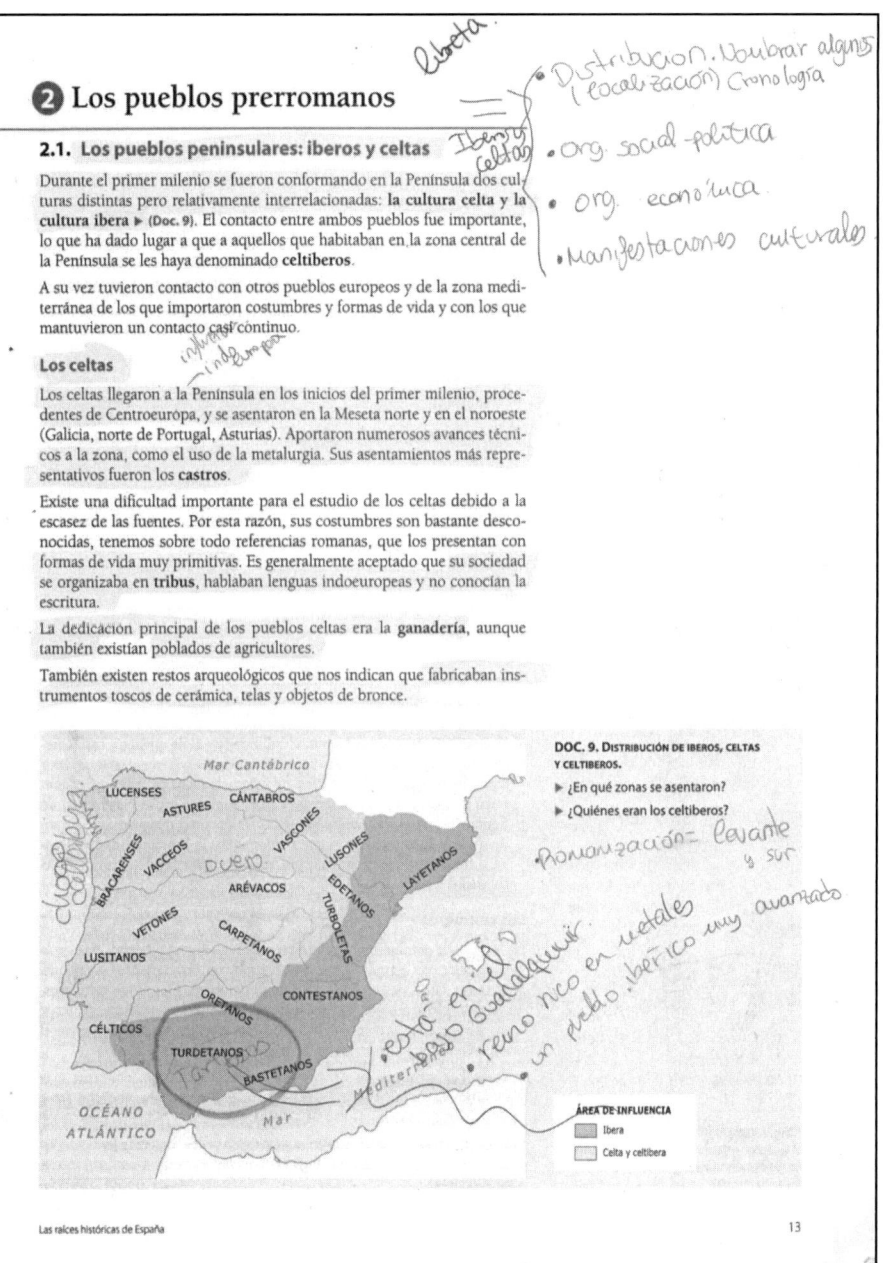

Figura 19. Huellas en el manual de Historia de España: la gestión (libreta), el subrayado de ideas importantes (gris, amarillo en el original), ampliación de contenidos (superior derecha) y la localización espacial (en el mapa).
Declarante 3029
Fuente: fondos propios (Legado NMV)

cantil. La urbe era el centro comercial que articulaba un territorio más o menos amplio y que servía de mercado tanto para la producción local como para la importada. En este sentido, la situación de las ciudades costeras era especialmente privilegiada.

El desarrollo comercial se apoyó igualmente en la configuración de una economía monetaria basada en el **denario romano**, que actuaba como moneda internacional ▶ (Doc. 16).

3.3. La sociedad hispano-romana

El modelo social hispano-romano quedó definido por la **integración de las elites indígenas** principalmente a través de la **concesión de la ciudadanía** romana –lo que confería derechos políticos–. Otra característica esencial era la existencia de desigualdades jurídicas entre la población basadas en la distinción fundamental entre **hombres libres y esclavos**. Así se diferenciaron varios grupos sociales ▶ (Doc. 17):

- En la cúspide estaban los ciudadanos romanos dueños de grandes latifundios y muy ricos. Eran los miembros del **orden senatorial**.
- Por debajo de ellos estaban los **caballeros**, procedentes en su mayoría de las aristocracias de los pueblos sometidos y que controlaban los cargos políticos (magistraturas) locales o provinciales. Muchos tenían propiedades de tamaño medio o eran comerciantes y manufactureros.
- El grupo más bajo de los hombres libres era la **plebe**, formada por pequeños propietarios agrícolas, artesanos y trabajadores libres.
- Por debajo de todos ellos estaban aquellos que no tenían derechos ni eran libres: los **esclavos**.

La **familia** era **patriarcal**. El marido disponía de la patria potestad sobre todos los miembros de la familia, lo que le otorgaba la capacidad plena de decidir sobre todas las cuestiones familiares y el derecho a ser obedecido.

La **mujer romana** dependía del marido; no obstante, gozaba de un grado de libertad mayor que en otras civilizaciones contemporáneas a la romana. Las funciones de la mujer en la familia eran exclusivamente domésticas: mantenimiento de la casa y cuidado de los hijos. Solo en ausencia del marido gozaban de un poder pleno sobre los miembros de la familia. El divorcio estaba regulado legalmente.

3.4. La cohesión del territorio

La Hispania romana se estructuró con una sólida base político-administrativa, cuyo objetivo era conseguir un gobierno eficaz. Otro elemento que dotó de gran cohesión al territorio fue la creación de una nutrida red de ciudades relacionadas mediante un extraordinario sistema de comunicaciones.

La organización administrativa

Antes de que toda la Península estuviese conquistada militarmente, los romanos comenzaron a aplicar sus criterios de organización administrativa y delimitación política del territorio. Como consecuencia de esta política, el espacio hispánico fue dividido en diversas circunscripciones para su mejor administración y control. Estas circunscripciones fueron las **provincias**. Cada una de ellas estaba dirigida por **un gobernador y un consejo**. Había dos tipos de provincias: **senatoriales** –controladas por el Senado romano, como la Bética– o **imperiales** –si las controlaba directamente el emperador, como la Tarraconense o la Lusitania.

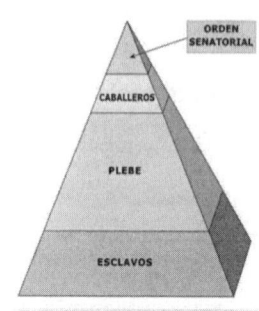

DOC. 17. Grupos que formaban la sociedad de la Hispania romana.

▶ ¿Cuáles eran los grupos más poderosos?

Las raíces históricas de España

19

Figura 20. Huellas en el manual de Historia de España: ideas importantes (dos colores), aclaración de términos (caballeros y esclavos) y ampliación de contenidos (clases de ciudades). Declarante 3029
Fuente: fondos propios (Legado NMV)

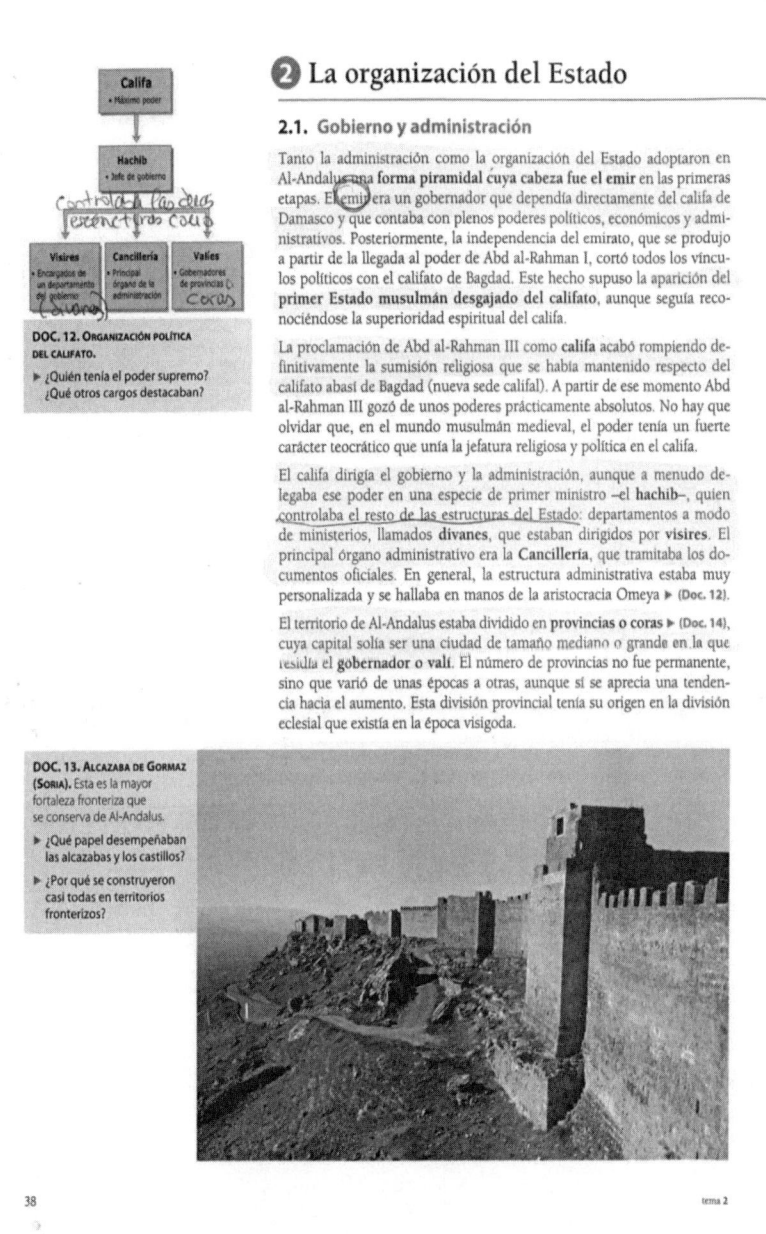

② La organización del Estado

2.1. Gobierno y administración

Tanto la administración como la organización del Estado adoptaron en Al-Andalus una **forma piramidal cuya cabeza fue el emir** en las primeras etapas. El emir era un gobernador que dependía directamente del califa de Damasco y que contaba con plenos poderes políticos, económicos y administrativos. Posteriormente, la independencia del emirato, que se produjo a partir de la llegada al poder de Abd al-Rahman I, cortó todos los vínculos políticos con el califato de Bagdad. Este hecho supuso la aparición del **primer Estado musulmán desgajado del califato**, aunque seguía reconociéndose la superioridad espiritual del califa.

La proclamación de Abd al-Rahman III como **califa** acabó rompiendo definitivamente la sumisión religiosa que se había mantenido respecto del califato abasí de Bagdad (nueva sede califal). A partir de ese momento Abd al-Rahman III gozó de unos poderes prácticamente absolutos. No hay que olvidar que, en el mundo musulmán medieval, el poder tenía un fuerte carácter teocrático que unía la jefatura religiosa y política en el califa.

El califa dirigía el gobierno y la administración, aunque a menudo delegaba ese poder en una especie de primer ministro –el **hachib**–, quien controlaba el resto de las estructuras del Estado: departamentos a modo de ministerios, llamados **divanes**, que estaban dirigidos por **visires**. El principal órgano administrativo era la **Cancillería**, que tramitaba los documentos oficiales. En general, la estructura administrativa estaba muy personalizada y se hallaba en manos de la aristocracia Omeya ▶ (Doc. 12).

El territorio de Al-Andalus estaba dividido en **provincias o coras** ▶ (Doc. 14), cuya capital solía ser una ciudad de tamaño mediano o grande en la que residía el **gobernador o valí**. El número de provincias no fue permanente, sino que varió de unas épocas a otras, aunque sí se aprecia una tendencia hacia el aumento. Esta división provincial tenía su origen en la división eclesial que existía en la época visigoda.

Califa
• Máximo poder

Hachib
• Jefe de gobierno

Controlaba las otras estructuras coras

Visires	**Cancillería**	**Valíes**
• Encargados de un departamento del gobierno (divanes)	• Principal órgano de la administración	• Gobernadores de provincias o coras

DOC. 12. ORGANIZACIÓN POLÍTICA DEL CALIFATO.

▶ ¿Quién tenía el poder supremo? ¿Qué otros cargos destacaban?

DOC. 13. ALCAZABA DE GORMAZ (SORIA). Esta es la mayor fortaleza fronteriza que se conserva de Al-Andalus.

▶ ¿Qué papel desempeñaban las alcazabas y los castillos?

▶ ¿Por qué se construyeron casi todas en territorios fronterizos?

38   tema 2

Figura 21. Huellas en el manual de Historia de España: destacado de ideas importantes (gris y bolígrafo) y aclaración del esquema (con las palabras destacadas en el texto: Controlaba ...). Declarante 3029
Fuente: fondos propios (Legado NMV)

El trabajo en los mapas y esquemas de los resúmenes del libro de Historia de España.

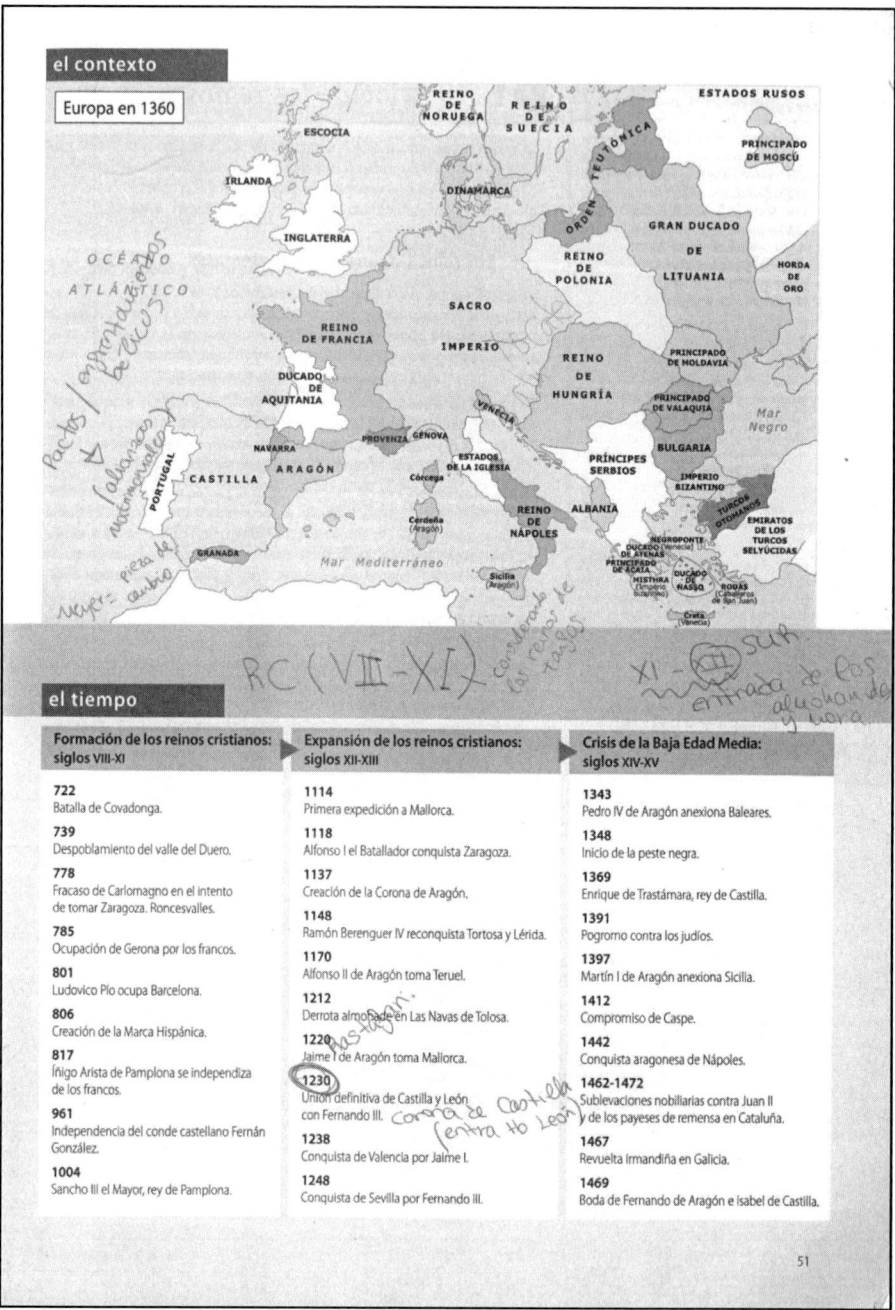

Figura 22. Huellas en el manual de Historia de España. El trabajo en mapas es una de las tareas que más realiza esta alumna (como se verá en el apartado IV.3). Pueden apreciarse la inclusión de información de hechos acaecidos tanto en el mapa como en la cronología. Declarante 3029
Fuente: fondos propios (Legado NMV)

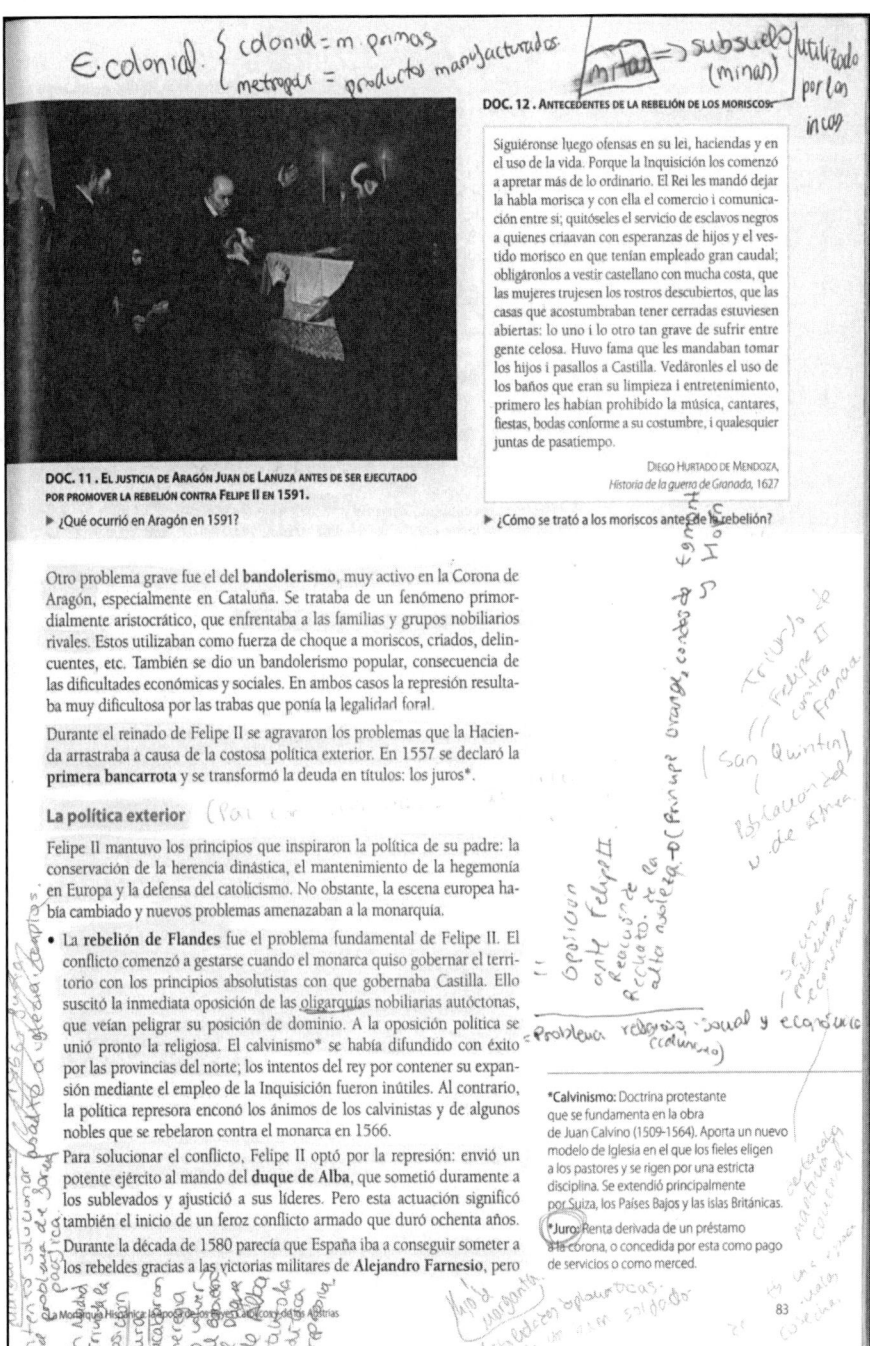

Figura 23. Huellas en el manual de Historia de España: inclusión de contenidos, realización de esquemas, aclaración de términos y destacado de ideas importantes. Uso de lápiz, bolígrafo y fluorescente amarillo (gris).
Declarante 3029
Fuente: fondos propios (Legado NMV)

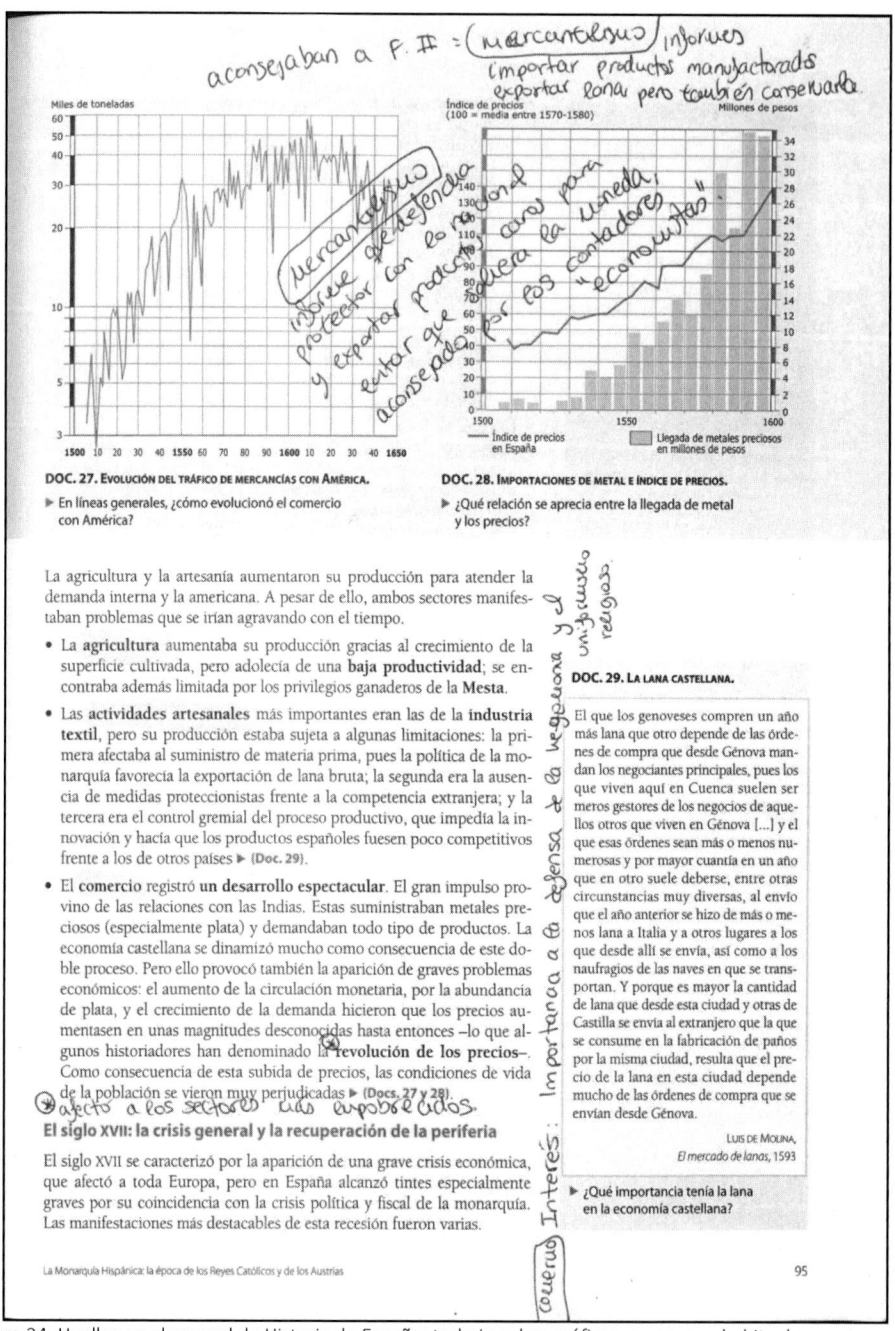

DOC. 27. Evolución del tráfico de mercancías con América.

▸ En líneas generales, ¿cómo evolucionó el comercio con América?

DOC. 28. Importaciones de metal e índice de precios.

▸ ¿Qué relación se aprecia entre la llegada de metal y los precios?

La agricultura y la artesanía aumentaron su producción para atender la demanda interna y la americana. A pesar de ello, ambos sectores manifestaban problemas que se irían agravando con el tiempo.

- La **agricultura** aumentaba su producción gracias al crecimiento de la superficie cultivada, pero adolecía de una **baja productividad**; se encontraba además limitada por los privilegios ganaderos de la **Mesta**.

- Las **actividades artesanales** más importantes eran las de la **industria textil**, pero su producción estaba sujeta a algunas limitaciones: la primera afectaba al suministro de materia prima, pues la política de la monarquía favorecía la exportación de lana bruta; la segunda era la ausencia de medidas proteccionistas frente a la competencia extranjera; y la tercera era el control gremial del proceso productivo, que impedía la innovación y hacía que los productos españoles fuesen poco competitivos frente a los de otros países ▸ **(Doc. 29)**.

- El **comercio** registró **un desarrollo espectacular**. El gran impulso provino de las relaciones con las Indias. Estas suministraban metales preciosos (especialmente plata) y demandaban todo tipo de productos. La economía castellana se dinamizó mucho como consecuencia de este doble proceso. Pero ello provocó también la aparición de graves problemas económicos: el aumento de la circulación monetaria, por la abundancia de plata, y el crecimiento de la demanda hicieron que los precios aumentasen en unas magnitudes desconocidas hasta entonces –lo que algunos historiadores han denominado la **revolución de los precios**–. Como consecuencia de esta subida de precios, las condiciones de vida de la población se vieron muy perjudicadas ▸ **(Docs. 27 y 28)**.

El siglo XVII: la crisis general y la recuperación de la periferia

El siglo XVII se caracterizó por la aparición de una grave crisis económica, que afectó a toda Europa, pero en España alcanzó tintes especialmente graves por su coincidencia con la crisis política y fiscal de la monarquía. Las manifestaciones más destacables de esta recesión fueron varias.

DOC. 29. La lana castellana.

El que los genoveses compren un año más lana que otro depende de las órdenes de compra que desde Génova mandan los negociantes principales, pues los que viven aquí en Cuenca suelen ser meros gestores de los negocios de aquellos otros que viven en Génova [...] y el que esas órdenes sean más o menos numerosas y por mayor cuantía en un año que en otro suele deberse, entre otras circunstancias muy diversas, al envío que el año anterior se hizo de más o menos lana a Italia y a otros lugares a los que desde allí se envía, así como a los naufragios de las naves en que se transportan. Y porque es mayor la cantidad de lana que desde esta ciudad y otras de Castilla se envía al extranjero que la que se consume en la fabricación de paños por la misma ciudad, resulta que el precio de la lana en esta ciudad depende mucho de las órdenes de compra que envían desde Génova.

Luis de Molina,
El mercado de lanas, 1593

▸ ¿Qué importancia tenía la lana en la economía castellana?

Figura 24. Huellas en el manual de Historia de España: trabajo sobre gráficas, no es muy habitual encontrar esas huellas. Declarante 3029
Fuente: fondos propios (Legado NMV)

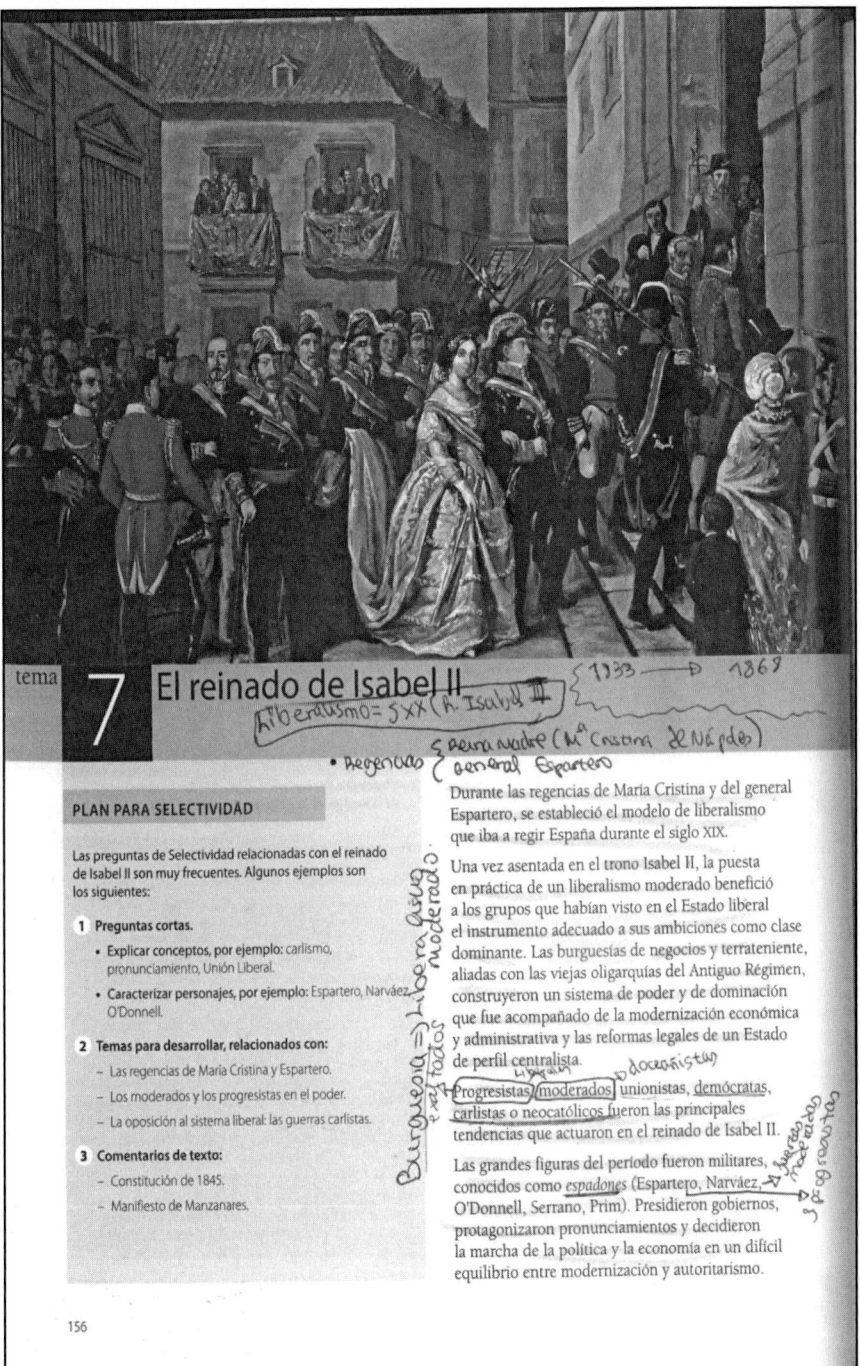

tema

7

El reinado de Isabel II

[anotaciones manuscritas: Liberalismo = S XX (R. Isabel II) {1833 — D 1869; Reina madre (Mª Cristina de Nápoles); General Espartero; • Regencias]

Durante las regencias de María Cristina y del general Espartero, se estableció el modelo de liberalismo que iba a regir España durante el siglo XIX.

PLAN PARA SELECTIVIDAD

Las preguntas de Selectividad relacionadas con el reinado de Isabel II son muy frecuentes. Algunos ejemplos son los siguientes:

1 Preguntas cortas.

- Explicar conceptos, por ejemplo: carlismo, pronunciamiento, Unión Liberal.
- Caracterizar personajes, por ejemplo: Espartero, Narváez, O'Donnell.

2 Temas para desarrollar, relacionados con:

- Las regencias de María Cristina y Espartero.
- Los moderados y los progresistas en el poder.
- La oposición al sistema liberal: las guerras carlistas.

3 Comentarios de texto:

- Constitución de 1845.
- Manifiesto de Manzanares.

Una vez asentada en el trono Isabel II, la puesta en práctica de un liberalismo moderado benefició a los grupos que habían visto en el Estado liberal el instrumento adecuado a sus ambiciones como clase dominante. Las burguesías de negocios y terrateniente, aliadas con las viejas oligarquías del Antiguo Régimen, construyeron un sistema de poder y de dominación que fue acompañado de la modernización económica y administrativa y las reformas legales de un Estado de perfil centralista.

Progresistas, moderados, unionistas, demócratas, carlistas o neocatólicos fueron las principales tendencias que actuaron en el reinado de Isabel II.

Las grandes figuras del período fueron militares, conocidos como *espadones* (Espartero, Narváez, O'Donnell, Serrano, Prim). Presidieron gobiernos, protagonizaron pronunciamientos y decidieron la marcha de la política y la economía en un difícil equilibrio entre modernización y autoritarismo.

[anotaciones manuscritas al margen: Burguesía = liberalismo moderado exaltados; doceañistas; liberales; 3 guerras; moderados; progresistas]

156

Figura 25. Huellas en el manual de Historia de España: imagen, texto destacado, aclaraciones y cronología vinculados con la selectividad. Declarante 3029
Fuente: fondos propios (Legado NMV)

Ejemplo de apuntes personales de estudio y referencia al tema correspondiente en el libro, las páginas del manual de Historia de España no tienen huellas de uso. Como es evidente tras su lectura, la influencia del manual es total.

Expansión territorial

La expansión territorial de los R.C. se basó en la conquista de los territorios controlados por los
musulmanes (Reconquista), se inició en X con la expansión por tierras riojanas y del valle del Duero,
pero sería en XI cuando la expansión a costa de los musulmanes cobró importancia

Formación y expansión de la Corona de Castilla

El origen del Reino de Castilla, se encuentra en el reinado de Fernando I, que heredó el
Condado de Castilla (de Sancho III) y conquistó el Reino de León, uniéndose los dos territorios
bajo su corona en 1037. Dominó toda la Cuenca del Duero. Aumentó su poder militar
gracias a parias. El Reino de Castilla y León se convirtió en la potencia hegemónica de la Península.
Tras su muerte, el reino se dividió entre sus hijos. Alfonso VI tomó Toledo en en 1085; exten-
diendo su control hasta el Valle del Tajo. Fue derrotado por los almorávides
Alfonso VII, el emperador estableció la frontera en la línea del Tajo en la primera mitad
del siglo XII. A su muerte, Castilla pasó a Sancho III, y León a Fernando II. (sus hijos)
Aparecieron órdenes militares, (encargadas de la protección de enclaves estratégicos en las
fronteras). Alfonso VIII de Castilla, (hijo Sancho III), avanzó hacia el río Guadiana y Júcar;
y en la "Derrota de Alarcos" (1195) contra los almohades frenó su expansión.
Gracias a la derrota de los musulmanes en la "Batalla de las Navas de Tolosa" (1212)
los cristianos ocuparon todo el sur peninsular.
Al crearse la definitiva unidad del Reino Castellano-leonés, (1230), este se expandió por
Extremadura y el valle bajo del Guadalquivir (ocuparon Córdoba, Sevilla..). El reino musulmán
de Murcia fue entregado en 1243. El único territorio musulmán de esta época fue el Reino de
Granada. Los Reyes católicos entre 1482-1492 emprendieron la conquista de este reino.

Formación y expansión de la Corona de Aragón.

Ramiro I (hijo de Sancho III) convirtió el Reino de Aragón en un Reino independiente de
Navarra. Su hijo Sancho Ramírez, volvió a unir los reinos de Aragón y Navarra. Este reino estaba
interesado en expandirse hacia la taifa de Zaragoza. En XII, Pedro I, tomó Huesca y Barbastro.
Su sucesor, Alfonso I (el Batallador) ocupó Zaragoza (1118) y fronteras en el Bajo Aragón. En 1137,
el compromiso de el conde de Barcelona y la heredera de Aragón (1 año de edad) supondrá la
unidad entre el reino de Aragón y los condados Catalanes; nacía la Corona de Aragón
Se expandió hacia costas mediterráneas. En el siglo siguiente, Jaime I, (El conquistador)
ocupó las Islas Baleares (excepto Menorca) y conquistó el Reino de Valencia. Finalmente,
el "Tratado de Almizra" estableció la frontera en la línea Biar-Villajoyosa (actual provincia de Alicante).
Este hecho marcó el fin de la expansión territorial aragonesa por las tierras peninsulares y su
posterior orientación al Mediterráneo. El 1er paso se dio con la toma de Baleares. Más tarde,
Jaime II conquistó Cerdeña (XIV) y Alfonso el Magnánimo conquistó el Reino de Nápoles. (XV)
En el Mediterráneo oriental se incorporaron los ducados de Atenas y Neopatria (XIV)

Conclusión

Los Reinos peninsulares de la Edad Media fueron configurándose política, económica, social y cultural-
mente a lo largo de un prolongado proceso (8 siglos), en el que los estados cristianos
fueron expandiéndose en función de la fortaleza de los musulmanes. /Esa fue la tónica general desde
VIII-XI, momento en el que la Reconquista experimentó un gran desarrollo, ralentizado
por los almorávides o almohades o problemas internos de los Reinos cristianos.
A partir de XII, se fue produciendo un proceso de concentración territorial por parte de los dos
grandes reinos: Corona de Castilla, y Corona de Aragón.
Finalmente, XV, se produjo la Unión Dinástica entre Castilla y Aragón, poniendo fin al
proceso de conquista con la toma de Granada en 1492.

Figura 26. Ejemplo de apuntes realizados por la alumna de Historia de España: "Los Reinos cristianos" (1).
Declarante 3029
Fuente: fondos propios (Legado NMV)

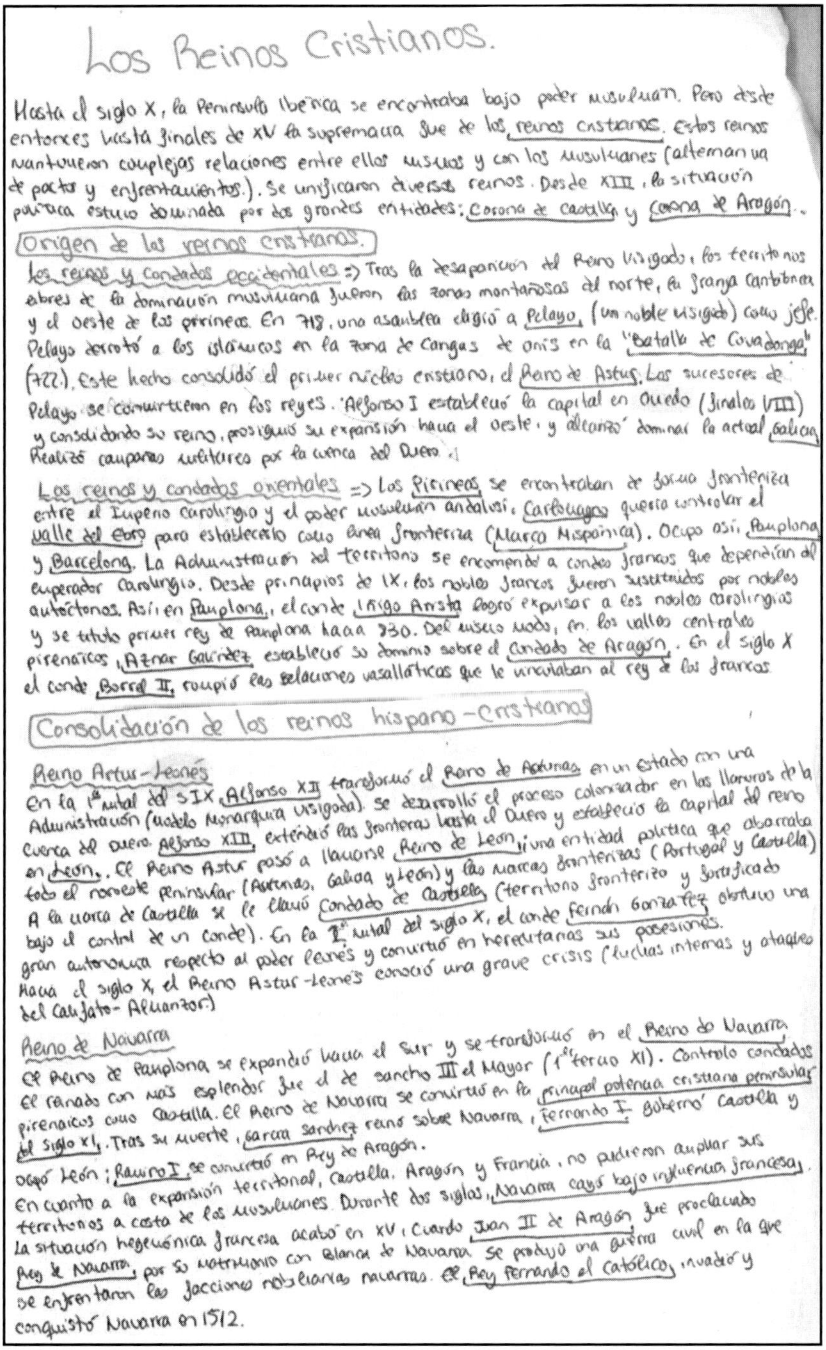

Los Reinos Cristianos.

Hasta el siglo X, la Península Ibérica se encontraba bajo poder musulmán. Pero desde entonces hasta finales de XV la supremacía fue de los reinos cristianos. Estos reinos mantuvieron complejas relaciones entre ellos mismos y con los musulmanes (alternan un de pactos y enfrentamientos). Se unificaron diversos reinos. Desde XIII, la situación política estuvo dominada por dos grandes entidades: Corona de Castilla y Corona de Aragón.

Origen de los reinos cristianos.

Los reinos y condados occidentales => Tras la desaparición del Reino Visigodo, los territorios libres de la dominación musulmana fueron las zonas montañosas al norte, la franja Cantábrica y el oeste de los Pirineos. En 718, una asamblea eligió a Pelayo, (un noble visigodo) como jefe. Pelayo derrotó a los islámicos en la zona de Cangas de onís en la "batalla de Covadonga" (722). Este hecho consolidó el primer núcleo cristiano, el Reino de Astur. Los sucesores de Pelayo se convirtieron en los reyes. Alfonso I estableció la capital en Oviedo (finales VIII) y consolidando su reino, prosiguió su expansión hacia el oeste, y alcanzó dominar la actual Galicia. Realizó campañas militares por la cuenca del Duero.

Los reinos y condados orientales => Los Pirineos se encontraban de forma fronteriza entre el Imperio Carolingio y el poder musulmán andalusí. Carlomagno quería controlar el valle del Ebro para establecerlo como línea fronteriza (Marca Hispánica). Ocupó así, Pamplona y Barcelona. La Administración del territorio se encomendó a condes francos que dependían del emperador Carolingio. Desde principios de IX, los nobles francos fueron sustituidos por nobles autóctonos. Así en Pamplona, el conde Íñigo Arista logró expulsar a los nobles carolingios y se tituló primer rey de Pamplona hacia 830. Del mismo modo, en los valles centrales pirenaicos, Aznar Galíndez estableció su dominio sobre el Condado de Aragón. En el siglo X el conde Borrel II, rompió las relaciones vasalláticas que le unían al rey de los francos.

Consolidación de los reinos hispano-cristianos

Reino Astur-Leonés
En la 1ª mitad del s.IX, Alfonso XII transformó el Reino de Asturias en un estado con una Administración (modelo Monarquía Visigoda). Se desarrolló el proceso colonizador en las llanuras de la Cuenca del Duero. Alfonso XIII, extendió las fronteras hasta el Duero y estableció la capital del reino en León. El Reino Astur pasó a llamarse Reino de León, una entidad política que abarcaba todo el noroeste peninsular (Asturias, Galicia y León) y las marcas fronterizas (Portugal y Castilla) A la marca de Castilla se le llamó Condado de Castilla (territorio fronterizo y fortificado bajo el control de un conde). En la 1ª mitad del siglo X, el conde Fernán González obtuvo una gran autonomía respecto al poder leonés y convirtió en hereditarias sus posesiones. Hacia el siglo X, el Reino Astur-Leonés conoció una grave crisis (luchas internas y ataques del Califato-Almanzor)

Reino de Navarra
El Reino de Pamplona se expandió hacia el sur y se transformó en el Reino de Navarra. El reinado con más esplendor fue el de Sancho III el Mayor (1ª tercio XI). Controló condados pirenaicos como Castilla. El Reino de Navarra se convirtió en la principal potencia cristiana peninsular del siglo XI. Tras su muerte, García Sánchez reinó sobre Navarra, Fernando I gobernó Castilla y ocupó León; Ramiro I se convirtió en Rey de Aragón.
En cuanto a la expansión territorial, Castilla, Aragón y Francia, no pudieron ampliar sus territorios a costa de los musulmanes. Durante dos siglos, Navarra cayó bajo influencia francesa. La situación hegemónica francesa acabó en XV, cuando Juan II de Aragón fue proclamado Rey de Navarra, por su matrimonio con Blanca de Navarra. Se produjo una guerra civil en la que se enfrentaron las facciones nobiliarias navarras. El Rey Fernando el Católico, invadió y conquistó Navarra en 1512.

Figura 27. Ejemplo de apuntes realizados por la alumna de Historia de España: "Los Reinos cristianos" (2).
Declarante 3029
Fuente: fondos propios (Legado NMV)

❷ Las dos grandes coronas cristianas

Los reinos cristianos fueron conformándose territorialmente tanto a través de alianzas matrimoniales como de enfrentamientos bélicos. Pero su principal fuerza expansiva se centró en la conquista de los territorios controlados por los musulmanes.

El proceso de reconquista llevado a cabo por los reinos cristianos peninsulares se inicia en el siglo X con la expansión por zonas riojanas y con el control del valle del Duero tras la victoria cristiana en la **batalla de Simancas** (939). Pero es en el siglo XI cuando la expansión territorial a costa de los musulmanes comienza a adquirir importancia ▶ **(Doc. 5)**. A partir del siglo XII, los avances conquistadores de los reinos cristianos –fundamentalmente, Castilla y Aragón– se aceleraron, siendo necesaria la delimitación de las áreas de influencia de cada reino ▶ **(Doc. 8)**.

2.1. Formación y expansión de la Corona de Castilla

El primer monarca castellano-leonés que pudo dedicar amplios recursos a la conquista territorial fue **Fernando I**. Logró dominar toda la **cuenca del Duero** hacia 1057 y tomar Coimbra en 1064. Pero, además, sus incursiones militares por tierras de las taifas de Zaragoza, Toledo, Sevilla, Badajoz e incluso Valencia le procuraron numerosos ingresos económicos en forma de parias* que acrecentaron enormemente su poder militar. En esta situación, el reino de Castilla y León pasó a convertirse en la **potencia hegemónica peninsular**.

Después de su muerte, el reino se dividió entre sus hijos, como era frecuente en la época pues predominaba un concepto patrimonialista del Estado según el cual el monarca podía disponer de los territorios que formaban el reino. Más tarde se impondrá la primogenitura masculina. Será finalmente su hijo **Alfonso VI** (1072-1109), como ya hemos apuntado, quien logre unificar de nuevo todos los territorios del reino y prosiga la política de su padre.

Alfonso VI restauró la influencia castellano-leonesa sobre las taifas de Toledo, Zaragoza y Granada, que le pagaban cuantiosas parias. Pero, además, **tomó Toledo en 1085**, y con ello extendió su control territorial hasta el río Tajo. La toma de esa ciudad asentó la hegemonía castellana tanto entre los reinos cristianos como entre los musulmanes. Muy poco después mostró interés por la expansión hacia el este peninsular, con campañas militares contra Zaragoza, Valencia e incluso tierras murcianas. Ese mismo año, el rey fue derrotado por las tropas almorávides y la posición de Castilla y León pasó a la defensiva hasta bien entrado el siglo XII.

La presencia almorávide en la Península frenó los impulsos conquistadores castellano-leoneses. No obstante, **Alfonso VII el Emperador** (1126-1157) **estableció la frontera en la línea del Tajo**. A su muerte, el reino volvió a dividirse: su nieto Alfonso VIII heredó Castilla (1158-1214) y su hijo Fernando II heredó León.

Sus sucesores, a pesar de la llegada de los almohades a la Península (1147) como refuerzo de las fuerzas musulmanas, conquistaron diversos enclaves estratégicos como Calatrava (1147) o Alcántara (1167), para cuya protección **se crearon órdenes militares*** ▶ **(Doc. 7)**. Ello permitió a Alfonso VIII de Castilla avanzar hacia el río Guadiana y el alto Júcar –toma de Cuenca (1177)–. Solamente la **derrota de Alarcos** (1195) frenaría momentáneamente el avance castellano.

DOC. 7. APOYO REAL A LAS ÓRDENES.

En el nombre de nuestro señor Jesucristo. Es condición de reyes católicos amar y venerar tanto los lugares sagrados como a las personas religiosas, enriqueciéndolos y engrandeciéndolos con magníficos donativos y generosos beneficios para conseguir, mediante donaciones temporales, el premio de una eterna compensación.

Por esta razón yo Rey Don Fernando, junto con mi hijo el Rey Don Alfonso, sabiendo que la Orden Militar de Santiago, creada específicamente para contener la arrogancia de los enemigos de la Cruz de Cristo y para extender la gloria del nombre de Cristo por Hispania, tuvo sus orígenes dentro de mi reino, y viendo que Vos, Pedro Fernández, maestre de esta orden militar, y vuestros hermanos todavía no tenéis un lugar que sirva de sede capitular y casa central [...] os hacemos carta de donación de las tierras de Valduerna y Villafáfila para que casa que ha de ser la sede capitular de vuestra orden dentro de mi reino y que poseeréis a perpetuidad tanto vos, maestre Pedro Fernández, y vuestros hermanos como vuestros sucesores.

Citado en: J. L. MARTÍN, *Orígenes de la Orden de Santiago (1170-1193)*, 1973

▶ ¿Qué era la Orden de Santiago?
▶ ¿Cuál es la idea central del documento?

***Órdenes militares:** Corporaciones religiosas formadas por monjes-soldados. Sus miembros mantenían los votos propios de las órdenes monásticas, con el compromiso de combatir a los infieles.

Orden de Santiago

Orden de Calatrava

Orden de Alcántara   Orden de Montesa

***Parias:** Tributo que pagaban los reinos de taifas a los diversos reyes cristianos con el objetivo de comprar su seguridad y obtener apoyo militar.

Los reinos cristianos medievales

55

Figura 28. Referencia de los apuntes del alumno en el libro Historia de España. Declarante 3029
Fuente: fondos propios (Legado NMV)

DOC. 1. LA BATALLA DE COVADONGA.

Pelagio dijo: «Cristo es nuestra esperanza; que por ese pequeño montículo que ves sea España salvada y reparado el ejército de los godos. [...] Así pues, confiando en la misericordia de Jesucristo, desprecio esa multitud y no temo al combate con que nos amenazas. Tenemos por abogado cerca del Padre a nuestro Señor Jesucristo, que puede libramos de estos paganos». [...]

Por su parte, ahora ya el predicho Alcaman mandó comenzar el combate, y los soldados tomaron las armas. [...] Y como Dios no necesita lanzas, sino que da la palma de la victoria a quien quiere, los cristianos salieron de la cueva para luchar con los caldeos; emprendieron estos la fuga, se dividieron en dos sus destacamentos, y allí mismo fue al punto muerto Alcaman [...] En el mismo lugar murieron ciento veinticinco mil caldeos.

Crónica de Alfonso III (versión rotense)

▶ ¿Crees que esta crónica medieval es realista? ¿Por qué?

❶ La creación de los reinos cristianos

La conquista musulmana de la península Ibérica arrinconó la presencia cristiana en torno a las cordilleras cantábrica y pirenaica. En ese marco geográfico se formaron los primeros núcleos cristianos que con el tiempo conformaron unas estructuras políticas propias –condados, reinos– ▶ (Doc. 2).

1.1. Los reinos y condados occidentales

Las estribaciones de la **Cordillera Cantábrica** fueron unos territorios escasamente romanizados y poco poblados durante los primeros siglos de nuestra era. No obstante, su población aumentó con la **llegada de refugiados visigodos** que huían del avance musulmán (principalmente nobles y eclesiásticos acompañados de sus séquitos) ▶ (Doc. 2).

La mayor parte de los habitantes del área cantábrica se dedicaban al pastoreo y a la explotación del bosque. Las dificultades orográficas y la pobreza económica explican el desinterés que romanos y visigodos habían manifestado por asegurarse el control total de esta zona.

La organización política de estos territorios se basaba en la adhesión personal a caudillos locales que controlaban pequeños territorios estructurados en torno a los valles. Hacia el año 718, **Pelayo**, un noble de origen visigodo con propiedades en Asturias, se convirtió en caudillo de un grupo de refugiados en las montañas asturianas. Pelayo ganó en **Covadonga** (722) una escaramuza contra los musulmanes; este hecho le otorgó el prestigio necesario para crear el **reino de Asturias** y considerarse heredero de la legitimidad visigoda ▶ (Doc. 1).

Los musulmanes no mostraron gran interés por la orilla norte del Duero y allí se produjo un vacío demográfico. Esto, unido a la fortificación

DOC. 2. LOS NÚCLEOS DE RESISTENCIA CRISTIANA EN 750.
▶ ¿En qué zonas de la Península resistieron los cristianos?

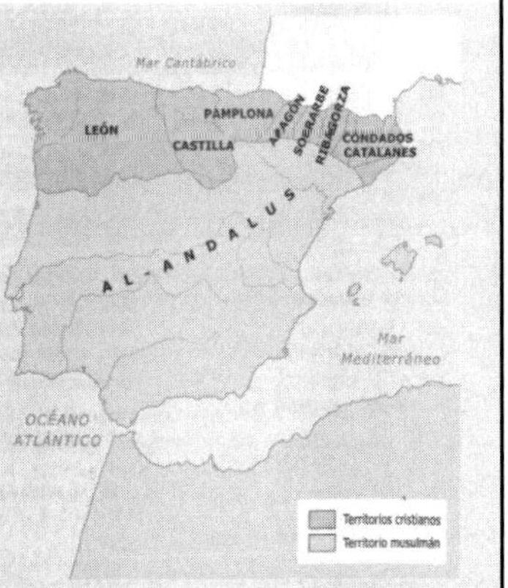

DOC. 3. LOS TERRITORIOS CRISTIANOS EN EL SIGLO X.
▶ ¿Qué zonas conquistaron hasta el siglo X?

52

tema 3

Figura 29. Referencia de los apuntes del alumno en el libro Historia de España. Declarante 3029
Fuente: fondos propios (Legado NMV)

Podríamos razonablemente concluir que, a pesar de las constantes declaraciones de la alumna sobre la importancia de los apuntes del profesor, el manual de Historia de España recoge evidencias de un uso mayor del que se podría deducir de sus declaraciones. Igualmente se puede señalar la estrecha relación entre lo narrado y las huellas encontradas, destacando la importancia que el docente dio, y la alumna registró, en los ejes, esquemas, gráficos e imágenes de su manual (al que seguramente iluminaba la luz que entraba por la ventana de su aula, cuando ella razonaba sobre por qué se sentaba allí, al inicio de este escenario).

III.2. SEGUNDO ESCENARIO:
El uso del manual como apoyo
a los apuntes del alumno[30]

El segundo escenario de aprendizaje se estructura en torno a los apuntes elaborados por el alumnado. Las declaraciones realizadas por la participante permiten nuevamente determinar este modelo de uso del libro. Las clases son determinadas por la construcción de los apuntes personales que realiza cada discente a partir de las explicaciones del profesor y el manual que es recomendado:

> *3037. En mi colegio el libro que se usaba era el de "Edelvives", ya que una parte del dinero recaudado por la compra de estos libros era destinado a los países pobres del tercer mundo, con lo que siempre era la misma marca. (...) El profesor tenía la dinámica de explicar la asignatura mediante la toma de apuntes por parte del alumnado, por lo que mientras que el profesor explicaba me dedicaba a tomar apuntes para así enterarme mejor del contenido.*

A. EL CONTEXTO:
el centro, el aula y los compañeros

Se trata de un centro privado religioso con los valores propios de esa institución. Dichos valores son enunciados por la alumna de una forma descriptiva que, en principio, no denotan actitudes contrarias a ellos. Este centro también cuenta con instalaciones bastantes adecuadas, con una organización que es definida como buena y con apoyos para poder atender las necesidades del alumnado. Por otra parte, se señalan esos 15 años de convivencia que, sin duda, dejan una impronta en la vida de los discentes. Concretamente lo narra:

> *3037. Mi colegio, (...), se encuentra (...) dividido en dos sedes (...) donde se cursa infantil, primaria y 1º y 2º de la ESO, y la otra sede (...) con el resto de cursos finalizando en 2º de Bachillerato. Cuenta con una educación religiosa (...) y está basada en la constancia, respeto y familiaridad entre otros, ya que es un colegio en el que se empieza con 3 años y se acaba con 18. La organización del profesorado es bastante buena, siempre cuentas con un tutor que tendrá en cuenta las capacidades de cada alumno, también hay a disposición del alumno un orientador que te guiará en todo tipo de cuestiones academias y que será de gran apoyo para aquellos alumnos con discapacidades, déficit, etc. En cuanto a instalaciones, el colegio está dotado de proyectores en todas las aulas de Bachillerato, polideportivo, aulas de informática, cantina, piscina, sala de plástica y laboratorio entre otras.*

Figura 30. Mi Colegio. Declarante 3037. **Fuente:** fondos propios (Legado NMV)

---

[30] Declarante 3037.

Otra información, dentro de este contexto, es el aula y la ubicación de la alumna. El espacio lo define como amplio, bien dotado de recursos y luminoso. La disposición es clásica y, como puede evidenciarse en las figuras 31 y 32, corresponde con las construcciones escolares que tienen más de 50 años. La posición de la alumna en la primera fila y las razones: prestar más atención y ver mejor la pizarra. Así lo declara:

3027. Era un aula bastante grande, con una pizarra eléctrica y otra empotrada a la pared, junto a ésta estaba la mesa del profesor sobre una tarima y dos de las cuatro paredes contaban con ventanas que mejoraban la calidad de la luz. (...) yo me sentaba en la primera mesa de la tercera fila (...) para ver mejor la pizarra, y prestar más atención.

Figuras 31 y 32. Mi aula. Declarante 3037
Fuente: fondos propios (Legado NMV)

En cuanto al ambiente, tal y como es declarado, es muy bueno, con compañerismo que va más allá de lo académico y, por otra parte, las relaciones con el profesorado son adecuadas:

3037. Excepcional, por el buen ambiente entre alumnos y profesores, por el buen nivel académico y compañerismo entre todo el ciclo. Más que compañeros, somos amigos, ya que en la mayoría de los casos nos conocemos desde primaria como poco, y seguimos en contacto. Entre los profesores también se ve una muy buen relación y entre profesores y alumnos una relación casi de familia.

B. ENSEÑANZA-APRENDIZAJE: el currículo, el profesor, los recursos y los procesos de enseñanza de Historia de España

Así pues, el centro (con un programa religioso y una construcción con historia), el aula (bien dotada y con esa imagen clásica), la atención de la alumna (en primera fila) y el clima calificado como excepcional y una vivencia de 15 años en esa institución educativa, son el marco en el que se desarrollan los procesos de enseñanza-aprendizaje.

El programa del contenido de Historia de España es presentado por la alumna en la figura 33. Fue entregado por el profesor a principio de curso y coincide con el currículo de la Comunidad Autónoma de la Región de Murcia, tal y como lo pone de manifiesto la alumna en sus declaraciones y en la documentación que proporciona, del que presentamos una muestra:

30 37. El currículo de mi profesor coincide con el autonómico en los mismos contenidos didácticos. El contenido utilizado en esta asignatura por el profesor se dividía en dos partes, por una parte están los contenidos prácticos, los cuales consistían en el análisis de comentarios de texto y por otra parte los contenido del tipo teórico que abarcaban la Historia de España desde la llegada de los romanos a la península hasta la España actual estudiando los componentes económicos, sociales, políticos y culturales.

2. CONTENIDOS Y SU DISTRIBUCIÓN TEMPORAL POR EVALUACIONES

2.1 CONTENIDOS DE LA MATERIA

Según el Real Decreto 1467/2007, de 2 de noviembre, por el que se establece la estructura del Bachillerato y se fijan las enseñanzas mínimas. Adaptado por el decreto de curriculo de Bachillerato de la Comunidad Autónoma de Murcia de 5 de septiembre de de 2008, publicado en el Boletín Oficial de la Región de Murcia el 10 de septiembre de 2008.

1. Contenidos comunes:

– Localización en el tiempo y en el espacio de procesos, estructuras y acontecimientos relevantes de la historia de España, identificando sus componentes económicos, sociales, políticos y culturales.

– Identificación y comprensión de los elementos de causalidad que se dan en los procesos de evolución y cambios relevantes para la historia de España y para la configuración de la realidad española actual.

– Búsqueda, selección, análisis e interpretación de información procedente de fuentes primarias y secundarias: textos, mapas, gráficos y estadísticas, prensa, medios audiovisuales así como la proporcionada por las tecnologías de la información y la comunicación.

– Análisis de interpretaciones historiográficas distintas sobre un mismo hecho o proceso histórico, contrastando y valorando los diferentes puntos de vista.

_ Análisis de los distintos tipos de fuentes para el conocimiento de la Historia de España en cada período, entre otros de los de los archivos históricos y otros centros culturales donde se conservan.

2. Raíces históricas de la España contemporánea: 3

Pervivencia del legado romano en la cultura hispánica:
- Los pueblos prerromanos. Factores del proceso de romanización. Las invasiones germánicas y la Hispania visigoda.

Origen, evolución y diversidad cultural de las entidades políticas peninsulares en la Edad Media:
- Al-Andalus: evolución política. Economía y sociedad.
- Los reinos cristianos: origen y evolución territorial. Las formas de ocupación del territorio y su influencia en la estructura de la propiedad. Instituciones políticas. Su orientación económica. La crisis de la Baja Edad Media y sus consecuencias.

Formación y evolución de la monarquía hispánica:

Proyecto Curricular y Programación de Aula de Historia de España de 2º de Bachillerato   2

La dictadura franquista:
- La creación del Estado franquista: fundamentos ideológicos y apoyos sociales. Autarquía y aislamiento internacional.
- La consolidación del régimen. Crecimiento económico y transformaciones sociales.
- Elementos de cambio en la etapa final del franquismo. La oposición democrática.

La España actual:
- La transición a la democracia. La constitución de 1978. Principios constitucionales y desarrollo institucional. Los obstáculos: golpismo y terrorismo. El Estado de las Autonomías y su evolución.
- Los gobiernos democráticos. Diferentes manifestaciones del terrorismo en la actualidad. Avances políticos, sociales y económicos. Cultura y mentalidades.
- La integración de España en Europa. España en la Unión Europea. El papel de España en el contexto internacional.

Figura 33. Programa de Historia de España entregado por el profesor. Declarante 3037
Fuente: fondos propia **(Legado NMV).**

Los recursos utilizados en la asignatura están prácticamente circunscritos a los apuntes, el libro, mapas y esquemas:

3037. Normalmente la dinámica del profesor consistía en la toma de apuntes por parte del alumnado, haciendo referencia a fotos, cuadros, estadísticas, documentos... del libro, para ejemplificar mejor lo que nos estaba explicando. Al mismo tiempo en aquellos temas de contenido muy extenso, el profesor solía darnos esquema para explicarlo primero de forma global, e ir profundizando poco a poco en los datos más importantes.

El docente es también objeto de descripción y de valoraciones por parte de la alumna. La ubicación del aula, independiente, permite verlo venir con su característica forma de andar y su profesionalidad y cercanía:

3027. Segundo de bachiller está en el conocido "Pabellón de segundo de bachiller" ya que éste ciclo esta en otro edificio separado del resto, por así decirlo, con lo que normalmente veíamos por la ventana al profesor viniendo del otro edificio, con su maletín de cuero marrón en la mano y su peculiar forma de andar, despacio pero sin pausa.

Este profesor transmitía tranquilidad y equilibrio, pasión por su trabajo, vocación ante todo, siempre amable y cercano lo que permitía el recurrir a él ante algún problema de la asignatura. Empatizaba con los alumnos, adaptando la asignatura dependiendo de las circunstancias, era un hombre comprometido con su trabajo, con sus alumnos, creo que solo faltó media hora en todo el curso y si no nos quedaba claro el temario, nos citaba por las tardes para reforzar la asignatura, un gran profesor y gran persona a su vez. Iba siempre con sus pantalones de pana, camisa de cuadros jersey verde o granate, bufanda y cazadora negra de cuero en invierno, o con sus pantalones grises y camisa de cuadros en verano. (...)

Tenía un toque personal por su manera tan peculiar de mover las manos, o por su típica comidilla, su "E' decir" cada dos por tres, así que cuando tomabas apuntes incluso copiabas los "e' decir" del profesor sin darte cuenta.

Los procesos de enseñanza-aprendizaje pueden ubicarse dentro de lo que ya se explicó de la clase expositiva. Sin embargo, bajo este término pueden encontrarse múltiples matices que invitan a reflexionar acerca de los planteamientos generalistas de estas prácticas de enseñanza:

3027. Entraba a la clase con un amable "Buenos días", se sentaba en su silla, sacaba el libro y apuntes del maletín, se esperaba a que hubiese silencio. Comenzaba la clase haciendo un breve resumen de lo dado el día anterior y de ahí pasaba a explicar los nuevos contenidos con una hoja en la mano escrita a color rojo (siempre me llamó la atención esta hoja, resumía toda una clase en un folio mientras que nosotros usábamos miles de ellos, y el hecho de que fuera color rojo me llamaba aún más la atención), escribía en la pizarra nombre y fechas importantes para no dar lugar a confusión y para llamar nuestra atención, solía hacer rimas con nombres como "Padilla, Bravo y Maldonado", "Suevos, Vándalos y Alanos" o citar:

"Los romanos se han ido y nadie sabe cómo ha sido",

seguido de:

"¡Deberías saber cómo se han ido¡",

interactuando con los alumnos mediante estas exclamaciones o preguntas las cuales tenías que responder rápidamente.

Mi profesor <u>comenzaba</u> la clase acomodándose, abría su maletín, sacaba los apuntes, el libro y con una mirada ya imponía el silencio que te pedía con ella, hacía un breve resumen de lo dado el día anterior, tan breve que en una frase te decía todo un tema, y sin pausa alguna empezaba a dar materia (...) El modo en el que aborda el contenido era mediante la toma de apuntes del alumnado, él hablaba con el papel citado anteriormente en la mano y con la mirada fijada en la esquina izquierda de la clase (lo cual llamaba mucho la atención) y nosotros copiábamos.

Las <u>preguntas</u> se hacían al final de la clase, las contestaba, si no la comprendíamos se apoyaba con el libro, con fotos u otros documentos hasta llegar a entenderla, cerciorándose de que habíamos entendido los contenidos si no todos, aquellos que realmente habían prestado atención como para haberse enterado del tema.

<u>Daba la clase</u> sentado en su silla la mayor parte de la hora, levantándose de vez en cuando para escribir en la pizarra algún dato o fecha importante. No interrumpía la clase para llamar la atención, pues con un simple "Carmela nos callamos" o "¡Carmela!" era suficiente para no volver a hablar no el resto de la hora sino por lo menos el resto del trimestre ya que no solía llamar la atención a nadie, porque nadie hablaba en sus clases. (...)

Por <u>actividades</u>, en mi caso entiendo comentarios de texto ya que no hicimos más actividades que éstos, cuando comenzamos el trimestre repartió una serie de comentarios de texto (por lo menos 15) los cuales íbamos haciendo en clase a medida que íbamos dando los temas correspondientes a los comentarios. También ponía a nuestra disposición más textos si le decías que necesitabas practicar más, en este caso los hacías en casa y él te los corregía.

Ésta era la forma en la que <u>gestionaba el tiempo</u>, no perdiendo ni un minuto en llamadas de atención, bromas o simples distracciones aprovechando al máximo cada minuto.

En los últimos temas sí que hacía <u>referencia a la actualidad</u> al igual que cuando hablábamos de guerras o rivalidades hacía referencia a hechos similares que nosotros pudiésemos haber vivido o que fuesen lo más cercanos posibles a nosotros, así como la guerra de Siria o el enfrentamiento en Cuba. Por el contrario no hacía uso del periódico ni revistas, si nombraba, de vez en cuando la serie de TVE "Isabel" recomendándonosla para entender mejor la época y la historia de Los reyes católicos.

Si sonaba el timbre en la hora antes del recreo solía acabar unos minutos tarde, pero si era después de su hora continuaba otra asignatura acababa a su hora de forma rigurosa respetando el horario del resto de profesores, despidiéndose rápidamente pero recogiendo sus cosas de forma ordenada y meticulosamente.

C. EL LIBRO DE TEXTO:
Utilización dentro y fuera del aula

Con el manual en su mesa, en un colegio religiosos con una amplia historia en el que había vivido durante 15 años con un ambiente bueno de trabajo, sentada en la primera fila veía venir al profesor que, tras saludar, iniciaba la explicación del contenido correspondiente a ese día "con una hoja en la mano escrita a color rojo" imponiendo respeto, preguntando por el dominio de los contenidos mientras ella tomaba apuntes para elaborar los suyos propios. Así pues, con el manual y los apuntes delante de ella (reviviendo el contexto brevemente resumido), valoró los recursos utilizados del libro de texto de Historia de España, destacando, tal y como lo señala en las tablas 9 y 10, las imágenes (cuando estaba en el aula) y un poco el texto del autor, tanto en el aula como en casa. Las declaraciones y las evidencias que quedaron en el libro de texto así lo atestiguan. Incluso, podemos constatar, que cuando se le pidió que ella resumiera uno de los temas tal y como era requerido por el profesor, no tuvo inconveniente en arrancar las hojas correspondientes y añadirlas a "sus apuntes personales".

Tabla 9. Valoración de la alumna del uso del libro que hace el profesor. Declarante 3037

Uso por parte del profesor	nada	poco	algo	bastante	mucho
El texto del autor del libro (contenido)		X			
Los documentos que tiene (Leyes, constituciones, opiniones, …)		X			
Mapas	X				
Ejes cronológicos	X				
Gráficos y estadísticas	X				
Imágenes (fotos, cuadros, dibujos, etc.)				X	
Actividades	X				
Páginas de Internet o WEB para visitar	X				
C.D.	X				
Comentarios de Texto	X				
Otros (poner y valorar)	X				

Fuente: fondos propios (Legado NMV)

Actividad en clase:

3037. El profesor tenía la dinámica de explicar la asignatura mediante la toma de apuntes por parte del alumnado, por lo que mientras que el profesor explicaba me dedicaba a tomar apuntes para así enterarme mejor del contenido.

Tabla 10. Valoración uso del libro por parte del alumno. Declarante 3037

Uso por parte tuya para estudiar	nada	poco	algo	bastante	mucho
El texto del autor del libro (contenido)		X			
Los documentos que tiene (Leyes, constituciones, opiniones, …)	X				
Mapas	X				
Ejes cronológicos	X				
Gráficos y estadísticas	X				
Imágenes (fotos, cuadros, dibujos, etc.)	X				
Actividades	X				
Páginas de Internet o WEB para visitar	X				
C.D.	X				
Comentarios de Texto	X				
Otros (poner y valorar)	X				

Fuente: fondos propios (Legado NMV)

Actividad en el estudio:

3037. En mi libro no hay casi nada subrayado excepción de un tema, "Felipe V" que me permitió que me lo estudiase de ahí para que fuera menos complejo, al igual que el tema de "El sexenio absolutista" que lo usé para centrar los datos importantes de forma más simplificada y clara pero no para su estudio. Como he ido comentando a lo largo de este trabajo en mi caso el uso del libro era bastante escaso de ahí que la puntuación sea o "nada" o "poco".

Para comenzar, podrás observar como mis apuntes están poco subrayados, yo tomaba apuntes y después los pasaba a limpio ya que en clase no los podía tomar en limpio y también había que resumirlos en dos hojas como mínimo por lo tanto al pasarlos a limpio los contenidos importantes ya estaban seleccionados. En cuanto a los colores (subrayadores) que utilizo, siguen un orden.

El tema se dividía en Concepto, Desarrollo y Conclusión, estos tres títulos era encuadrados en color verde, el amarillo indica el título principal, el rosa un subtítulo, el naranja una de las partes en las que se divide el subtítulo, y si se dividía en más partes usaba el subrayador azul, y después el lila y finalmente las palabras repasadas con subrayador amarillo son aquellas que se me olvidaban, fechas importantes, o nombres que había que destacar.

D. LAS EVIDENCIAS:
las huellas del alumno en el manual de Historia de España

El libro, como objeto huella lleno de las vivencias que se recogen material e inmaterialmente, constituye, como se viene diciendo, el eje de interpretación de parte de lo que ocurre en las aulas. De acuerdo con las declaraciones realizadas por la alumna, se presentan, en los apartados que siguen, las huellas de ese hacer al que ha hecho alusión, iniciándolo con el manual utilizado.

Figura 34. Portada del manual de Historia de España. Declarante 3037
Fuente: fondos propios (Legado NMV)

La primera característica es la estructura del subrayado, pues aunque la refiera a los apuntes, también es la misma para el manual: "yo tomaba apuntes y después los pasaba a limpio, ya que en clase no los podía tomar en limpio y también había que resumirlos en dos hojas como mínimo, por lo tanto al pasarlos a limpio los contenidos importantes ya estaban seleccionados". Más concretamente tiene la siguiente organización, como ya se ha expresado:

3037. En cuanto a los colores (subrayadores) que utilizo, siguen un orden. El tema se dividía en Concepto, Desarrollo y Conclusión, estos tres títulos era encuadrados en color verde, el amarillo indica el título principal, el rosa un subtítulo, el naranja una de las partes en las que se divide el subtítulo, y si se dividía en más partes usaba el subrayador azul, y después el lila y finalmente las palabras repasadas con subrayador amarillo son aquellas que se me olvidaban, fechas importantes, o nombres que había que destacar.

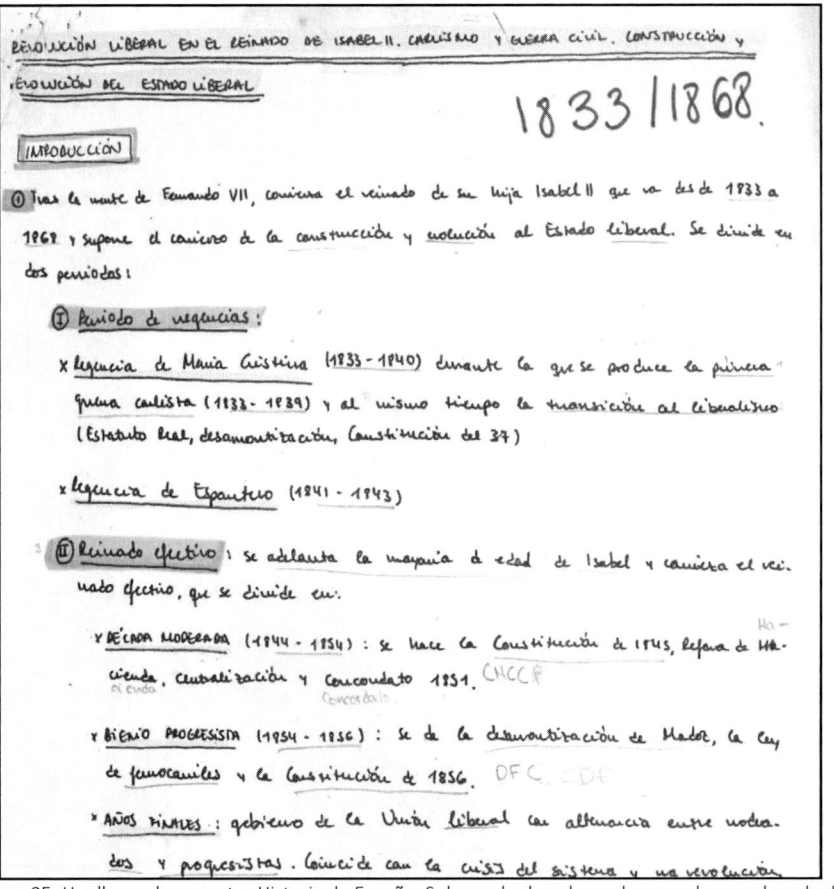

Figura 35. Huellas en los apuntes Historia de España: Subrayado de colores de acuerdo con el grado de generalidad de los contenidos, destacado de términos importantes o difíciles de recordar y estructura del tema de acuerdo con lo recomendado en las PAU. Declarante 3037
Fuente: fondos propios (Legado NMV)

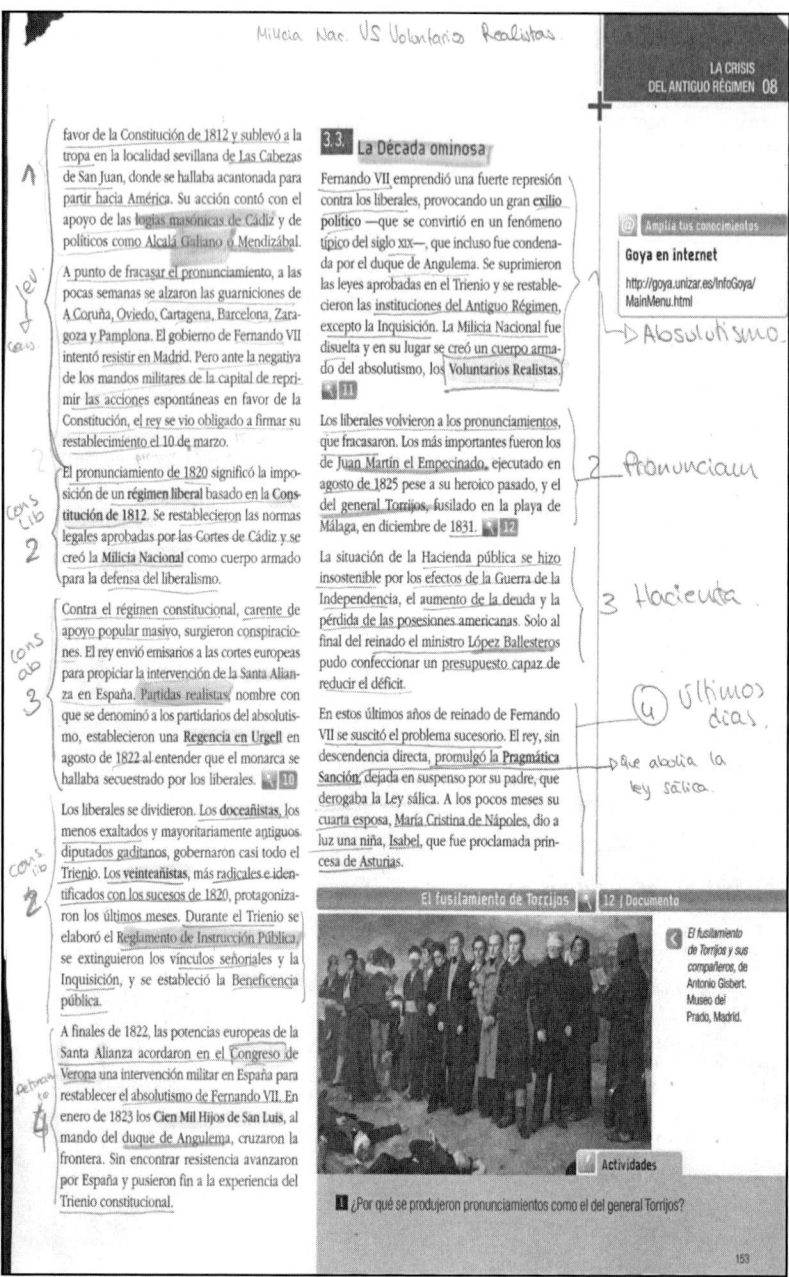

Figura 36. Huellas en el manual de Historia de España. Página del manual que es arrancada y se incorpora a sus apuntes (como se verá más adelante). Destacado de colores con la misma estructura de los apuntes, señalización en los laterales de las ideas importantes del contenido (1. Absolutismo, 2. Pronunciamientos, etc.) y clarificación de términos (Milicia Nacional, Voluntarios Realista). Declarante 3037
Fuente: fondos propios (Legado NMV)

La segunda característica es que los temas que estudió, principalmente en el libro de texto, los arrancaba (Felipe V, páginas del manual 127-130 y Carlos IV y Fernando VII, páginas 145-154) y los incluía secuencialmente dentro de sus apuntes personales, tal y como aparecen en las figuras 38-40.

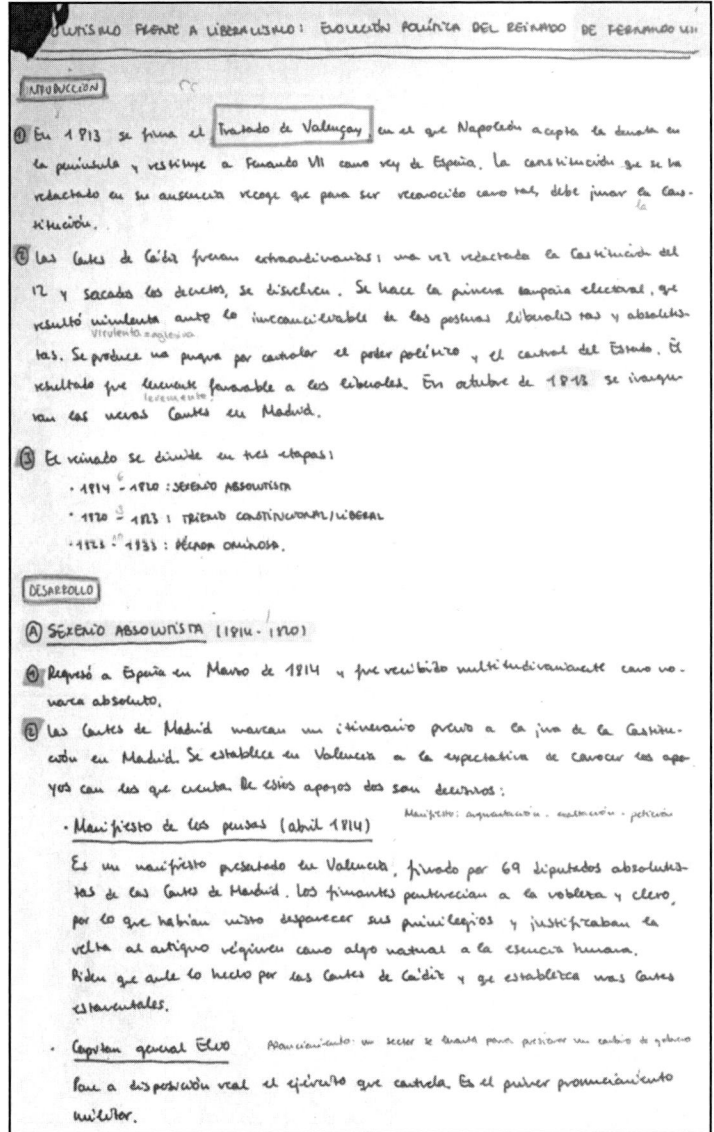

Figura 37. Ejemplo apuntes Historia de España (apuntes de la alumna: ABSOLUTISMO FRENTE A LIBERALISMO). Inicio del tema con apuntes de la discente, puede apreciarse en la estructura (remarcado en verde "INTRODUCCIÓN, DESARROLLO"), en amarillo los apartados importantes (Fernando VII, Sexenio Absolutista) y violeta los subapartados (1,2,3). En la secuencia de los apuntes entregados las páginas siguiente corresponden a las arrancadas del libro de texto de Historia de España. Declarante 3037
Fuente: fondos propios (Legado NMV)

Figura 38 Huellas en el manual de Historia de España: ausencia de las páginas en el libro de texto incorporadas a los apuntes de la alumna (se puede apreciar en el centro de la imagen los restos de las páginas arrancadas).
Declarante 3037
Fuente: fondos propios (Legado NMV)

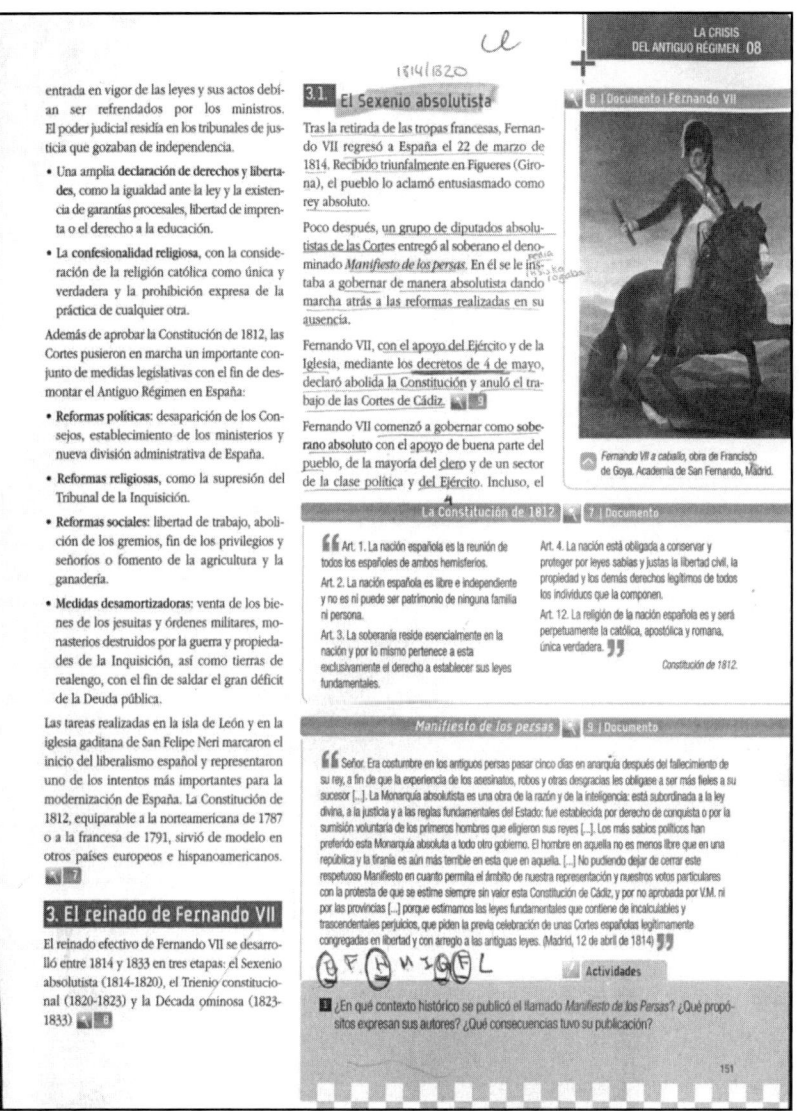

Figura 39. Huellas en el manual de Historia de España: hoja del libro que está incluida en el tema correspondiente de los apuntes de la alumna (continuidad de los apuntes a mano con "El Sexenio Absolutista" arrancado del libro). Otra de esas páginas arrancadas y sumadas a los apuntes corresponde a la figura 37, en la que se puede apreciar, como se ha indicado, la huella del trabajo realizado. Declarante 3037
Fuente: fondos propios (Legado NMV)

En tercer lugar, tal y como indica la alumna, el uso del manual es exiguo: "en mi caso el uso del libro era bastante escaso", y ciertamente es evidente, pues apenas está usado. Sin embargo, sí se aprecia esa influencia del manual en la elaboración personal del tema "Factores del proceso de romanización". El resumen realizado por la alumna del tema tiene una clara influencia del libro de texto de Historia de España, como se aprecia en las figuras 40-41.

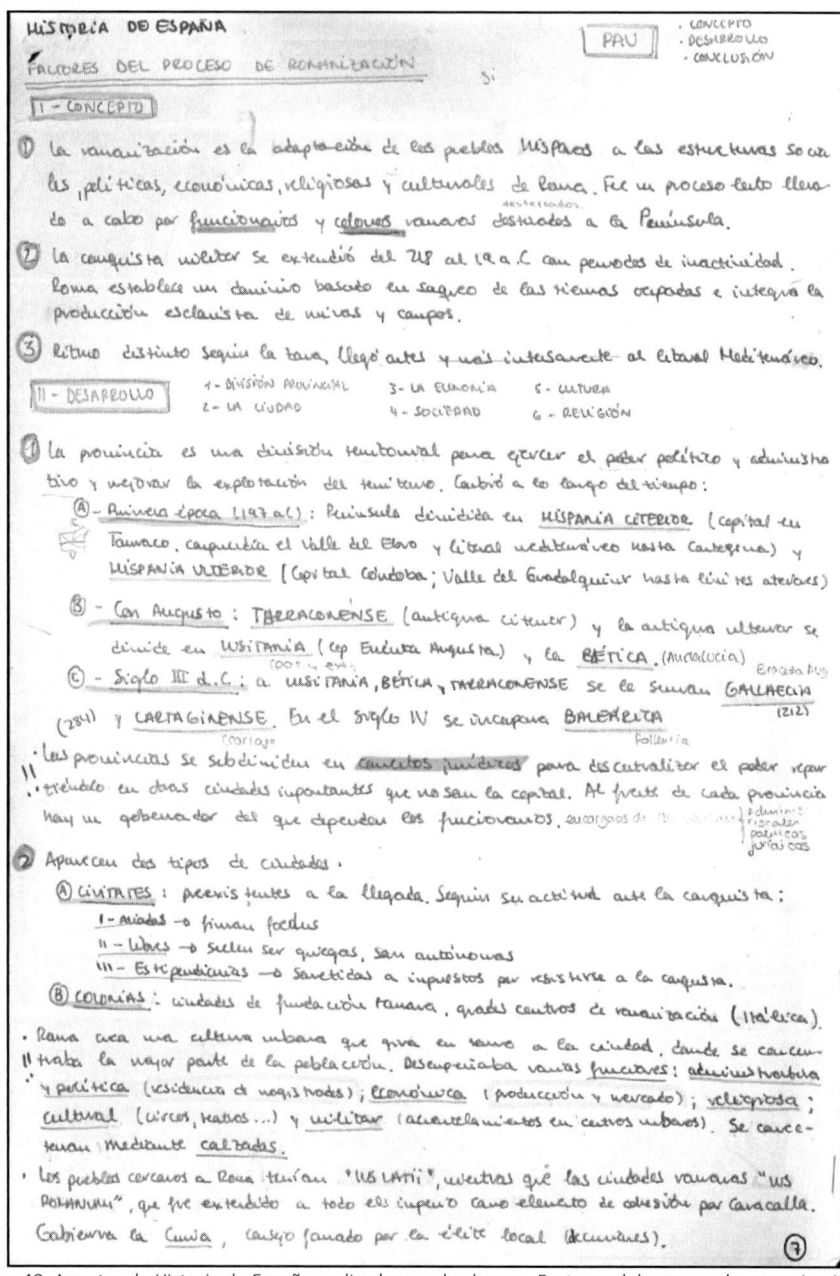

Figura 40. Apuntes de Historia de España realizados por la alumna: Factores del proceso de romanización. Es importante fijar la atención al apartado "Desarrollo", para compararlo con el contenido del manual sobre ese tema imagen 42. Declarante 3037
Fuente: fondos propios (Legado NMV)

del Ebro y el litoral mediterráneo hasta Cartagena, y **Ulterior**, con capital en Corduba, que abarcaba el valle del Guadalquivir hasta los límites anteriores.

- Durante el imperio de Augusto, la Citerior amplió sus territorios y pasó a denominarse **Tarraconense**, mientras que la Ulterior se dividió en la **Bética** y la **Lusitania**, con capital en Emerita Augusta (Mérida).

- En el año 284 a. C. se crearon la **Gallaecia** y la **Cartaginense**, por escisión de la Tarraconense, a las que en el 358 d. C. se incorporó la **Balearica**.

Cada provincia se subdividió en conventos jurídicos con el fin de facilitar la administración de justicia, la recaudación de impuestos y agilizar el reclutamiento de soldados.

Los municipios

Al iniciarse la conquista de Hispania, los núcleos de población indígena preexistentes fueron denominados *civitates* por los romanos. Estas ciudades, según el grado de aceptación de la conquista, recibieron diferente trato:

- **Aliadas**, mediante pacto o *foedus*.

- **Libres**, exentas del pago de tributos e independientes en la gestión de sus asuntos internos.

- **Estipendiarias**, ciudades sometidas por las armas y que debían pagar tributos.

Además, se fundaron nuevas ciudades que se denominaron **colonias**, gobernadas por unas élites locales leales a Roma y que se convirtieron en la fórmula más eficaz para administrar territorios tan extensos. Fueron los casos de Itálica (Santi Ponce), Legio (León) o Caesar Augusta (Zaragoza).

En el año 212 a. C., con la concesión del derecho de ciudadanía a todos los habitantes del Imperio por Caracalla, todos estos núcleos recibieron el estatuto de **municipio**, lo que significaba gozar de unas leyes propias y estar gobernados por una asamblea de decuriones, miembros de la oligarquía local.

División provincial de la Hispania romana | 10 | Documento

| Durante la República romana |
| • Capital de provincia |
| • Ciudad importante |

| Época de Augusto |
| • Capital de provincia |
| • Ciudad importante |

| Bajo Imperio romano |
| • Capital de provincia |
| • Ciudad importante |

Ahora, debido a la división de las provincias entre el Senado y el pueblo, por una parte, y el emperador de los romanos, por otra, la Bética pertenece al pueblo. Este envía allí un pretor, con un cuestor y un legado. La frontera está situada al este, cerca de Cástulo [Linares]. El resto es del César. Sus enviados son dos legados, uno pretorio y otro consular. El pretorio tiene a sus órdenes otro legado encargado de hacer justicia entre los lusitanos. [...] El resto está bajo las órdenes de un gobernador consular al mando de un ejército considerable con tres legiones y tres legados. Uno, con dos legiones, vigila los pueblos [...] galaicos [...] cántabros y astures [...]. La zona que sigue hasta los Pirineos se encuentra bajo el mando del segundo legado con la legión restante. El tercero vigila el centro del país [donde están] los celtíberos y los que habitan ambas riberas del Ebro hasta la zona del mar. El gobernador pasa el invierno en las zonas de la costa y hace justicia especialmente en Cartagena y Tarragona.

ESTRABÓN: *Geografía*, Libro III, 4, 20.

Actividades

1 Según el texto de Estrabón, que hace referencia a la división provincial en tiempos de Augusto, diferencia las provincias hispanas administradas por el Senado y el pueblo de aquellas que dependían del emperador.

2 ¿Por qué crees que en algunas provincias se establecían tantas legiones?

3 Explica la evolución provincial de Hispania.

25

Figura 41. Huellas en el manual de Historia de España del tema: Factores del proceso de romanización. Es importante detenerse en la estructura y definiciones para contrastarlas con los apuntes de la alumna y ver la influencia ejercida por el manual. Declarante 3037
Fuente: fondos propios (Legado NMV)

El resto del manual, tal y como indica la alumna, apenas tiene algún subrayado esporádico o señal de trabajo en él. Esto muestra lo declarado y valorado anteriormente por la discente respecto al uso del libro por el profesor y por parte de ella, confirmando un mayor apoyo en los apuntes, a excepción de muy determinados temas mucho más trabajados en el libro. Un ejemplo de esa regularidad, con tres singularidades, lo recoge la imagen 42.

Figura 42. Huellas en el manual de Historia de España. Evidencias de su pertenencia al grupo bilingüe de su Instituto (SPAIN), de su Comunidad Autónoma (destacada en el mapa: Murcia), de un dibujo en la parte inferior derecha (muy poco habituales en todos los libros) y otro en la parte superior derecha que, presumiblemente, sea un bosquejo de su profesor. Declarante 3037
Fuente: fondos propios (Legado NMV)

III.3. TERCER ESCENARIO:
El uso exclusivo del manual
¿Libro-cuaderno de trabajo?[31]

El tercer escenario asume el papel predominante del libro de texto. Más concretamente, en este recurso, se recogen todas las actividades de enseñanza de Historia de España, llegando a constituirse como cuaderno de trabajo, e incluso una agenda para el alumno. Desde el primer momento, queda claro en esta materia su papel y la manera en la que se trabajará:

> *3068. Sí, en mi colegio todas las clases iban seguidas del libro de texto, por lo que ya no era recomendable, sino obligatorio como material de la asignatura para poder seguir la lección del profesor (...) mi profesor a principio de curso recomienda siempre comprarse dos paquetes de post-its por que el trabajo en el libro iba a ser muy grande.*

A. EL CONTEXTO:
el centro, el aula y los compañeros

Este uso del manual se realiza en un Colegio privado de Cartagena, en la que la alumna ha vivido en él desde los 3 años, es decir, toda su vida hasta ese momento. Es un centro con una buena dotación, con un conjunto de actividades que van más allá de las académicas y cuenta con un buen profesorado:

> *3068. Mi instituto se localizaba en una zona céntrica de Cartagena, bien accesible y cercano a mi casa. El instituto disponía de grandes instalaciones y recursos, como puede ser la sala de informática o la sala de proyecciones. Mi instituto procuraba que todos los alumnos del colegio estuvieran implicados en alguna actividad y a la misma vez disfrutando, para ello organizaban algunas fiestas para alumnos como puede ser SED. Profesores bien cualificados y comprensibles. Además de ser instituto también era colegio, yo llevaba en él desde 1º de infantil, es decir desde los 3 años, y las amistades que se forjan allí son estupendas. En general, un buen colegio.*

Figura 43. Mi centro. Declarante 3068
Fuente: fondos propios (Legado NMV)

---

[31] Declarante 3068.

Otra información, dentro de este contexto, es el aula y el lugar donde ella se sentaba en la clase de Historia de España, dos informaciones que ayudan a comprender el mundo material, y algo más, donde estuvo bastantes años, aunque aquí solamente se hace referencia a esta asignatura:

3068. El aula era amplia, con unos grandes ventanales, aire acondicionado y una doble pizarra. También tenía proyector y una mesa grande elevada del profesor. Yo habitualmente me sentaba enfrente de la pizarra en la tercera fila, me sentaba ahí porque era dónde mejor veía la pizarra y dónde podía atender.

Figura 44. Mi aula. Declarante 3068
Fuente: fondos propios (Legado NMV)

Esta contextualización concluye con la valoración de un ambiente de clase conflictivo, por la razón de que hablaban mucho y del comportamiento de algunos, existía división entre los discentes y el trato se reducía a meramente cordial:

3068. Era una clase conflictiva según los profesores porque se hablaba mucho y gran parte de mis compañeros de clase fueron muy conflictivos llegando a haber expulsiones de clase (...) la relación entre compañeros estaba dividida, claramente habían grupos en la clase y el trato únicamente era cordial.

C. EL LIBRO DE TEXTO:
Utilización dentro y fuera del aula

La actividad que se genera en las aulas no está exenta de un contenido que, en este caso, tiene un referente claramente identificado: Historia de España. Por otra parte, el currículo de esta asignatura está especificado en los estudios de Bachillerato, aunque la influencia de la selectividad es innegable. Al principio, el profesor entregó lo que sería el programa de todo el curso, basado en el decreto de currículo que más abajo se reproduce parcialmente:

TEMARIO

* (El temario se podrá modificar de acuerdo con la nueva programación anual de la P.A.U.)

I)   Los fundamentos de la España contemporánea (I): Desde la ocupación al siglo XV

1º) El proceso de hominización en la Península Ibérica: Nuevos hallazgos
2º) Los pueblos prerromanos y las colonizaciones de griegos y fenicios.
3º) El proceso de romanización
4º) Al-Ándalus: evolución política.

II)   Los fundamentos de la España contemporánea (II):Del modelo pactista y federal a la uniformación borbónica

1º) La estructura política en la Península Ibérica en la Baja Edad Media
2º) Los Reyes Católicos: La construcción del Estado Moderno
3º) El Descubrimiento de América
4º) El imperio de Carlos V: política exterior e interior
5º) La monarquía hispánica de Felipe II: política exterior e interior
6º) La decadencia del imperio español
7º) Cambio dinástico: Las reformas internas
8º) El despotismo ilustrado: Carlos III

Figura 45. Programa de Historia de España. Declarante 3068
Fuente: fondos propios (Legado NMV)

Los recursos utilizados en la asignatura están prácticamente circunscritos a las fotocopias, el libro, mapas, esquemas y muy poco el ordenador:

3068. Como bien he dicho antes, nosotros no teníamos apuntes entregados ni fotocopiados, ya que todo lo que quería ampliar lo dictaba con sus palabras y nosotros lo apuntábamos en los post-its y si era muy largo en folios para después ponerlos en el libro. Algunas veces utilizábamos Internet, pero muy de vez en cuando, mi profesor nos mandaba buscar información sobre alguna cosa que a él le parecía que tenía gran importancia y para investigar sobre algún acontecimiento importante. Pero no lo utilizaba para nada más, solo nos hacía buscar información sobre algún acontecimiento y al día siguiente nos preguntaba.

El docente es también objeto de reflexión y recuerdo. La alumna lo describe como serio, con experiencia, formación y buenas relaciones con el alumnado:

3068. Me gustaría primero describir a mi profesor. Era un hombre, aproximadamente de unos cincuenta años, alto, delgado, con una vestimenta que transmitía seriedad (camisas), una persona con gran experiencia y una capacidad muy amplia de conocimiento (...) Mi profesor de historia era un profesor que enseñaba a través de la comunicación con sus alumnos, su relación con nosotros era muy buena y utilizaba diferentes materiales para sus clases.

La descripción realizada por la alumna de los procesos de enseñanza es muy breve, sin embargo, puede identificarse dentro de un modelo expositivo centrado en el contenido y con un tiempo de trabajo personal por parte de la discente, tal y como vemos en las declaraciones realizadas:

3068. Sus clases habitualmente eran de interacción y tenía un orden en sus horarios, dividía sus clases según el tiempo que disponía, por ejemplo media hora de trabajo personal y después la otra media hora de explicación y comprensión de lo trabajado. Básicamente todas las explicaciones que mi profesor desarrollaba en clase eran para explicar lo que el contenido del libro decía. Esto se debe a que mi profesor utilizaba el libro para la mayor parte de la asignatura. Subrayábamos del libro, y él ampliaba con sus explicaciones.

C. EL LIBRO DE TEXTO:
Utilización dentro y fuera del aula

En los apartados anteriores se ha visto a la alumna en su centro, con sus compañeros, en su aula, con el programa que tiene que desarrollar en el curso y con los recursos utilizados. Después ha dado realidad a su profesor y a los procesos de enseñanza-aprendizaje con los que se impartía esta asignatura. En este contexto, y con los materiales delante (libro y apuntes), se le pidió que valorase y razonase el uso del manual dentro y fuera del aula. Los resultados, tal y como fueron redactados por la alumna, se exponen a continuación en las tablas 11 y 12.

Tabla 11. Valoración de la alumna del uso del libro que hace el profesor. Declarante 3068

Uso por parte del profesor	nada	poco	algo	bastante	mucho
El texto del autor del libro (contenido)				X	
Los documentos que tiene (Leyes, constituciones, opiniones, ...)			X		
Mapas		X			
Ejes cronológicos		X			
Gráficos y estadísticas		X			
Imágenes (fotos, cuadros, dibujos, etc.)	X				
Actividades	X				
Páginas de Internet o WEB para visitar	X				
C.D.	X				
Comentarios de Texto		X			
Otros (poner y valorar)	X				

Fuente: fondos propios (Legado NMV)

Actividad en clase:

3068. Mientras mi profesor desarrollaba el tema en clase yo recogía lo que él iba diciendo y que no estaba en el libro. Todos esos apuntes que recogía siempre los escribía en post-its para así poder pegarlos en el libro en la página que correspondiese y a la hora de estudiar poder tenerlos en cuenta. Muchas veces como en los post-its no cabía todo solía escribirlos en hojas aparte y después las unía al libro con clips, también en la páginas donde correspondiesen. Otra cosa es que mientras el profesor desarrollaba el tema las cosas que yo escuchaba y veía que estaban en el libro las resaltaba, para poder saber que era lo más importante que había sobre el tema. Como se puede ver en mi libro hay muchas cosas subrayadas, ya que mi hermana también subrayaba, pero lo que yo solía hacer es subrayar por debajo con un lápiz o subrayar lo subrayado con un color más fuerte.

Tabla 12. Valoración uso del libro por parte del alumno Declarante 3068

Uso por parte tuya para estudiar	nada	poco	algo	bastante	mucho
El texto del autor del libro (contenido)			·	X	
Los documentos que tiene (Leyes, constituciones, opiniones, …)			X		
Mapas	X				
Ejes cronológicos		X			
Gráficos y estadísticas	X				
Imágenes (fotos, cuadros, dibujos, etc.)	X				
Actividades					
Páginas de Internet o WEB para visitar	X				
C.D.	X				
Comentarios de Texto	X				
Otros (poner y valorar)	X				

Fuente: fondos propios (Legado NMV)

Actividad en el estudio:

3068. Como bien he dicho antes mi libro era reutilizado por lo que la mayoría ya estaba subrayado, pero habían cosas que mi profesor decía y no estaba subrayado, por lo que yo con un lápiz o boli de color negro solía subrayar por debajo para poder diferenciar lo que yo había subrayado a lo que ya estaba subrayado por mi hermana. También solía si no era con el lápiz o el boli subrayar con otro color diferente al que ya había subrayado, pero más habitual era subrayar con lápiz o bolígrafo. Los márgenes siempre los solía utilizar para anotar cosas que el profesor explicaba, por ejemplo a él siempre le gustaba decir las constituciones por puntos y en su orden, por lo que yo cogía post-its y las ponía como él decía y después las pegaba en el libro. Normalmente ese era el uso de los márgenes de mi libro, usarlos para pegar los post-its que mi profesor dictaba. Muchas veces como estaban cargados de post-its solía despegarlos y escribir en los propios márgenes para aprovechar el espacio, y después volvía a pegar los post-its en orden. También como he dicho antes, cuando ya no me cabía todo en los post-its cogía una hoja y escribía ahí y ya al terminar la clase ponía las hojas escritas cada una en su lugar unidas con clips.

D. LAS EVIDENCIAS:
Las huellas del alumno en el manual de Historia de España

La singularidad de este manual, no es el único en esta publicación, nos lleva a una redacción ejemplificada con mayor amplitud que los anteriores escenarios. Su estudio puede indicarnos una utilización que podría ser definida como cuaderno de trabajo y de gestión de la asignatura.

Figura 46. Portada del manual de Historia de España. Declarante 3068
Fuente: fondos propios (Legado NMV)

La primera singularidad del libro es, precisamente, que se convierte en un "cuaderno de trabajo", como se irá viendo, que integra todo lo que se realiza en la asignatura. Los apuntes son, como señala la alumna, los post-its que colocaba en las páginas del libro:

> 3068. Como ya he dicho anteriormente mis apuntes eran los post-its que el profesor dictaba y que yo copiaba. En ellos yo no subrayaba sino que directamente tal como estaban me los estudiaba, ya que eran como pequeños resúmenes que mi profesor dictaba y que eran importantes, así que me los estudiaba y no los subrayaba nada.

Otro hecho significativo es el de tratarse de un libro ya utilizado, con las ventajas y los inconvenientes que ello lleva consigo, una reutilización que es mayoritaria debido a la forma de adquisición de los manuales. Además, tiene la peculiaridad que es de la hermana, igualmente es tal la cantidad de información que recoge que lo hace muy problemático de utilizar para la hermana que les sigue, llevando a adquirir otro manual para ella:

> 3068. El libro que yo usaba en la asignatura de historia era heredado de mi hermana dos años y medio mayor que yo. (...) Debido al gran uso que le hemos dado a este libro y lo trabajado que está a mi hermana pequeña, que el año que viene entra en el curso, le hemos conseguido otro libro que no está tan trabajado y roto. A mi hermana pequeña también le va a dar la asignatura de Historia el mismo profesor que a mi hermana mayor y a mí, por lo que también tiene el mismo libro, pero a ella

no le gusta que este tan utilizado, ya que en el libro que yo utilicé ya no queda espacio para escribir ni para poner post-its y mucho menos para subrayar, ya que está todo subrayado.

El problema del uso del libro, cuando ya ha sido trabajado, es el de identificar la información anterior y la nueva, recurriendo, como declara la alumna, a diversas técnicas para aprovechar lo existente y personalizar lo que ella está estudiando:

3068. Como bien he dicho antes mi libro era reutilizado por lo que la mayoría ya estaba subrayado, pero habían cosas que mi profesor decía y no estaba subrayado, por lo que yo con un lápiz o boli de color negro solía subrayar por debajo para poder diferenciar lo que yo había subrayado a lo que ya estaba subrayado por mi hermana. También solía, si no era con el lápiz o el boli, subrayar con otro color diferente al que ya había subrayado, pero más habitual era subrayar con lápiz o bolígrafo.

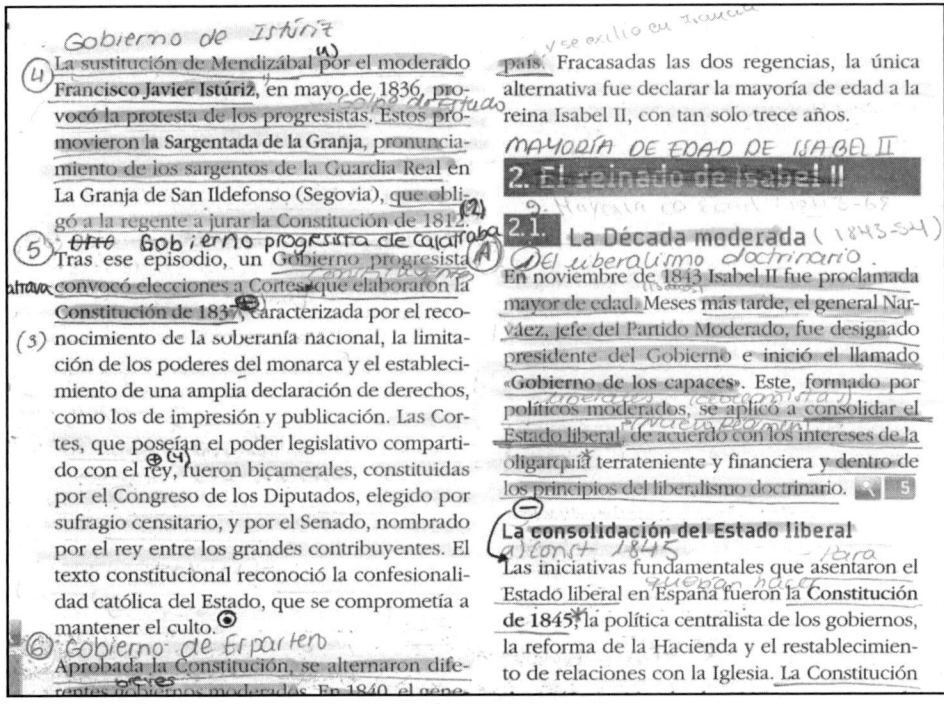

Figura 47. Huellas en el manual de Historia de España: diferentes usuarias. El subrayado de color (hermana mayor) y lápiz/el bolígrafo (declarante), como identificadores de las dos usuarias. Puede apreciarse que la mayoría de la información tiene las dos huellas, lo que indica la continuidad del contenido. Hay otras huellas que se analizarán más adelante. Declarante 3068
Fuente: fondos propios (Legado NMV)

Es un libro completamente trabajado, donde apenas queda espacio para nueva información. Es interesante esta huella de su uso porque indica que solamente algunos apartados y el tema de España actual, han quedado fuera de su estudio. Las imágenes que a continuación se muestras, representan una graduación de las huellas que tienen las distintas páginas. Este hecho de tener el manual (más la información de los temas desarrollados y la constatación de que era el recurso exclusivamente utilizado), nos lleva a extremar nuestra prudencia para cuantificar el uso de los manuales en función de las hojas trabajadas o no.

Figura 48. Densidad de la huella: página no trabajada. Declarante 3068
Fuente: fondos propios (Legado NMV)

EL RÉGIMEN
10 DE LA RESTAURACIÓN

unos colectivos identificados con el orden y la aparente normalidad política de la Restauración. Esta clase media, continuamente retratada en la novela realista de la época, fue el grupo social urbano más característico de finales del siglo XIX.

En esta misma línea se situaban los **pequeños propietarios**, especialmente de Castilla, dueños de minifundios incapaces de producir lo suficiente para una subsistencia digna, pero que por su conservador estilo de vida se encontraban entre los grupos cercanos al régimen.

El mundo obrero y sus problemas

Al margen de los grupos anteriores, en el mundo obrero se diferenció un proletariado industrial, minoritario, y otro rural. El primero se consolidó durante las últimas décadas del siglo en torno a los centros industriales de Barcelona, Madrid, Bilbao, Asturias y de los principales núcleos urbanos. Vivía en la periferia de las ciudades en pésimas condiciones, con bajos salarios y agotadoras jornadas laborales, carencia de derechos sociales, analfabetismo, etc.

Documento | 10 — El proletariado rural

Informes de la época señalan que la inmensa mayoría de la población rural de la España latifundista no había accedido a la propiedad de la tierra y se veía obligada a trabajar a cambio de un jornal miserable y en unas condiciones infrahumanas. Esto explica las frecuentes agitaciones campesinas.

En cualquier pueblo del sur a finales del siglo XIX el 60% de la población eran mujeres y niños menores de 15 años, que solo se incorporaban al trabajo cuando las labores agrícolas lo demandaban, el 30% eran obreros agrícolas mayores de 15 años, un 5% eran artesanos y empleados, y otro 5%, obreros fijos. Los salarios percibidos por la unidad familiar —en la que se incluían la mujer y los hijos mayores de 12 años— nunca llegaban a alcanzar los mínimos para la subsistencia.

Pobres esperando la sopa, de Isidre Nonell (1899), Museo de Montserrat (Barcelona).

Actividades

1 ¿Qué diferencias encuentras entre las formas de vida de las distintas clases sociales a través de esta y de la ilustración *No va más* de la página anterior?

194

El **proletariado rural** padecía condiciones de vida todavía peores, especialmente en la España latifundista en la que el absentismo de los grandes propietarios dejaba en manos de arrendatarios la explotación de los campos.

Por su parte, los arrendatarios se limitaban a obtener los máximos rendimientos a costa de disminuir la contratación de mano de obra estable y de recortar los jornales. La corta duración de los arrendamientos impedía introducir innovaciones técnicas para aumentar los rendimientos de los cultivos.

En el proletariado rural se distinguían los siguientes grupos:

- Los **trabajadores por cuenta propia**, que laboraban pequeñas parcelas de acuerdo con el dueño o arrendatario y se veían obligados a emplear a toda la familia para compensar los gastos de la explotación.

- Los **campesinos acomodados** (capataces, mozos de mulas o gañanes), que vivían en los cortijos y percibían sueldos fijos durante todo el año.

- Los **jornaleros**, que solamente trabajaban cuando había faenas. Los bajos salarios, las durísimas condiciones de trabajo, el alejamiento de sus lugares de residencia, el carácter itinerante de la actividad y el escaso número de jornadas laborales, en torno a 270 días al año, si las condiciones climatológicas eran propicias, constituían los rasgos característicos de la vida del jornalero.

3. La crisis de la Restauración

Desde el inicio de la Restauración existieron una serie de problemas que se agudizaron a partir de la regencia de María Cristina, la cual coincidió con un cambio de signo de la coyuntura económica y con la aparición de desajustes en el funcionamiento del sistema. Como ya se ha dicho, el caciquismo y el falseamiento electoral fueron los primeros inconvenientes del sistema canovista, que la implantación del sufragio universal masculino no consiguió solucionar. Además, pronto aparecieron otros síntomas: los problemas sociales, la inquietud de los intelectuales y la guerra de Cuba.

Figura 49. Densidad de la huella: pequeño destacado de ideas y modificación de parte del enunciado de un apartado: El mundo obrero y sus problemas, por "CUESTIÓN SOCIAL". También se aprecian las huellas de las dos usuarias (subrayado y color). Declarante 3068
Fuente: fondos propios (Legado NMV)

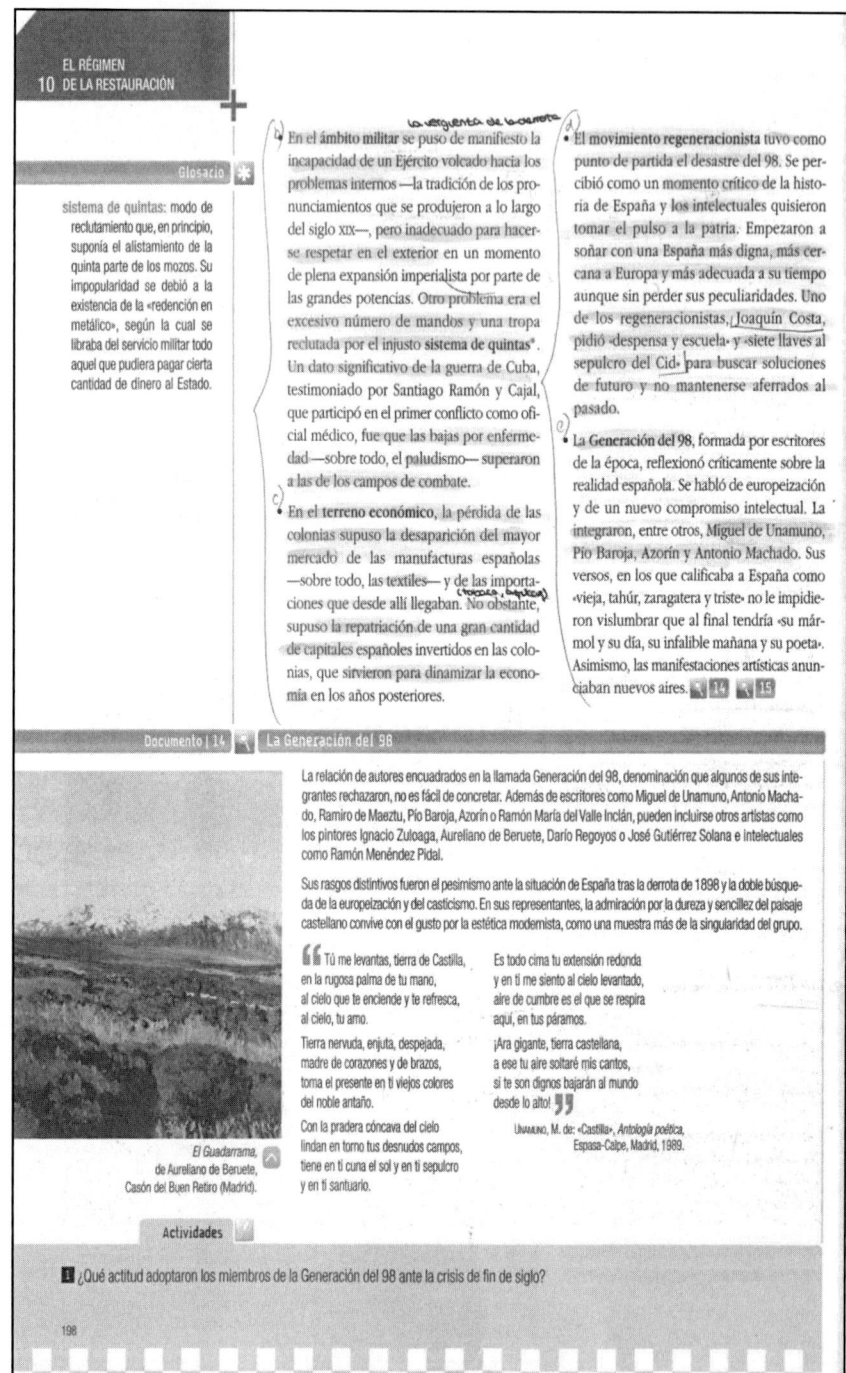

Figura 50. Densidad de la huella: pequeño destacado de ideas, estructuración de información (letras "b), c), d), e)") y breve ampliación de un contenido ("vergüenza de la derrota", "tabaco y azúcar"). Declarante 3068
Fuente: fondos propios (Legado NMV)

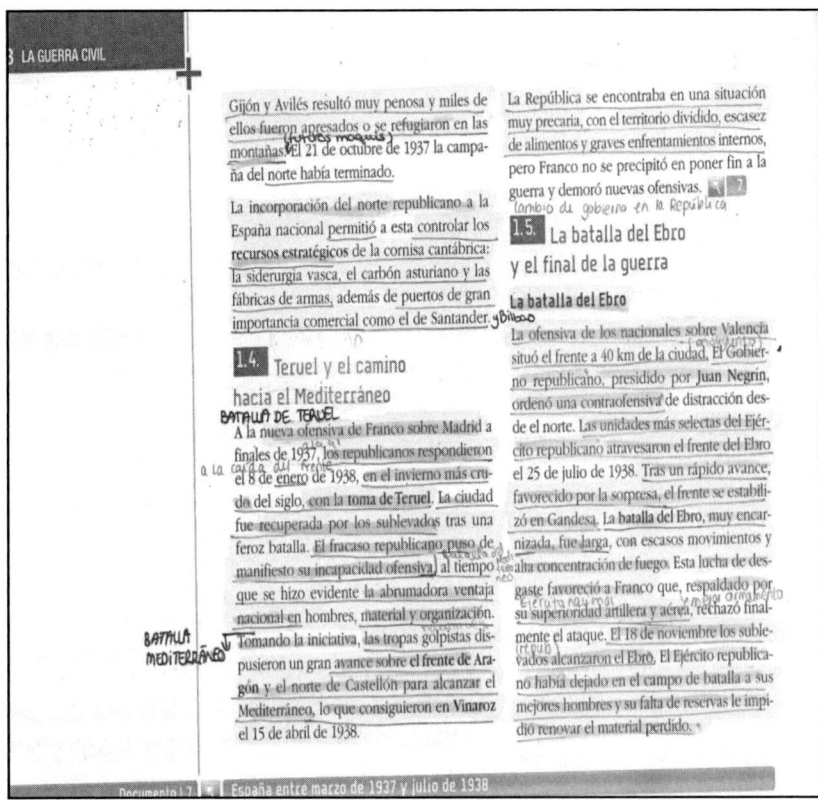

Figura 51. Densidad de la huella: destacado de ideas y pequeñas ampliaciones del contenido ("futuros maquis", "y Bilbao" "Batalla de Teruel" "Batalla Mediterráneo").Trabajo de ambas usuarias. Declarante 3068
Fuente: fondos propios (Legado NMV)

Los resúmenes del profesor y la nueva información se plasman en el manual en forma de post-its y de anotaciones en los márgenes, convirtiendo esta singularidad en una concepción de integración de toda la información en un solo lugar, que es el libro de texto de Historia de España:

3068. Los márgenes siempre los solía utilizar para anotar cosas que el profesor explicaba, por ejemplo a él siempre le gustaba decir las constituciones por puntos y en su orden, por lo que yo cogía post-its y las ponía como él decía y después las pegaba en el libro. Normalmente ese era el uso de los márgenes de mi libro, usarlos para pegar los post-its que mi profesor dictaba. Muchas veces como estaban cargados de post-its solía despegarlos y escribir en los propios márgenes para aprovechar el espacio, y después volvía a pegar los post-its en orden. También como he dicho antes, cuando ya no me cabía todo en los post-its cogía una hoja y escribía ahí y ya al terminar la clase ponía las hojas escritas cada una en su lugar unidas con clips.

Figura 52. Densidad de la huella: destacado de ideas de las dos usuarias, estructuración del contenido (letras y números de los apartados que se incluyen) y ampliación de la información en el ángulo izquierdo superior.
Declarante 3068
Fuente: fondos propios (Legado NMV)

Figura 53. Densidad de la huella: destacado de ideas de las dos usuarias, estructuración del contenido y una mayor ampliación de la información en el margen izquierdo superior y en la parte superior de la página. Prácticamente se considera toda la información importante. Declarante 3068

Fuente: fondos propios (Legado NMV)

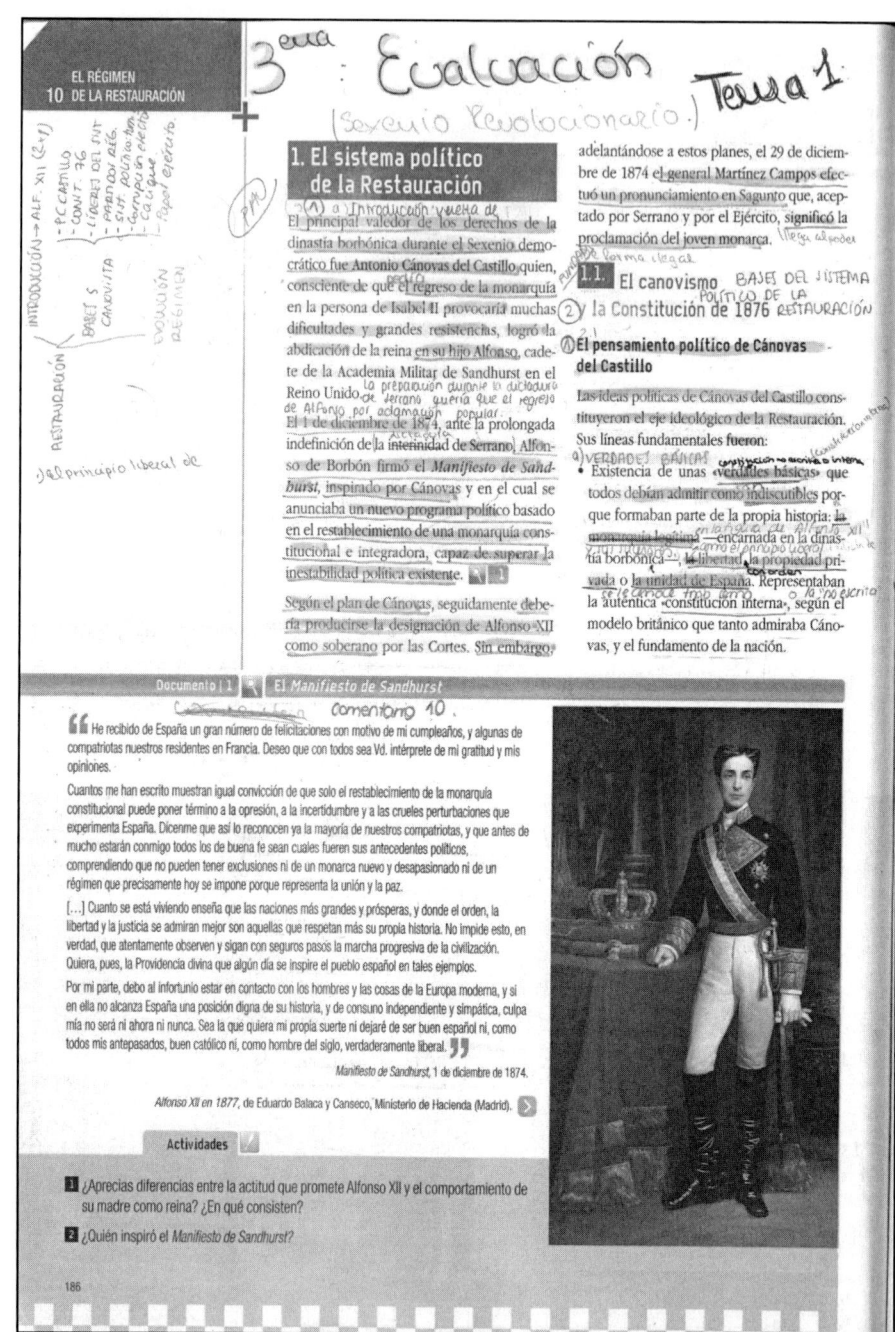

Figura 54. Densidad de la huella: destacado de ideas de las dos usuarias, estructuración del contenido, realización de esquemas en el margen izquierdo superior y evidencias de la gestión: temario, PAU, evaluación. Declarante 3068
Fuente: fondos propios (Legado NMV)

Figura 55. Densidad de la huella: sobresaturación del destacado de ideas de las dos usuarias, estructuración del contenido, ampliación del contenido en todos los espacios de la página y evidencias de la gestión: tema 7. La densidad de la información hace complicada la claridad de lo importante. Declarante 3068
Fuente: fondos propios (Legado NMV)

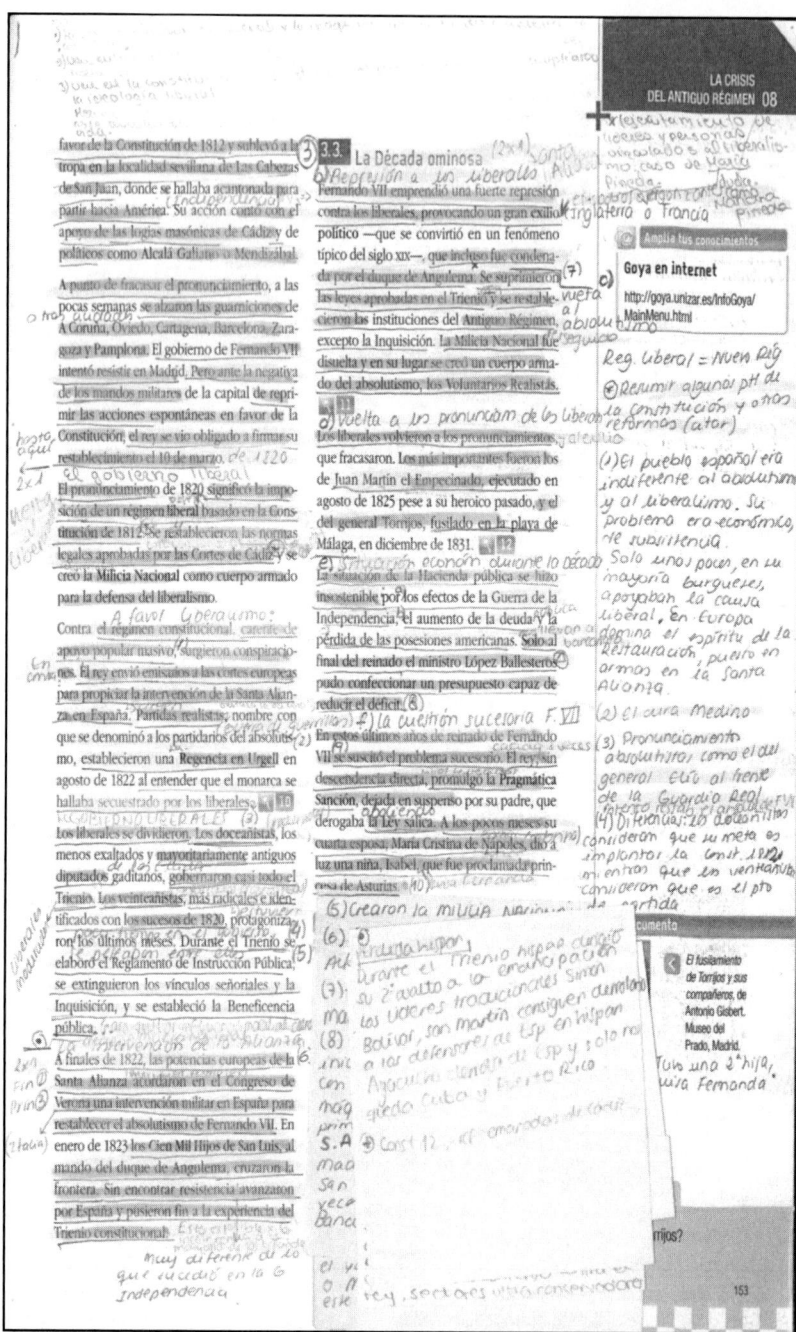

Figura 56. Densidad de la huella: sobresaturación del destacado de ideas de las dos usuarias, estructuración del contenido, ampliación del contenido en todos los espacios de la página, ampliación con post-its en la parte inferior derecha ocupando el espacio del documento que también está trabajado. Declarante 3068
Fuente: fondos propios (Legado NMV)

El manual como cuaderno de trabajo, estudio y gestión. Indudablemente, las imágenes que las huellas del alumno dejan en el libro muestran la forma en la que se trabaja este recurso en el aula y fuera de ella. Se va a profundizar en dos ejemplos: el primero con el tema de "Carlos III" (hojas de papel), el segundo sobre el "Sexenio democrático" (post-its). La ubicación en el manual de la información ampliada, supone que la alumna la desplegaba en casa para clarificar que es lo que hay anotado y luego poderlo estudiar.

"Carlos III": la ampliación del contenido en papel (figura 58)

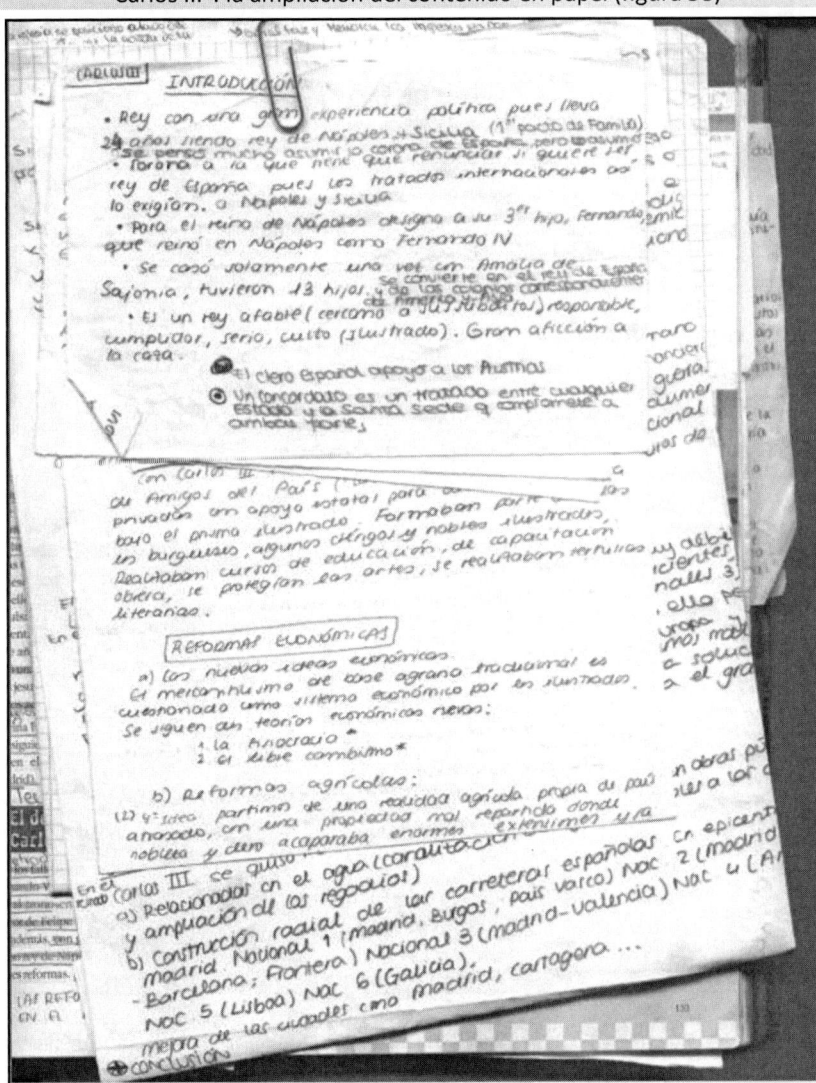

Figura 57. El libro como cuaderno: el tema de Carlos III. Imagen de la página con ampliaciones en hojas de papel tal y como se encuentra en el manual de Historia de España. Declarante 3068
Fuente: fondos propios (Legado NMV)

La imagen 59, ejemplo de las 4 páginas (133-136) que desarrollan el tema, evidencia la densa información contenida y las huellas de las dos usuarias (bolígrafo negro/lápiz y colores). En primer lugar las referencias a la gestión (PAU y Tema 3) y otras informaciones (película La Misión), luego la estructuración del tema (b, 2), pequeñas informaciones en el texto (muerto por amor, sin descendencia) y las ampliaciones sobre la relación con la iglesia y con Inglaterra (de ambas usuarias), situadas en la parte superior.

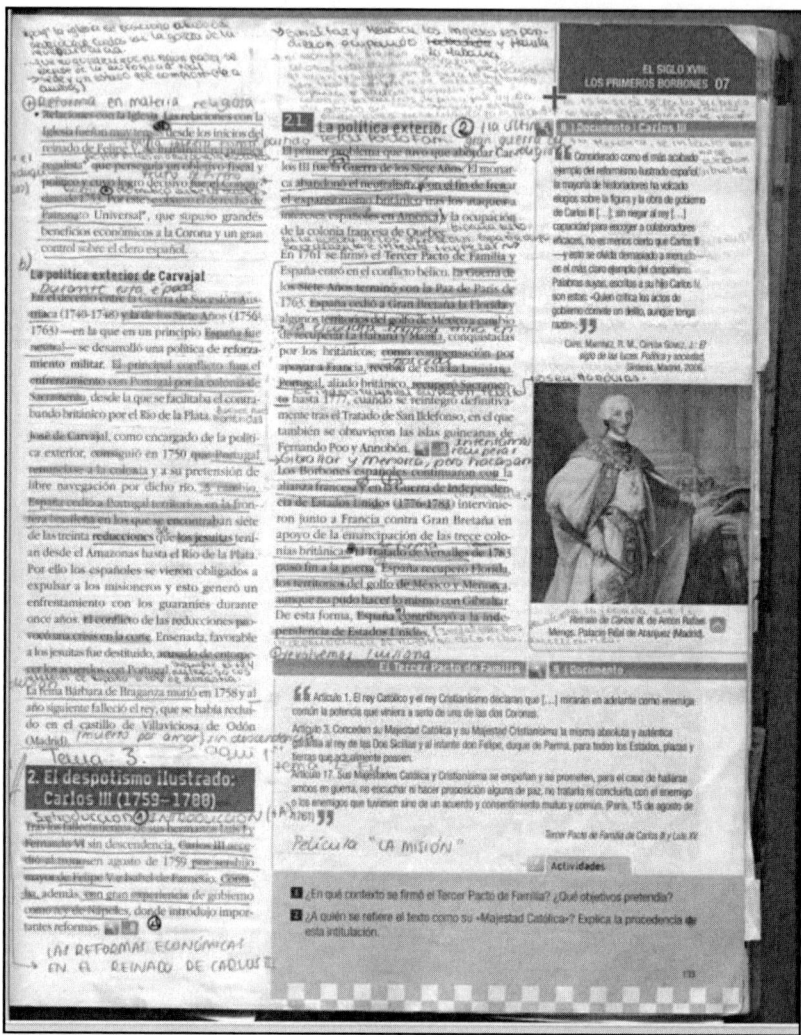

Figura 58. El libro como cuaderno: el tema de Carlos III. Imagen de la página sin ampliaciones externas: destacado de información, dos autoras, referencias a la gestión, recomendaciones de visionado de la película "La Misión", etc. Evidentemente una información compleja y densa para su comprensión y estudio. Declarante 3068
Fuente: fondos propios (Legado NMV)

La saturación del trabajo sobre el contenido lleva consigo, en este tema, la ampliación mediante hojas sueltas. Podemos distinguir las evidencias de cada una de las autoras en la página del manual y en el material unido mediante clips a este tema. Destaca en una de las autoras, en primer lugar, la realización de un esquema de la unidad, las ampliaciones del contenido en una nota y en un folio grande (por ambas caras), sin signos que los vinculen con el texto del manual. Sin embargo, pueden apreciarse en dichas ampliaciones las huellas de la otra autora, bien con subrayados y/o con la inclusión de signos para vincularlos con el texto, como por ejemplo la "conclusión" que sí lo tiene y lo encontramos en la página 136 del manual.

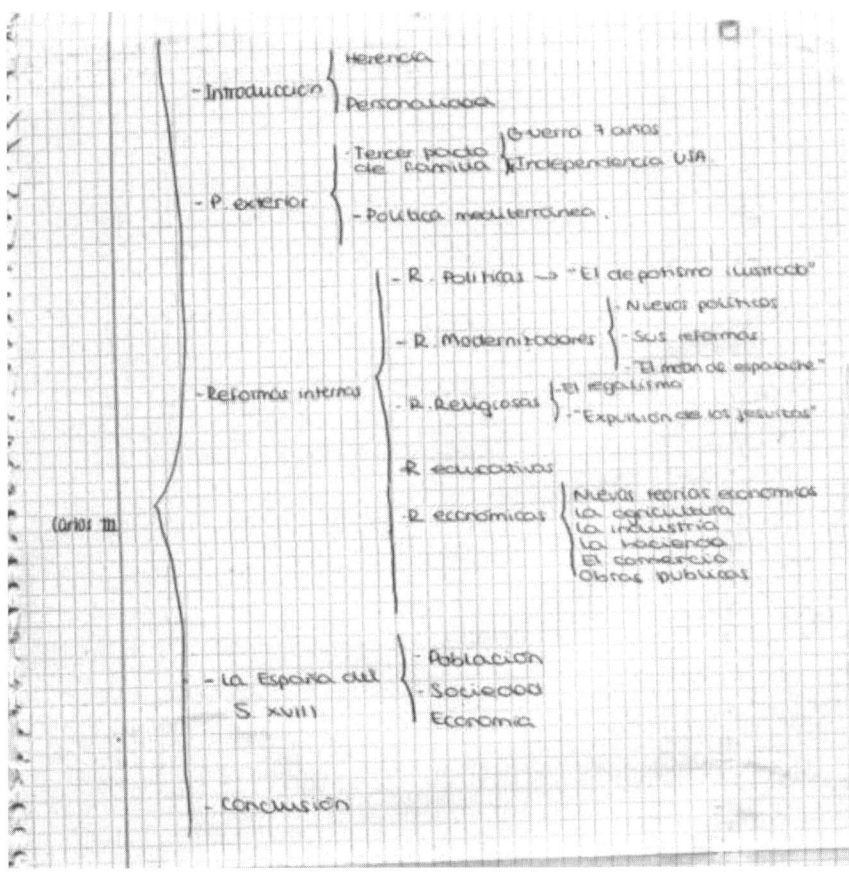

Figura 59 (documento 1). El libro como cuaderno: el tema de Carlos III. Ampliaciones externas. Esquema del tema.
Declarante 3068.
Fuente: fondos propios (Legado NMV)

CARLOS III

INTRODUCCIÓN

- Rey con una gran experiencia política pues lleva 24 años siendo rey de Nápoles y Sicilia (1ª pacto de Familia) Se pensó mucho asumir la corona de España, pero la asumió
- Corona a la que tiene que renunciar si quiere ser rey de España pues los tratados internacionales así lo exigían. a Nápoles y Sicilia
- Para el reino de Nápoles designa a su 3ᵉʳ hijo, Fernando, que reinó en Nápoles como Fernando IV
- Se casó solamente una vez con Amalia de Sajonia, tuvieron 13 hijos. Se convierte en el rey de España y de las colonias correspondientes de América y Asia
- Es un rey afable (cercano a sus súbditos) responsable, cumplidor, serio, culto (Ilustrado). Gran afición a la caza.

  ● El clero español apoyó a los Austrias

  ● Un concordato es un tratado entre cualquier Estado y la Santa Sede q compromete a ambas partes

Política exterior

● 7 años: Protestantes vs católicos. { Prusia e Inglaterra (Pr) Austria y Francia (Ca)

● El momento de la venganza llegó con la G de Independencia de EEUU. Al principio no se le daba importancia

● El apoyo español consistió en voluntarios y armas en las colonias, pero sobretodo la amenaza a Inglaterra de imponerla si el grueso de su flota y ejército iban a Norte América

- Hubo intentos de recuperar Gibraltar y Menorca. Fracasamos en el 1º pero tenemos éxito en el 2º

④ Carlos III es un hombre culto partidario de la nueva corriente filosófica de la ilustración casado con María Amelia de Sajonia, con la que tuvo 13 hijas. Tras la muerte de esta mantuvo una vida ejemplar, pues consideraba * encima de todo el ejemplo de un rey a sus súbditos. Persona afable, responsable, cumplidor, supo rodearse de hombres de Estado a los q delegaba funciones dedicaba mucho tiempo a la caza ha pasado a la h como uno de los mejores reyes de España, ya q se aprovechó de las reformas de su padre Felipe V y su hermano Fernando VI

Figura 60 (documento 2). El libro como cuaderno: el tema de Carlos III. Ampliaciones externas: Introducción (las recomendaciones de las PAU hablan de Introducción, desarrollo y conclusiones), Política exterior y ampliación de la figura de Carlos III. Huella de las dos autoras y signos para vincularlas con el texto del manual. Declarante 3068
Fuente: fondos propios (Legado NMV)

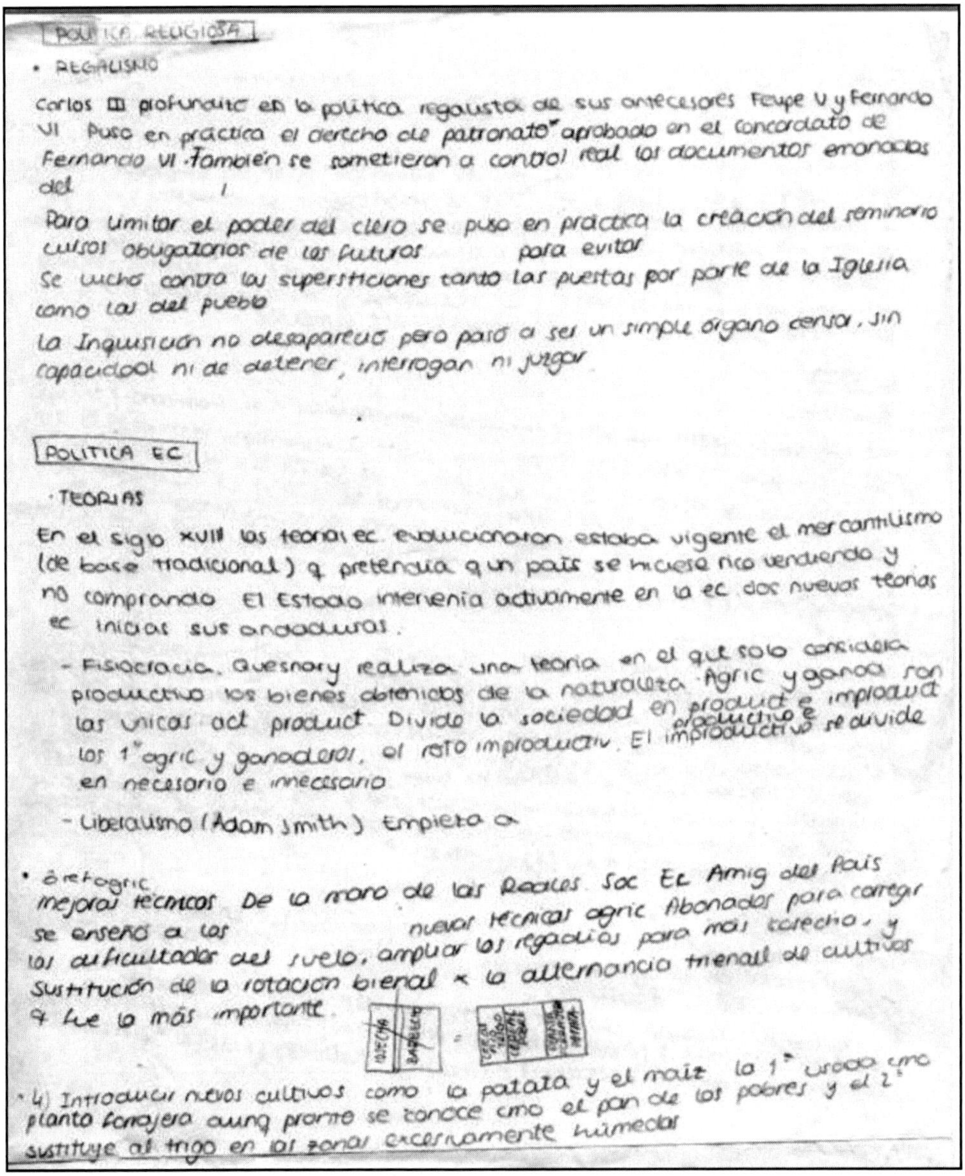

[POLITICA RELIGIOSA]

• REGALISMO

Carlos III profundizó en la política regalista de sus antecesores Felipe V y Fernando VI. Puso en práctica el derecho de patronato aprobado en el Concordato de Fernando VI. También se sometieron a control real los documentos emanados del /

Para limitar el poder del clero se puso en práctica la creación del seminario cursos obligatorios de los futuros   para evitar
Se luchó contra las supersticiones tanto las puestas por parte de la Iglesia como las del pueblo
La Inquisición no desapareció pero pasó a ser un simple órgano censor, sin capacidad ni de detener, interrogar ni juzgar.

[POLITICA EC]

• TEORIAS

En el siglo XVIII las teorías ec. evolucionaron estaba vigente el mercantilismo (de base tradicional) q pretendía q un país se hiciese rico vendiendo y no comprando. El Estado intervenía activamente en la ec. dos nuevas teorías ec inician sus andaduras.

- Fisiocracia. Quesnay realiza una teoría en el q solo considera productivo los bienes obtenidos de la naturaleza. Agric y ganad son las únicas act product. Divide la sociedad en product e improduct productivo se divide los 1º agric y ganaderos, el resto improductiv. El improductivo se divide en necesario e innecesario

- Liberalismo (Adam Smith) empieza a

• ó ref agric
mejoras técnicos De la mano de las Reales Soc Ec Amig del País
se enseñó a los   nuevas técnicas agric Abonados para corregir
los dificultades del suelo, ampliar los regadíos para mas cosecha, y sustitución de la rotación bienal x la alternancia trienal de cultivos
q fue lo más importante.

• 4) Introducir nuevos cultivos como la patata y el maíz la 1ª usada como planta forrajera aunq pronto se conoce como el pan de los pobres y el 2º sustituye al trigo en las zonas excesivamente húmedas

Figura 61 (documento 3, anverso). El libro como cuaderno: el tema de Carlos III. Ampliaciones externas: política religiosa y política económica, teorías. Declarante 3068
Fuente: fondos propios (Legado NMV)

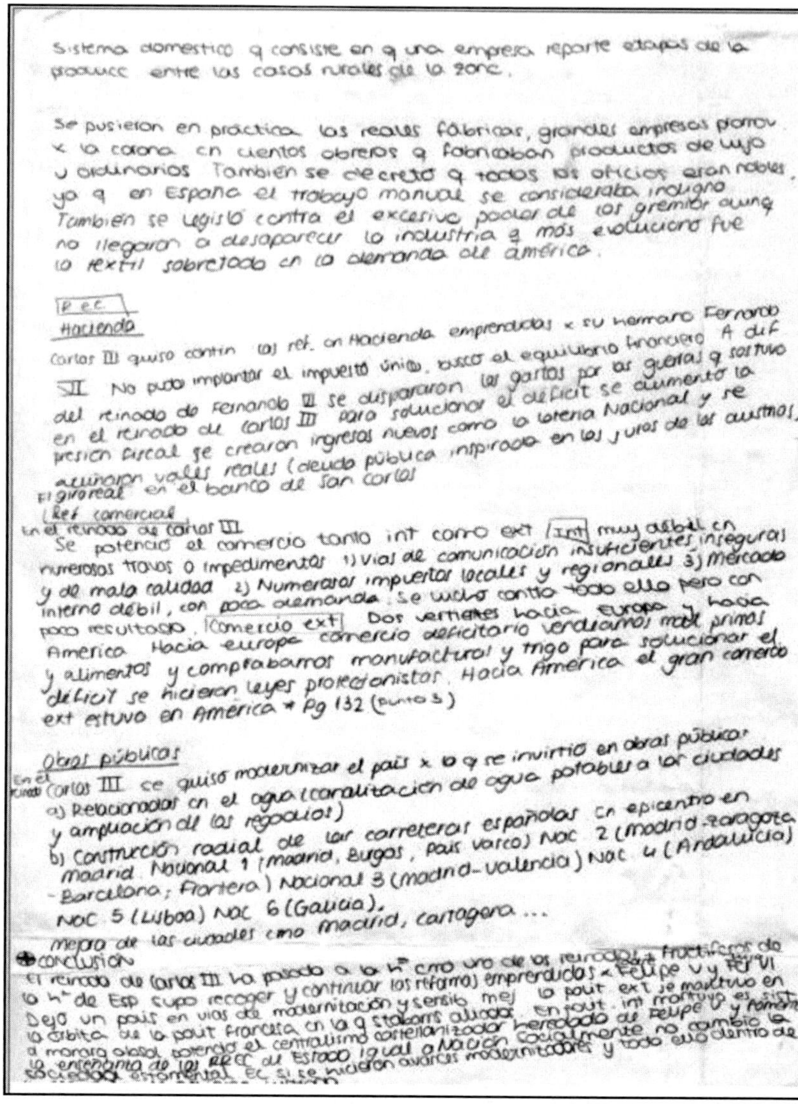

Sistema domestico q consiste en q una empresa reparte etapas de la produce entre las casas rurales de la zona.

Se pusieron en práctica las reales fábricas, grandes empresas promov. x la corona en cientos obreros q fabricaban productos de lujo y ordinarios. También se decretó q todos los oficios eran nobles, ya q en España el trabajo manual se consideraba indigno. También se legisló contra el excesivo poder de los gremios aunq no llegaron a desaparecer. La industria q más evolucionó fue la textil sobretodo en la demanda de américa.

Rec

Hacienda

Carlos III quiso contin las ref. en Hacienda emprendidas x su hermano Fernando II. No pudo implantar el impuesto único, buscó el equilibrio financiero. A dif del reinado de Fernando III se dispararon los gastos por las guerras q sostuvo en el reinado de Carlos III. Para solucionar el deficit se aumento la presion fiscal, se crearon ingresos nuevos como la loteria Nacional y se acuñaron vales reales (deuda pública inspirada en los juros de los austrias). El giro real en el banco de San Carlos

Ref comercial

En el reinado de Carlos III. Se potenció el comercio tanto int como ext /Int muy débil en numerosas trabas o impedimentos 1) Vias de comunicación insuficientes, inseguras y de mala calidad 2) Numerosos impuestos locales y regionales 3) Mercado interno débil, con poca demanda. Se unió todo ello pero con poco resultado. /Comercio ext/ Dos vertientes hacia europa y hacia America. Hacia europe comercio deficitario vendiamos mat primas y alimentos y comprabamos manufacturas y trigo para solucionar el deficit se hicieron leyes proteccionistas. Hacia America el gran comercio ext estuvo en America * Pg 132 (puntos)

Obras públicas

En el reinado Carlos III se quiso modernizar el país x lo q se invirtió en obras públicas
a) Relacionadas con el agua (canalización de agua potable a las ciudades y ampliación de los regadios)
b) Construcción radial de las carreteras españolas con epicentro en madrid Nacional 1 (madrid, Burgos, pais vasco) Nac 2 (madrid-zaragoza) -Barcelona; Frontera) Nacional 3 (madrid-Valencia) Nac 4 (Andalucia) Nac 5 (Lisboa) Nac 6 (Galicia).
- mejora de las ciudades como madrid, cartagena ...

✦**conclusión**

El reinado de Carlos III ha pasado a lo h° cmo uno de los reinados + fructiferos de lo h° de Esp supo recoger y continuar los reformas emprendidas x Felipe V y Fer VI. Dejó un país en vías de modernización y sentó las bases de la q estaba aliada. En pout. int mantuvo existente la órbita de la pout francesa en la q estaba aliada, heredado de Felipe V, tampoco no cambió la monarq absol, potenció el centralismo castellanizador constinualmente no cambió de la estructura de la pol. del Estado igual a Nación. Con modernidades y todo ello dentro de la sociedad estamental. EC si se hicieron avances modernizadores

Figura 62 (documento 3, reverso). El libro como cuaderno: el tema de Carlos III. Ampliaciones externas: política económica y conclusiones. Declarante 3068
Fuente: fondos propios (Legado NMV)

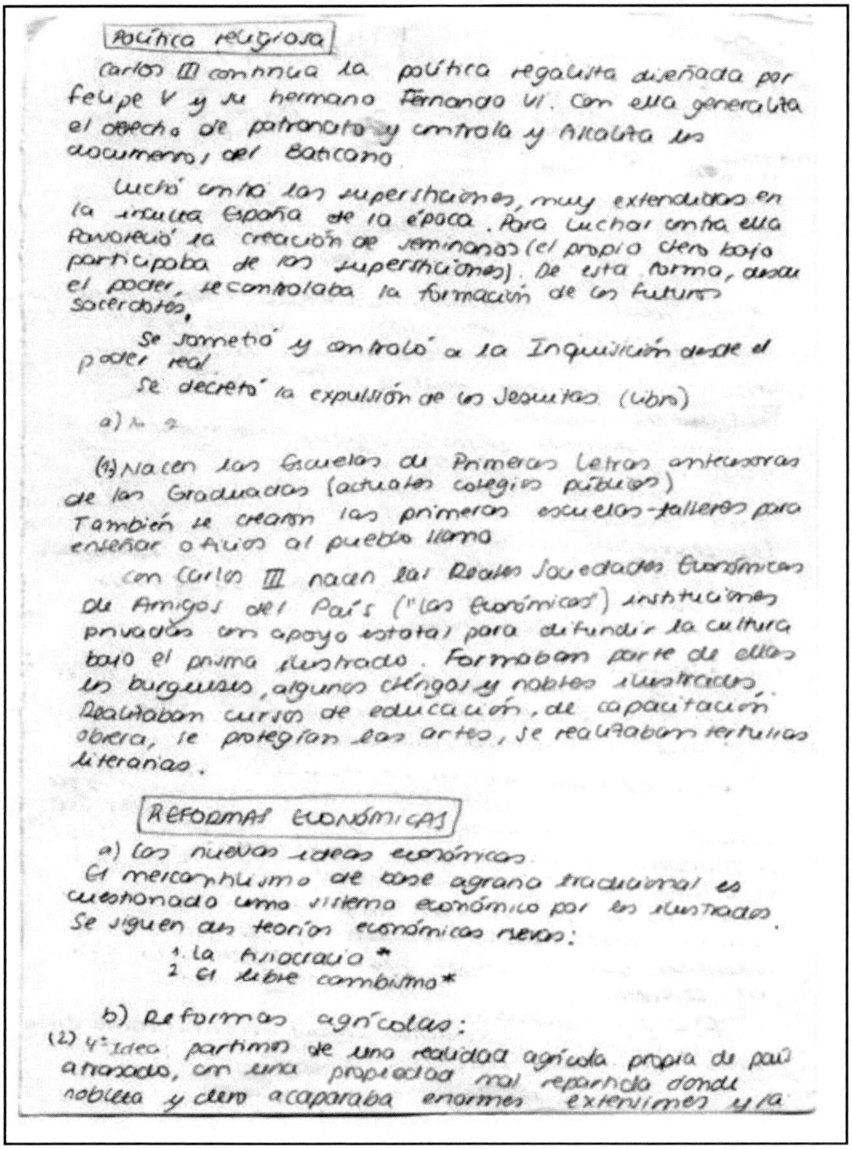

Política religiosa

Carlos III continúa la política regalista diseñada por Felipe V y su hermano Fernando VI. Con ella generaliza el derecho de patronato y controla y fiscaliza los documentos del Vaticano.

Luchó contra las supersticiones, muy extendidas en la inculta España de la época. Para luchar contra ella favoreció la creación de seminarios (el propio clero bajo participaba de las supersticiones). De esta forma, desde el poder, se controlaba la formación de los futuros sacerdotes.

Se sometió y controló a la Inquisición desde el poder real.

Se decretó la expulsión de los Jesuitas. (Libro)

a) h. 2

(1) Nacen las Escuelas de Primeras Letras antecesoras de las Graduadas (actuales colegios públicos). También se crean las primeras escuelas-talleres para enseñar oficios al pueblo llano.

Con Carlos III nacen las Reales Sociedades Económicas de Amigos del País ("las económicas") instituciones privadas con apoyo estatal para difundir la cultura bajo el prisma ilustrado. Formaban parte de ellas los burgueses, algunos clérigos y nobles ilustrados. Realizaban cursos de educación, de capacitación obrera, se protegían las artes, se realizaban tertulias literarias.

Reformas económicas

a) Las nuevas ideas económicas.
El mercantilismo de base agraria tradicional es cuestionado como sistema económico por los ilustrados. Se siguen las teorías económicas nuevas:
1. La fisiocracia *
2. El libre cambismo *

b) Reformas agrícolas:
(2) 4ª idea partimos de una realidad agrícola propia de país atrasado, con una propiedad mal repartida donde nobleza y clero acaparaba enormes extensiones y la

Figura 63 (documento 4, anverso).. El libro como cuaderno: el tema de Carlos III. Ampliaciones externas: reelaboración del contenido por otra autora. Política religiosa y económica. Declarante 3068
Fuente: fondos propios (Legado NMV)

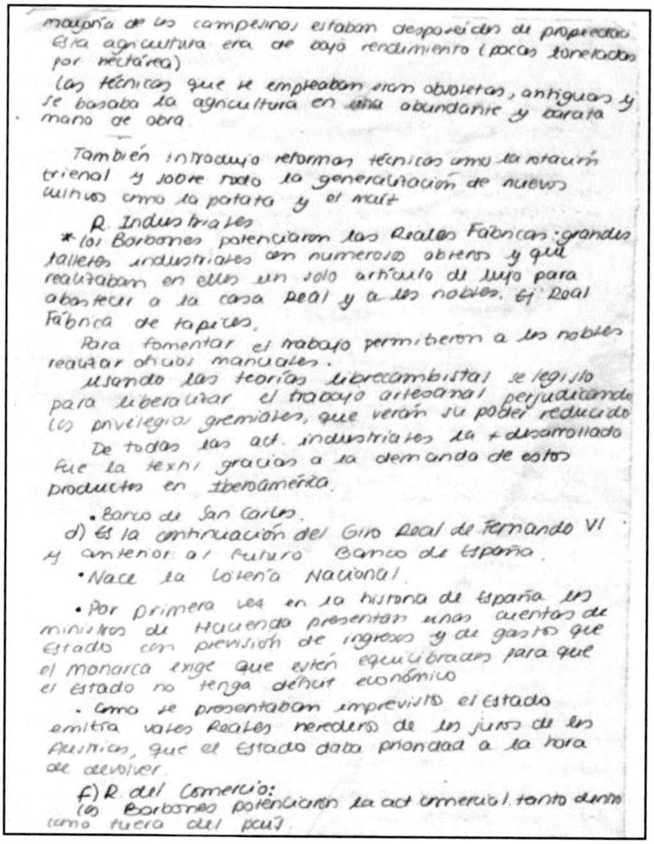

mayoría de los campesinos estaban desposeídos de propiedad.
Esta agricultura era de bajo rendimiento (pocas toneladas por hectárea)
Las técnicas que se empleaban eran obsoletas, antiguas y se basaba la agricultura en una abundante y barata mano de obra

También introdujo reformas técnicas como la rotación trienal y sobre todo la generalización de nuevos cultivos como la patata y el maíz

R. Industriales
* Los Borbones potenciaron las Reales Fábricas: grandes talleres industriales con numerosos obreros y que realizaban en ellos un solo artículo de lujo para abastecer a la casa Real y a los nobles. Ej Real Fábrica de tapices.
Para fomentar el trabajo permitieron a los nobles realizar oficios manuales.
Usando las teorías librecambistas se legisló para liberalizar el trabajo artesanal perjudicando los privilegios gremiales, que verán su poder reducido
De todas las act. industriales la + desarrollada fue la textil gracias a la demanda de estos productos en Iberoamérica.

• Banco de San Carlos.
d) Es la continuación del Giro Real de Fernando VI y anterior al futuro Banco de España.
• Nace la Lotería Nacional.
• Por primera vez en la historia de España los ministros de Hacienda presentan unas cuentas del Estado con previsión de ingresos y de gastos que el monarca exige que estén equilibrados para que el Estado no tenga déficit económico
• Como se presentaban imprevistos el Estado emitía vales Reales herederos de los juros de los Austrias, que el Estado daba prioridad a la hora de devolver.
f) R. del Comercio:
Los Borbones potenciaron la act comercial tanto dentro como fuera del país.

Figura 64 (documento 4, reverso). El libro como cuaderno: el tema de Carlos III. Ampliaciones externas: reelaboración del contenido por otra autora. Política económica. Signos de vinculación con el texto del manual.. Declarante 3068
Fuente: fondos propios (Legado NMV)

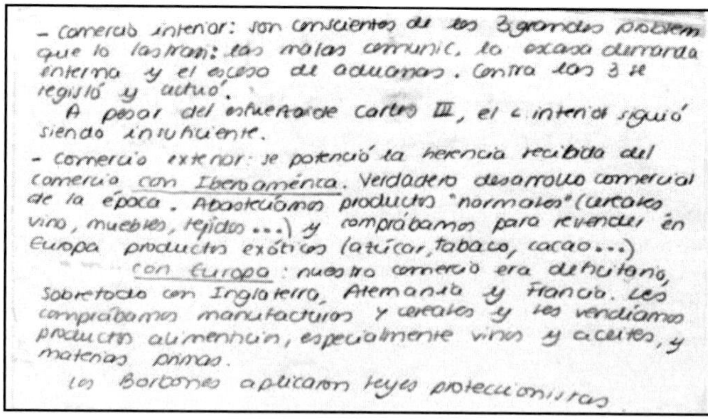

- Comercio interior: son conscientes de los 3 grandes problem que lo lastran: las malas comunic. la escasa demanda interna y el exceso de aduanas. Contra los 3 se legisló y actuó.
A pesar del esfuerzo de Carlos III, el c interior siguió siendo insuficiente.
- Comercio exterior: se potenció la herencia recibida del comercio con Iberoamérica. Verdadero desarrollo comercial de la época. Abastecíamos productos "normales" (cereales vino, muebles, tejidos...) y comprábamos para revender en Europa productos exóticos (azúcar, tabaco, cacao...)
con Europa: nuestro comercio era deficitario, sobretodo con Inglaterra, Alemania y Francia. Les comprábamos manufacturas y cereales y les vendíamos productos alimenticios, especialmente vinos y aceites, y materias primas.
Los Borbones aplicaron leyes proteccionistas

Figura 65 (documento 5). El libro como cuaderno: el tema de Carlos III. Ampliaciones externas: reelaboración del contenido por otra autora. Política económica, continuación. Declarante 3068
Fuente: fondos propios (Legado NMV)

Figura 66 (documento 6, anverso). El libro como cuaderno: el tema de Carlos III. Ampliaciones externas: reelaboración del contenido por otra autora. Política. Signos de vinculación con el texto del manual. Declarante 3068
Fuente: fondos propios (Legado NMV)

Figura 67 (documento 6, reverso). El libro como cuaderno: el tema de Carlos III. Ampliaciones externas: reelaboración del contenido por otra autora. Ampliaciones puntuales. Signos de vinculación con el texto del manual. Declarante 3068
Fuente: fondos propios (Legado NMV)

"El Sexenio Democrático". La ampliación con post-its (figura 68): estudio y análisis de la página del manual (tal y como se muestra y con la retirada de las ampliaciones)

La retirada de los apuntes (post-its) de la página 171 del manual de Historia de España, dejan al descubierto el primer tratamiento de la información realizada por la alumna. En la parte superior indica dos informaciones valiosas: se trata del tema 7 del programa y ese contenido está relacionado con las PAU.

Por otra parte, la información contenida en la página ha sido trabajada por las dos usuarias: subrayado en colores y subrayado en lápiz/boli. En cuanto al contenido, éste ha sido renumerado, constituyendo cuatro apartados:

1. La Gloriosa;
2. El gobierno provisional (realizaciones y problemas: campesinos y Cuba),
3. La regencia de Serrano (constitución de 1969 y
4. La búsqueda del nuevo rey: Amadeo de Saboya.

Igualmente hay pequeñas correcciones de nombres que son integrados en el interlineado de la información (*Víctor Manuel, ni simpatía ni rechazo, el ferrocarril y la industria, con su grito tradicional "la tierra para los que la trabajan", unionistas, la revolución ha triunfado, etc.*) Como ella ya nos recordaba la ampliación del contenido puede hacerse en:

3068. Los márgenes siempre los solía utilizar para anotar cosas que el profesor explicaba... Muchas veces como estaban cargados de post-its solía despegarlos y escribir en los propios márgenes para aprovechar el espacio, y después volvía a pegar los post-its en orden.

El lateral derecho está saturado de información que aparece numerada y que se puede identificar en el texto con números pequeños (encima de: Gobierno provisional[2] -desarrolla el Pacto de Ostende-, y después de sublevaciones campesinas[3]. La otra información está directamente vinculada con el texto, mediante flechas, y se desarrolla en torno a la imagen de la moneda de Isabel II, en ella se abordan los problemas de la búsqueda del nuevo rey. Es interesante señalar que la ampliación continúa en la parte superior del manual con el símbolo $\Longrightarrow$ Tal y como se ha señalado anteriormente, la otra ampliación externa de la información tiene su formalización en los post-its, que permiten una situación en las páginas más dinámica y la de poderlos doblar, como en muchos de los casos, y continuar en ellos la información tal y como comenta la alumna:

3068. Mientras mi profesor desarrollaba el tema en clase yo recogía lo que él iba diciendo y que no estaba en el libro. Todos esos apuntes que recogía siempre los escribía en post-its para así poder pegarlos en el libro en la página que correspondiese y a la hora de estudiar poder tenerlos en cuenta.

Nuevamente las ampliaciones están relacionadas con ambas autoras, abordando contenidos comunes y diferenciados. Todos están vinculados al texto mediante signos o números que, a veces, son difíciles de identificar. En ellos se amplían los temas de la constitución de 1869, las elecciones llevadas a cabo, o los problemas de gobierno.

La constitución del 1869 es objeto de atención y resumen por ambas autoras. El documento 7 (figura 70) recoge un breve resumen de la constitución que está perfectamente localizado en el texto del manual con el símbolo $\textcircled{0}$, el segundo (figuras 73 y 74), después de señalar que ningún partido obtuvo la mayoría, hacen énfasis en algunos de las ideas más relevantes de dicha constitución.

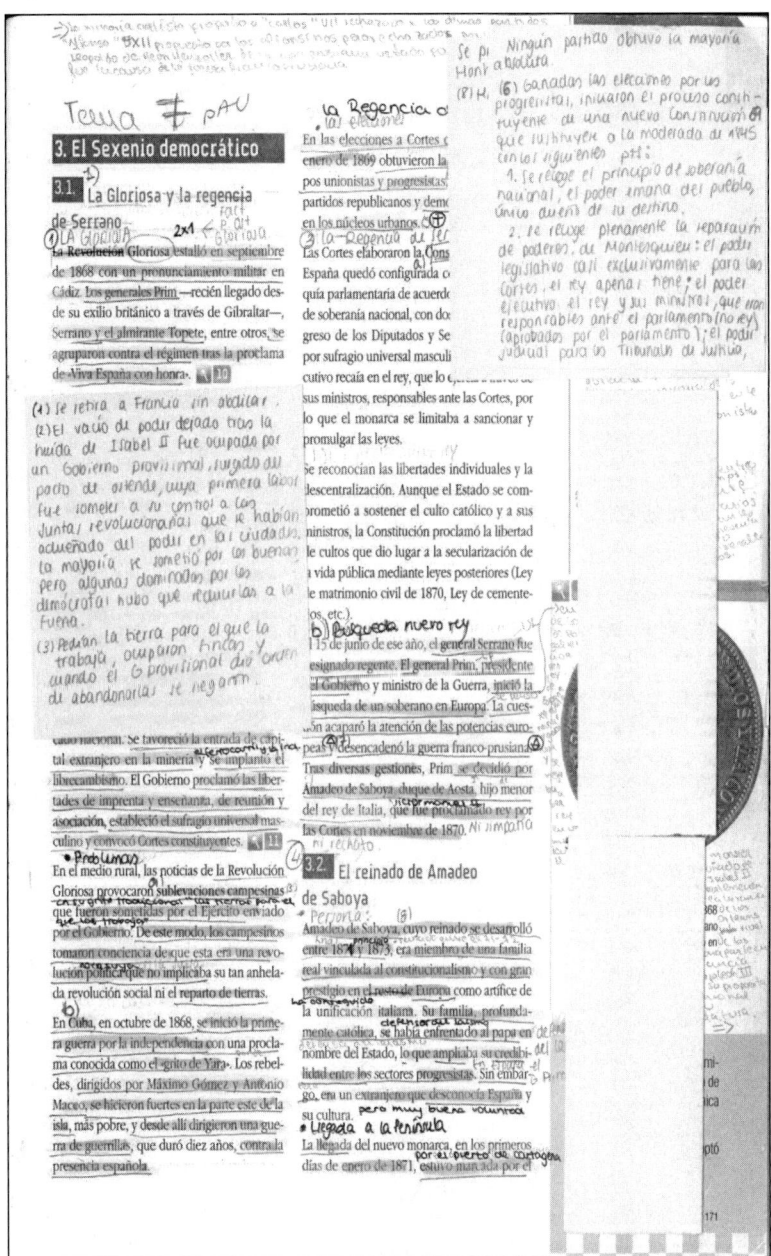

Figura 68. El libro como cuaderno: "El Sexenio Democrático". Los post-its de la parte inferior derecha se despliegan.
Visión de la página completa. Declarante 3068
Fuente: fondos propios (Legado NMV)

Figura 69. El libro como cuaderno: "El Sexenio Democrático". Visión de la página sin post-its: complejidad, densidad y huellas de las dos autoras. Declarante 3068
Fuente: fondos propios (Legado NMV)

(6) Constit 1869

- Soberanía nacional
- Se recoge separación poderes así:
  - Poder legislativo -> Cortes
  - Poder ejec -> los ministros en nombre del rey sometidos al control parlamentario.
  - Poder judicial -> Tribunal de justicia viene figura jurado.
- Se recoge la + amplia recopilación de deberes, derechos y libertades, e incluso se introducen derechos sociales.
- Las cortes son bicamerales congreso y Senado, ambas cámaras elegidas x ciudadanos en derecho a voto.
- Sufragio universal masculino mayoría edad 25 años
- Estado se declara laico. Libertad religiosa.
- Forma de Estado es una monarquía (aunq el jefe de estado es el rey) parlamentaria y constitucional
- La ideología de esta constit es progresista en aportaciones del partido demócrata.
- Su vigencia es hasta el año 1876 aunq intentó ser sustituida x la constit repbca 1873

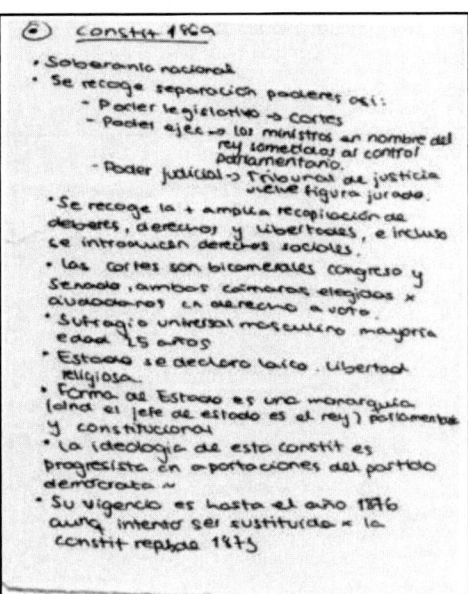

Figura 70 (documento 7). El libro como cuaderno: el Sexenio Democrático. La ampliación de la información en el manual con post-its: la "Constitución de 1868. Declarante 3068
Fuente: fondos propios (Legado NMV)

Ningún partido obtuvo la mayoría absoluta.
(6) Ganadas las elecciones por los progresistas, iniciaron el proceso constituyente de una nueva Constitución 69 que sustituyera a la moderada de 1845 con los siguientes ptos:
1. Se recoge el principio de soberanía nacional, el poder emana del pueblo, único dueño de su destino.
2. Se recoge plenamente la separación de poderes de Montesquieu: el poder legislativo casi exclusivamente para las Cortes, el rey apenas tiene; el poder ejecutivo el rey y sus ministros, que eran responsables ante el parlamento (no rey) (aprobados por el parlamento); el poder judicial para los Tribunales de Justicia,

por 1ª vez se implanta la figura del jurado.
3. Se recoge ampliamente los derechos, libertades y obligaciones. La más amplia de la historia de España hasta ese momento
4. El Estado se declara laico (libertad de cultos) y promovería leyes civiles (matrimonio civil, cementerio, beneficencia...)
5. Las Cortes son bicamerales, Congreso y Senado. Ambas cámaras elegidas por los ciudadanos con derecho a voto.
6. Sufragio universal masculino.

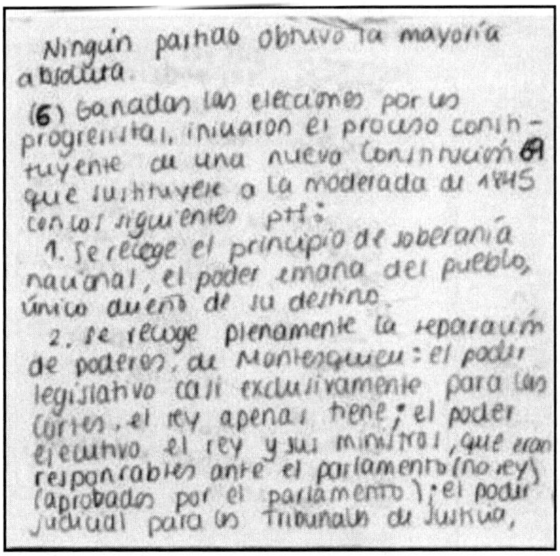

Figuras 71 y 72 (documento 8, anverso y reverso). El libro como cuaderno: el Sexenio Democrático. La ampliación de la información en el manual con post-its: la "Constitución de 1868". Declarante 3068
Fuente: fondos propios (Legado NMV)

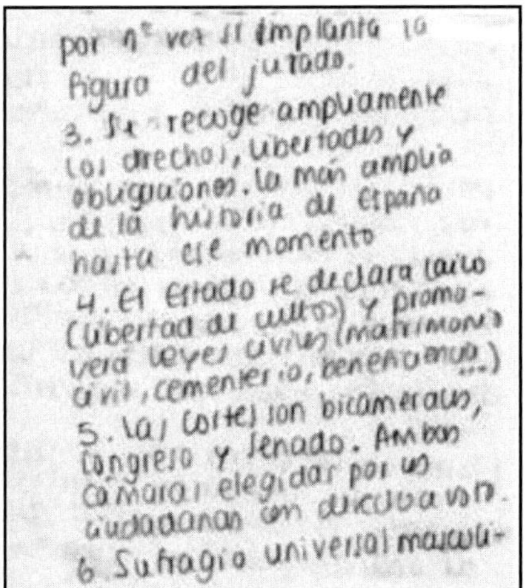

Los otros problemas abordados fueron: las dificultades del gobierno provisional (tras la salida de Isabel II), las elecciones de 1869 y la búsqueda de un nuevo rey, que ya fueron ampliados en los márgenes del manual.

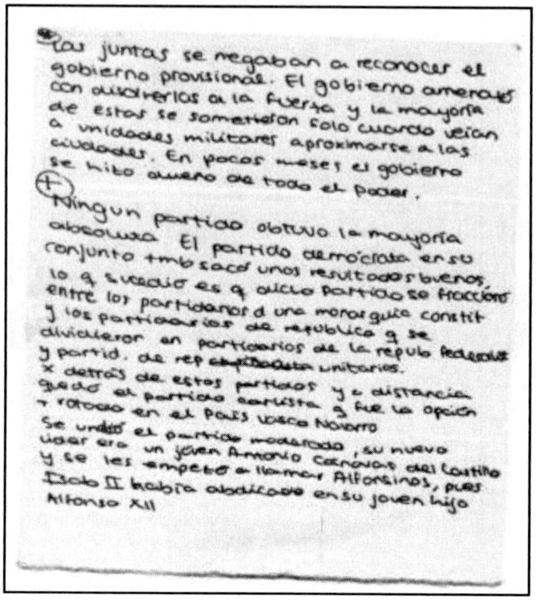
Las juntas se negaban a reconocer el gobierno provisional. El gobierno amenazó con disolverlas a la fuerza y la mayoría de estas se sometieron solo cuando veían a unidades militares aproximarse a las ciudades. En pocos meses el gobierno se hizo dueño de todo el poder.
(+)
Ningun partido obtuvo la mayoría absoluta. El partido demócrata en su conjunto tmb sacó unos resultados buenos, lo q sucedió es q dicho partido se fraccionó entre los partidarios d una monarquía constit y los partidarios de república q se dividieron en partidarios de la repub federal y partid. de rep unitarios.
x detrás de estos partidos y a distancia quedó el partido carlista q fue la opción + votada en el País Vasco Navarro
Se unió el partido moderado, su nuevo líder era un joven Antonio Cánovas del Castillo y se les empezó a llamar Alfonsinos, pues Isabel II había abdicado en su joven hijo Alfonso XII

Figura 73 (documento 10). El libro como cuaderno: el Sexenio Democrático. La ampliación de la información en el manual con post-its: Gobierno provisional y elecciones de 1869. Declarante 3068
Fuente: fondos propios (Legado NMV)

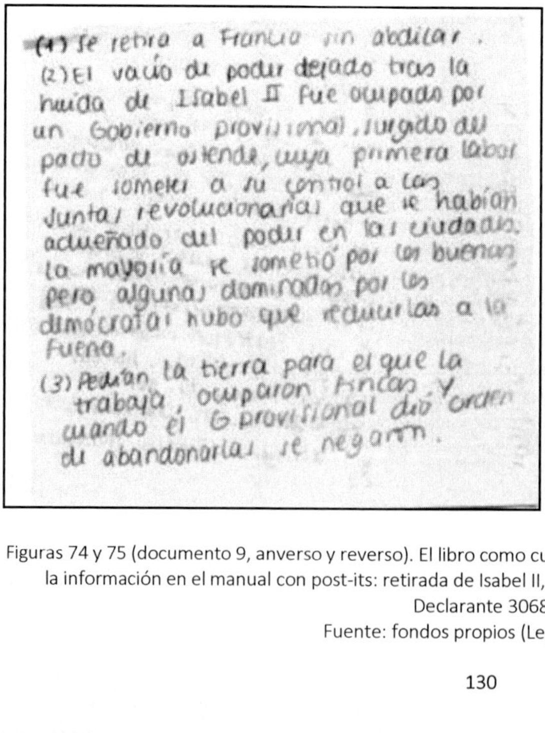
(1) Se retira a Francia sin abdicar.
(2) El vacío de poder dejado tras la huida de Isabel II fue ocupado por un Gobierno provisional, surgido del pacto de Ostende, cuya primera labor fue someter a su control a las Juntas revolucionarias que se habían adueñado del poder en las ciudades. La mayoría se sometió por las buenas pero algunas dominadas por los demócratas hubo que reducirlas a la fuerza.
(3) Pedían la tierra para el que la trabaja, ocuparon fincas y cuando el G provisional dió orden de abandonarlas se negaron.

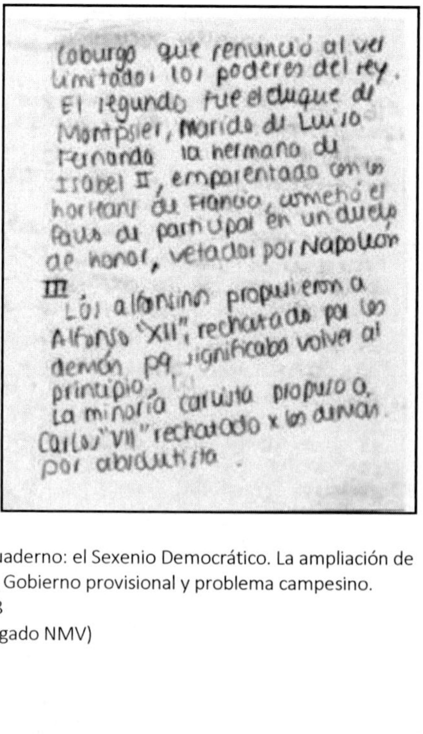
Coburgo que renunció al ver limitados los poderes del rey. El segundo fue el duque de Montpsier, marido de Luisa Fernanda la hermana de Isabel II, emparentado con los borbones de Francia, cometió el fallo de participar en un duelo de honor, vetado por Napoleón III.
Los alfonsinos propusieron a Alfonso "XII", rechazado por los demócratas pq significaba volver al principio.
La minoría carlista propuso a Carlos "VII" rechazado x los demás por absolutista.

Figuras 74 y 75 (documento 9, anverso y reverso). El libro como cuaderno: el Sexenio Democrático. La ampliación de la información en el manual con post-its: retirada de Isabel II, Gobierno provisional y problema campesino. Declarante 3068
Fuente: fondos propios (Legado NMV)

El manual como registro de la gestión del contenido

No se puede dejar de señalar, ya se han hecho mención a ellas, las evidencias que, normalmente localizadas en la parte superior de las páginas, están referidas a la correspondencia con el programa de la asignatura (indicando el tema con el que está vinculada), la relación con los exámenes y evaluaciones que se realizan, su vinculación con los exámenes externos (PAU), e incluso alguna (muy escasa) valoración personal de los contenidos. Obviamente es una huella muy importante para la situación del alumnado en el marco general de la asignatura:

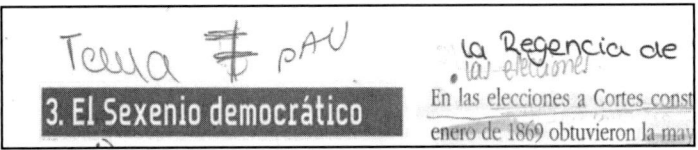

Figura 76. Huellas en el manual. Gestión del manual: relación con el temario y PAU. Declarante 3068
Fuente: fondos propios (Legado NMV)

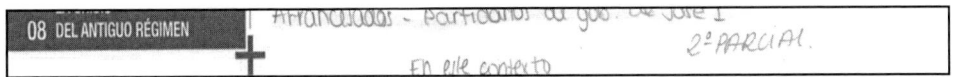

Figura 77. Huellas en el manual. Gestión del manual: relación con la evaluación. Declarante 3068
Fuente: fondos propios (Legado NMV)

Figura 78. Huellas en el manual. Gestión del manual: relación con la evaluación. Declarante 3068
Fuente: fondos propios (Legado NMV)

Figura 79. Huellas en el manual. Apreciación personal. Declarante 3068
Fuente: fondos propios (Legado NMV)

Así, el manual con apuntes externos o integrados en él, constituye un número significativo de casos en este estudio. Estos tres escenarios han descrito y ejemplificado lo que los alumnos hacen con el manual, llegando incluso a casi ver al discente, con todos los recursos desplegados, en su casa trabajando y estudiando. Sin duda, cada uno de ellos es un ejemplo personal e intransferible necesario de recoger, y no olvidar que tras la ciencia hay siempre un sujeto que vive y siente, como en estos casos, un mundo muy personal dejando sus evidencias en esos objetos-huella, que se convierte en un legado que hay que preservar para su conocimiento futuro.

CAPÍTULO IV

IV. USO DEL MANUAL
DENTRO Y FUERA DEL AULA:
regularidades

CAPÍTULO IV

IV. USO DEL MANUAL DENTRO Y FUERA DEL AULA: regularidades

Así pues, con "su libro de Historia de España" delante (objeto y huella), se les pidió que explicasen todo ese mundo de "vestigios" (subrayados, anotaciones, etc.) que en ellos quedaban recogidos, permitiendo profundizar en su significado de la mano de sus autoras. De esta forma, el objeto y la huella se enriquecen con las declaraciones del alumnado, narrando lo que en "su manual" está recogido. (Martínez-Valcárcel, 2016, p. 78)

La cita anterior introduce adecuadamente lo que es el sentido de este capítulo, interpretar y categorizar (desde las valoraciones llevadas a cabo por los estudiantes), las huellas que los alumnos han dejado en sus manuales, sistematizando la información que en el capítulo anterior se ha presentado individualmente.

Así pues, se pidió a los discentes que valoraran y justificaran ese uso del manual en torno a cuatro apartados de reflexión. En cada uno de ellos se les solicitó que ponderaran[32] el uso de los recursos contenidos en los manuales (utilizados por el profesor en el aula y ellos en casa) y las tareas que realizaban con el manual en los dos contextos indicados. Concretamente presentaba la siguiente organización:

- uso de los recursos contenidos en los manuales por parte del profesor en el aula,
- tareas que el alumnado realizaba con los manuales en el aula,
- uso de los recursos contenidos en los manuales por parte del alumno en casa y,
- tareas que el alumnado realizaba con los manuales en casa.

---

[32] Además de la valoración mediante escala Likert, se les pidió que justificaran la valoración realizada. También se les solicitó el uso de los apuntes e internet, aunque esa información no ha sido utilizada en este trabajo.

IV.1. EL LIBRO DE TEXTO DE HISTORIA DE ESPAÑA:
Editoriales y adquisición por el alumnado

La investigación sobre el contenido del libro de texto de historia es abundante, a la vez que el estudio de la importancia de las editoriales y los problemas de gratuidad[33]. No se entrará en esa línea necesaria de estudio, pero se realizará una descripción de las editoriales declaradas por los alumnos, una breve referencia a los resultados que esta línea de investigación ya estudió con el profesorado en el año 2006 y, por último, se referirán algunos estudios desarrollados a nivel nacional.

Por otra parte, en la medida de lo posible, se señalará la forma en la que el estudiante ha adquirido el manual. El trabajo del alumno en los libros de texto deja una huella en sus páginas, como se ha visto en el capítulo anterior. La existencia de dos o más alumnos que utilizan el mismo manual, genera una información que (tanto desde el punto de vista didáctico, como desde el personal) es preciso conocer por el alcance y significado que tiene.

Cabe recordar lo que el objetivo de este trabajo es el uso concreto que se hace del libro de texto, sin embargo, al registrarse en la recogida la información de la editorial con la que trabajaban, es también valioso constatar este hecho.

Conviene recordar, desarrollado en el capítulo metodológico, que la muestra estudiada suponía el 22,9% de los Centros que impartían Bachillerato, por lo que se puede considerar que los datos obtenidos sobre las editoriales tienen una cierta representatividad Regional. Más concretamente la editorial Vicens-Vives está presente en el 34% de los casos (uno de cada tres libros de texto), Santillana y Edelvives, con cuatro casos cada una, siguen en la frecuencia de uso, mientras que el resto apenas tiene representación. La tabla 13 recoge estos resultados.

Tabla 13. Manuales utilizados para el estudio de Historia de España en la Región de Murcia.

Qué libro utilizas como manual		
	Frecuencia	Porcentaje
Vicens Vives	10	34,6
Santillana	4	13,8
Edelvives	4	13,8
Almadraba	2	6,9
Oxford	2	6,9
Bruño	1	3,4
Akal	1	3,4
Diego Marín	1	3,4
Manual/apuntes elaborados	4	13,8
Total	29	100,0

Fuente: elaboración propia (Legado NMV)

Referidos a otras investigaciones sobre el tema de la presencia de las editoriales en la enseñanza-aprendizaje de Historia de España, podemos señalar la coincidencia, en general,

---

[33] Desarrollada en el apartado II.4

con dichos resultados, tanto en la línea de investigación que seguimos (Martínez-Valcárcel, Valls y Pineda, 2009), como en los trabajos realizados por Valls (2008), Sáiz (2011) y Carriazo (2014).

Por otra parte, cuando se profundiza en el uso de los manuales hay que considerar dos situaciones: cuando era nuevo y cuando era de segunda mano[34]. Cuando el manual es de segunda mano está subrayado y el trabajo realizado puede ser útil, si era el mismo profesor, o tenerlo que reestructurar si era otro el docente[35]. Acceder a esa información ha sido una aportación necesaria para la comprensión del uso del manual y, dentro de cierta generalidad que puede otorgarse a los datos obtenidos, hay que señalar que *la mitad de los manuales son utilizados por segunda o tercera* vez, un hecho muy interesante a destacar por su alcance y significado.

IV.2. LOS RECURSOS QUE CONTIENEN LOS MANUALES: uso de los mismos dentro y fuera del aula

El formato del libro de texto se estructura en torno a un conjunto de recursos de los que se destacan: los textuales (texto del autor, documentos, páginas Web recomendadas e Internet), los icónicos (mapas, gráficos, ejes cronológicos e imágenes) y las actividades (comentario de texto y actividades propiamente dichas) que son, o no, utilizados por el profesorado y el alumnado en los procesos de enseñanza-aprendizaje de Historia de España (Carretero y Montanero, 2008; Sáiz y Valls, 2014).

El primer dato general que puede aportarse de los alumnos que han declarado su uso, es de 1,25 (media de uso de todos los recursos del manual) por parte del docente en el aula, y de 0,94[36] en casa por parte del alumnado (resultados que indican un menor uso en la casa, coincidiendo con lo expresado por Borries *et al.* (2006), aunque no tan bajo como señalan estos autores. Por otra parte, profundizando en cada uno de los recursos, son el texto del autor y los documentos, tanto en el aula como en casa, los más utilizados por el profesorado y el alumnado (Gráfica 4), con valores muy próximos a 3.

Igualmente, es interesante destacar, a pesar de su baja ponderación, la consulta a las páginas Web, lo que implica la existencia de otra fuente de información distinta del libro y del profesor (como ya se indicó en el apartado III.1.5). Los recursos icónicos tienen una referencia de manejo mucho menor, aún más acusada cuando el alumno trabaja en casa,

---

[34] La adquisición de libros de texto usados está organizada en muchos centros a nivel a la Asociación de Padres (AMPA) (http://ampainfantemurcia.blogspot.com.es/ http://libros.ieslaflota.es/libros), a nivel regional en unos días determinados "Mercadillo trueque de libros de texto" reseñado en la prensa http://www.laverdad.es/murcia/v/20120910/region/trueque-libros-texto-barrio-20120910.html, y a nivel nacional http://www.consumer.es/web/es/educacion/escolar/2010/07/10/194254.php también encontramos recomendaciones de los Institutos para el "uso del manual por parte del alumnado" (no poner sus nombres, subrayar con lápiz, etc.) para poderlos utilizar en años sucesivos.

[35] La posibilidad de que el libro no sea nuevo supone que está trabajado ya, con lo que eso implica 3012. Yo *tenía un libro que ya había sido utilizado, un compañero del año anterior me lo había dejado, por tanto hay dos tipos de subrayado..."*

[36] Siendo el valor máximo 4.

aunque (como puede apreciarse en las tablas 14 y 15) sí hay un núcleo de discentes que las utilizan significativamente. Por último, las actividades contempladas en los manuales son también consideradas por los docentes y discentes en las aulas y en la casa, sobre todo los comentarios de texto por su vinculación con las PAU.

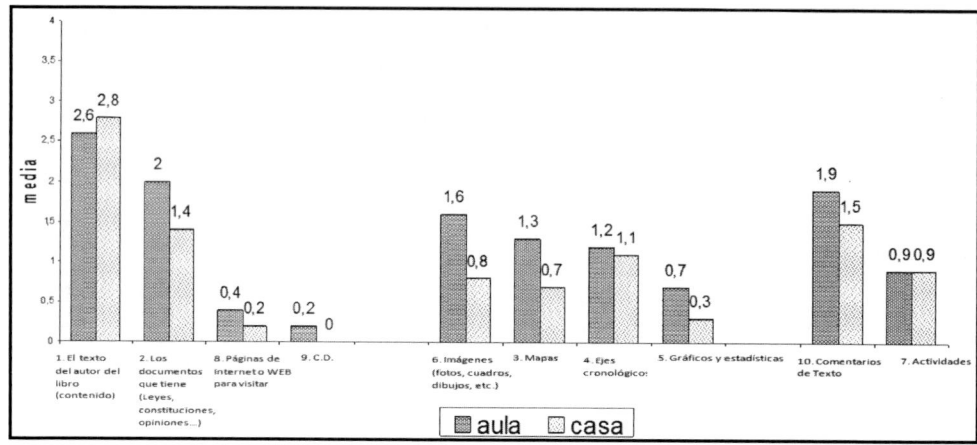

Gráfica 4. Media de los recursos utilizados por el alumnado dentro y fuera del aula
Fuente: elaboración propia (Legado NMV)

Profundizando en el uso general, pero considerando individualmente las apreciaciones del uso de cada uno de los recursos del libro en el aula y fuera de ella (Tablas 14 y 15), se pueden constatar dos bloques de utilización. Se ha mantenido la categorización de los resultados de la tabla 14 (aula) en la tabla 15 (casa), con la finalidad de mantener la misma referencia en ambas valoraciones.

El primer grupo está centrado en el contenido proporcionado por los libros de texto de Historia de España, bien sea el texto del autor, los documentos o los comentarios de texto. Este grupo es mayoritario y se podría decir que bastante representativo en los procesos de enseñanza-aprendizaje de esta asignatura. En él podemos apreciar también el uso de los ejes cronológicos, imágenes y mapas que proporciona el manual, aunque con una ponderación menor que los otros recursos citados. Igualmente hay que señalar, como puede evidenciarse en las tablas 14 y 15, que es un proceso decreciente (desde el participante 3045 hasta el 3020), que puede indicar el nivel de uso del manual en las aulas de Historia de España.

El segundo de los grupos, menos numeroso, está centrado en la utilización de los recursos icónicos, mapas, gráficos y ejes cronológicos. Es un grupo con menos integrantes y está más disperso. Esta identificación nos induce a pensar en otro tipo de procesos de enseñanza-aprendizaje, más centrada en las exposiciones y debates apoyados en torno a estas evidencias de la enseñanza de la Historia de España.

En el tercer grupo es más problemático identificar la prevalencia del recurso de manual empleado, incluso en un participante el manual no se ha utilizado.

Tabla 14. Uso de los recursos del libro en el aula

Nº	texto autor	Docu-mentos	Comen. Texto	Imáge-nes	Mapas	Ejes cronológicos	Activi-dades	Gráficos	WEB visitar	C.D.
3045	mucho	mucho	mucho	mucho	mucho	algo	algo	mucho		
3043	mucho	mucho	mucho	algo	algo	algo	algo	algo		
3010	mucho	mucho			mucho	algo			algo	
3058	mucho	mucho	mucho		algo	algo	algo			
3064	mucho	mucho	mucho	algo		algo				
3027	mucho	mucho	mucho			algo	algo			
3054	mucho	mucho	algo		algo	algo		algo		
3009	mucho	mucho		algo	algo	mucho		algo		
3033	mucho	algo	mucho	algo	algo	algo	algo		algo	
3034	mucho	algo	mucho	algo	algo	algo		algo		
3002	mucho	algo			algo			algo		algo
3008	mucho	algo	algo	algo	mucho		mucho	algo		
3068	mucho	algo	algo			algo		algo		
3063	mucho	algo	algo	algo	algo	algo				
3031	mucho	algo		mucho						
3020	mucho	algo				algo				mucho
3066	algo	mucho	mucho	mucho	algo	algo		algo	mucho	
3005	algo	mucho		mucho	algo	algo	algo			
3029	algo	algo	algo	algo	mucho	mucho	mucho	algo		
3056	algo	algo	algo	mucho	mucho	algo		algo		
3032	algo	algo	algo	mucho		algo				
3023	algo	algo	algo	algo			algo	algo		
3065	algo	algo		mucho			mucho	algo	mucho	algo
3030	algo	algo			algo	algo				
3037	algo	algo		mucho						
3055	algo		algo	algo						
3004		mucho		algo	algo	algo	algo	algo		
3007		algo	mucho	algo	algo	algo	algo		algo	
3051										

Fuente: elaboración propia. (Legado NMV)

Tabla 15. Uso de los recursos del libro en casa

Nº	texto autor	Docu-mentos	Comen. Texto	Imáge-nes	Mapas	Ejes cronológicos	Activi-dades	Gráficos	WEB visitar	C.D.
3007	mucho	mucho	mucho			algo				
3064	mucho	mucho	mucho			algo				
3033	mucho	algo	mucho	algo		algo	algo		algo	
3045	mucho	mucho	mucho		mucho	algo	algo	algo		
3058	mucho	mucho	mucho		algo	algo	algo			
3027	mucho	mucho	mucho			algo				
3034	mucho	algo	mucho		algo	algo				
3054	mucho	algo	algo			algo				
3008	mucho		algo	algo	algo		mucho			
3009	mucho	mucho		algo		mucho	algo	algo		
3043	mucho	algo		algo	algo	algo	algo			
3031	mucho			algo	algo	algo				
3010	mucho	mucho	mucho			mucho	algo			
3002	mucho		algo		mucho		algo			
3068	mucho	algo				algo				
3065	mucho			mucho			mucho		algo	
3063	mucho					algo				
3020	mucho									
3029	algo	algo	algo	algo	mucho	mucho	mucho	algo		
3032	algo	algo				algo				
3023	algo			algo						
3051	algo					algo				
3055	algo									
3066	algo		mucho	algo	algo	mucho	algo	algo	mucho	
3004	algo	mucho								
3030	algo	algo		mucho	algo	algo	mucho			
3037	algo									
3056		algo	algo	algo	algo	algo		algo		
3005						algo				

Fuente: elaboración propia. (Legado NMV)

IV.3. EL TRABAJO DEL ALUMANADO EN EL MANUAL:
evidencias de las tareas realizadas

La información sobre el uso de los recursos del manual es significativa, en la medida de lo que aporta a esa realidad descrita y vivida por el alumnado, pero queda profundizar en lo que es la actividad que se genera con los manuales dentro y fuera de las aulas. Así pues, de acuerdo con las evidencias y las declaraciones realizadas, es preciso analizar:

a. La apariencia de las huellas dejadas en los manuales,
b. Las huellas relacionadas con la información
c. Las huellas vinculadas con la gestión.

Por otra parte, es preciso aludir a las tareas, a las que reiteradamente aluden los alumnos, vinculadas con su trabajo con los manuales: atender, registrar las informaciones más relevantes, comprender y estudiar.

En gran medida, estas tareas no se alejan de lo que Bodo et al. (2006) recogen en su investigación: "El trabajo realizado durante la clase (...) se basa más bien en la comprensión de las fuentes del texto y las ilustraciones, que en la discusión sobre "las dificultades y contradicciones" y en "la crítica y la verificación" (p. 5). Así, textualmente lo expresa el alumnado cuando explica el uso de los recursos que el texto posee:

3007. Tenía que atender, pues era primordial para poder hacerte el tema y poder entenderlo.

3009. Estaba pendiente a las explicaciones, e iba subrayando del libro lo que veía que iba diciendo, para luego ahorrar tiempo en casa.

3010. Cuando la profesora desarrollaba el tema yo me dedicaba básicamente a escuchar y asimilar la información.

3020. Las clases en que el profesor utilizaba el libro de texto para explicar el tema, solía prestar atención y subrayar lo importante que iba explicando.

3029. Atendía a las explicaciones del profesor, siempre siguiendo el libro.

3033. Mientras que la profesora desarrollaba el tema la escuchaba e intentaba ir siguiendo su explicación en el libro.

3043. Estaba atenta de todo lo que decía el profesor porque todo lo que escuchará en clase luego lo tenía ya avanzado a la hora de estudiar.

4045. Mientras el profesor explicaba los contenidos de la asignatura, en algunas ocasiones tomaba apuntes, pero la mayor parte del tiempo atendía mientras subrayaba lo que iba diciendo en el libro.

3054. Nosotros nos dedicábamos a atender a la explicación, mientras subrayábamos ideas principales que la profesora iba remarcando y siguiendo lo que ella explicaba en el libro de texto.

3058. Mientras mi profesora explicaba el tema, yo permanecía en silencio tomando las notas en el libro que creía necesario y que eran importantes sobre aquello que decía.

3063. Yo iba subrayándome el libro o los apuntes que tocaran ese día mientras para ahorrarme así ese trabajo luego en casa.

3064. Mientras la profesora explicaba el temario del libro yo permanecía en mi sitio escuchando.

3068. Mientras mi profesor desarrollaba el tema en clase yo recogía lo que él iba diciendo y que no estaba en el libro.

Chartier (2009), en su artículo titulado "Los cuadernos escolares: ordenar los saberes escribiéndolos", señalaba, por una parte, la importancia que dichos cuadernos tienen para "ayudarnos a entender el funcionamiento de la escuela de una manera diferente de cómo lo hacen los textos oficiales" (p. 7) y, por otra, cómo esos saberes son necesarios escribirlos, en el sentido total del término, para saberlos. Sin duda, el uso de los libros de texto, tal y como se viene manteniendo en este trabajo, proporciona evidencias reales de lo que hacía el alumnado en sus páginas. Ya se han presentado alguno de ellos en el apartado III.2, y la mera mirada a su interior muestra algo más que un simple recurso de información externo. En muchos de ellos, o al menos en las partes trabajadas, las anotaciones van mucho más allá de un sencillo subrayado, ya que: se modifica el contenido, se amplia, esquematiza, rechaza, indica su relevancia, se relaciona con el programa, se destaca su vinculación con los procesos de evaluación, se fecha en el tiempo, ayuda a la realización de temas personales, etc.; casi un "cuaderno escolar" personal, aunque a veces sea un manual heredado o prestado, con todo lo que ello significa. Unos trabajos que podrían relacionarse con el modelo ecológico de Doyle, que ya en el año 1978 hablaba sobre las demandas de aprendizaje:

> Aprender a seleccionar las estrategias de procesamiento del material académico requerido en función de la peculiar forma de definir la estructura de tareas. ¿Se pide memorizar, aplicar reglas, buscar problemas, formular hipótesis, diseñar proyectos, experimentar métodos, relacionar conocimientos, resolver problemas concretos, abstractos...? Cada una de estas formas diferentes de definir las demandas requiere la utilización de distintas estrategias de procesamiento de la información por parte del alumno, y como consecuencia, procesos y resultados de aprendizaje también diversos. El aprendizaje requiere algo más que la capacidad de procesar el contenido de una disciplina, requiere también reconocer el modo de procesamiento adecuado a las demandas de la tarea. (Gimeno y Pérez, 1989, p. 132)

Evidentemente, tal y como continuamente declaran profesores y alumnos, la superación de las PAU de Historia de España es el principal objetivo, después de aprobar la asignatura en Bachillerato. Las demandas que esa prueba exige serán objeto de los procesos de enseñanza-aprendizaje y, por lo tanto, del contenido a estudiar y de las capacidades cognitivas que de dicha prueba se deriven.

Más concretamente, el protocolo de examen de PAU realizado[37] por estos alumnos en el mes de junio del año 2013, fue el que a continuación se muestra en la figura 80[38]. Cabe destacar para nuestro estudio los criterios de calificación que explícitamente señala, siendo un referente muy conveniente para comprender mejor la investigación que se realiza en este trabajo. Otro documento muy importante son las "orientaciones" que desde la coordinación de la universidad, se facilita al profesorado[39] (figura 81). Las recomendaciones son las del curso 2015, pero son las mismas que las de 2013, pues no ha cambiado la estructura de la prueba. Cabe destacar, como veremos más adelante, las orientaciones para la puntuación de esta prueba organizada en torno a: "Introducción", "Desarrollo" y "Conclusiones", que, serán unos referentes muy utilizados por los alumnos en la gestión del libro de texto.

---

[37] Cabe señalar que todos la aprobaron con una media superior a 7 puntos.

[38] No es el objetivo el estudio de esta prueba, pero sí un documento que ayuda a comprender lo que ocurre en las aulas de 2º de Bachillerato.

[39] En: http://www.um.es/web/vic-estudios/contenido/acceso/pau/materias-coordinadores

PRUEBAS DE ACCESO A LA UNIVERSIDAD PARA ALUMNOS DE BACHILLERATO LOE

Junio 2013
HISTORIA DE ESPAÑA. CÓDIGO 131

OBSERVACIÓN: El examen consta de dos opciones cerradas (A o B). El alumnado deberá elegir solamente una de estas dos opciones y contestar a las dos cuestiones dentro de cada una de ellas.

OPCIÓN A

PRIMERA PARTE: DESARROLLE EL SIGUIENTE TEMA (máximo de 4 puntos sobre 10: 0,5 puntos máximo para la introducción, 3 puntos máximo para el desarrollo del tema, más 0,5 puntos máximo para las conclusiones).

Tema: Al Andalus: evolución política.

SEGUNDA PARTE: COMENTARIO DE TEXTO (máximo de 6 puntos sobre 10: 1 punto máximo para la clasificación y tipología del texto, 2 puntos máximo para el análisis del texto, 2 puntos máximo para el contexto histórico y 1 punto máximo para las conclusiones).

Texto: **AMADEO I RENUNCIA A LA CORONA DE ESPAÑA.**

Al Congreso:
Grande fue la honra que merecí a la nación española eligiéndome para ocupar su trono. Dos años largos ha que ciño la Corona de España y la España vive en constante lucha. Si fuesen extranjeros los enemigos de su dicha, entonces, al frente de estos soldados, tan valientes como sufridos, sería el primero en combatirlos; pero todos los que con la espada, con la pluma, con la palabra, agravan y perpetúan los males de la Nación son españoles; todos invocan el dulce nombre de la patria, todos pelean y se agitan por su bien...
Entre tantas y tan opuestas manifestaciones de la opinión pública, es imposible atinar cuál es la verdadera, y más imposible todavía hallar el remedio para tamaños males. Lo he buscado ávidamente dentro de la ley y no lo he hallado. Fuera de la ley no ha de buscarlo quien prometió observarla. Nadie achacará a flaqueza de ánimo mi resolución. Estas son, señores diputados, las razones que me mueven a devolver a la Nación, y en su nombre a vosotros, la Corona que me ofreció el voto nacional, haciendo de ella renuncia por mí, por mis hijos y sucesores.

Amadeo.- Palacio de Madrid, 11 de febrero de 1873

OPCIÓN B

PRIMERA PARTE: DESARROLLE EL SIGUIENTE TEMA (máximo de 4 puntos sobre 10: 0,5 puntos máximo para la introducción, 3 puntos máximo para el desarrollo del tema, más 0,5 puntos máximo para las conclusiones).

Tema: Carlos V: política interior y política exterior.

SEGUNDA PARTE: DESARROLLE EL SIGUIENTE TEMA (máximo de 6 puntos sobre 10: 0,5 puntos máximo para la introducción, 4,5 puntos máximo para el desarrollo del tema, más 1 punto máximo para las conclusiones).

Tema: La creación del Estado franquista: fundamentos ideológicos y apoyos sociales.

Figura 80. *Prueba de Acceso a la Universidad* Junio 2013
Fuente: Universidad de Murcia

EJEMPLO DE EXAMEN

Es un **ejemplo**, no se trata de ningún ejercicio vinculado a decisión alguna. **Pueden salir estos epígrafes y texto o cualquier otro. O no**. Lo que interesa es el tipo de examen acordado desde la Coordinación General de las Pruebas de Acceso a la Universidad de la Región de Murcia.

OPCIÓN A.

PRIMER PARTE DEL EXAMEN. MÁXIMO 4 PUNTOS.

Se corresponderá con epígrafes de la primera parte —*Raíces históricas de la España contemporánea*—, y de su primer bloque —*Pervivencia del legado romano...*—.

-Factores del proceso de romanización

Introducción: 0,5
Desarrollo: 3
Conclusión: 0,5

SEGUNDA PARTE DEL EXAMEN. MÁXIMO 6 PUNTOS.

-Las Cortes de Cádiz. La Constitución de 1812
Tema para desarrollar

Introducción: 0,5
Desarrollo: 4,5
Conclusiones: 1

Se han escogido los primeros epígrafes de ambas partes, sin otro criterio, y con el fin de que sirvan para confeccionar este examen ejemplo de todos los posibles.

En esta opción A, siempre entrará un epígrafe de la primera parte especificada (*Pervivencia...*), y un tema O un texto del siglo XIX.

Figura 81. Orientaciones dadas desde la coordinación de la universidad
Fuente: Universidad de Murcia

Estas informaciones son marcos muy valiosos para la interpretación de las huellas y las valoraciones realizadas por el alumnado en sus manuales de Historia de España, que se analizarán en el apartado siguiente.

IV.3.1. El contexto, la apariencia y la organización de las huellas en el manual

En el capítulo III, se expusieron los tres escenarios en los que el manual era utilizado, en ellos ya se mostraron las huellas dejadas por el alumno. En este se va a estudiar, desde las regularidades halladas en los 29 casos estudiados: las huellas dejadas y las valoraciones que hacen los alumnos en sus propios manuales, la organización de las evidencias dejadas, el uso que se hace del libro de texto y las tareas realizadas en ellos. Más concretamente se abordan los siguientes contenidos:

A. El contexto de la información: lo vivido en primera persona.
B. La organización de la huella en los manuales: regularidades y estilos.
C. La evidencia de la huella.
D. El instrumento para destacar la información: personalización de la apariencia.

IV.3.1.1. El contexto de la información: lo vivido en primera persona

Es importante este apartado, por ello le dedicamos el capítulo anterior en el que ejemplificamos, en tres situaciones, las vivencias del alumnado, mostrando una historia viva y vivida de un periodo de los estudios realizados por cada alumno. A él nos remitimos para la comprensión de este trabajo.

Las valoraciones realizadas en el capítulo III, ayudan a comprender todo este mundo complejo en el que está inmerso el "uso del manual por profesores y alumnos en las aulas". Sin embargo, somos conscientes de que gran cantidad de aprendizajes están modelando ese uso y esos resultados cuando emerge el centro y la historia personal de cada alumno (vivida desde cambios importantes, como dejan claro los escenarios), cuando las aulas condicionan lo que en ellas se hace (como la narrada e ilustrada por la participante 3002), cuando el ambiente genera tensión y conflicto (en la que unos apuntes no son accesibles por competición entre los discentes), cuando el profesor inicia sus clases con una sonrisa que pronto desaparece, cuando las clases son expositivas y no muy atractivas, cuando (por concluir) tomamos en nuestras manos ese manual (que ha vivido con ella esa experiencia) y nos preguntamos ¿dónde están las evidencias de esos hechos narrados por la alumna?

30002.- He cursado los 4 años de la ESO y el primero de bachillerato en el IES "A", un instituto relativamente reciente situado en el Barrio de (...), pero para estudiar segundo de bachillerato me trasladé al IES "B", instituto situado en la Barriada (....) y que es uno de los centros más grandes de Cartagena. (...) Las aulas están en su mayoría mal orientadas, ya que el sol se refleja en la pizarra, dificultando la visibilidad. Además, en los meses de calor las temperaturas son demasiado elevadas dentro de las aulas, entorpeciendo así la capacidad de concentración. (...) Desde mi punto de vista, fui acogida con amabilidad, pero el IES "B" no pudo reemplazar mi experiencia en el IES "A", donde el vínculo con los compañeros y profesores fue muy intenso. La verdad es que, desde el comienzo del curso en el nuevo Centro sólo hacía quejarme, pues es cierto que había un ambiente un poco tenso por ambas

partes (alumnos y profesores), (...) Si bien es cierto que mis profesores de "A" son únicos, importantes e irremplazables para mí, los de "B" han dejado su huella y, aunque haya sido un año muy difícil, lleno de agobios y llantos, le doy las gracias hasta a la que yo pensaba que era la peor profesora, pues fue ella quien me enseñó que con esfuerzo y sin rendirse todo se consigue. (...) En caso de necesitar los apuntes por alguna ausencia, resultaba casi imposible conseguirlos, pues nadie estaba por la labor de prestar los suyos. (...) La profesora siempre llegaba unos minutos tarde, cargada con todos los libros y muy arreglada. Llegaba siempre de muy buen humor, dando los buenos días y preguntándonos como nos había ido el día. Tras abrir la clase, la profesora se dirigía a su mesa y esperaba a que todos nos sentásemos y nos callásemos, pero siempre terminaba llamando la atención para conseguir silencio. Tras esto, el buen humor de la profesora desaparecía, ya que el trato con los alumnos no era bueno debido a algunos problemas acontecidos a lo largo del curso. Acto seguido, abría el libro y se sentaba en la mesa para comenzar la lección. (...) Al finalizar la clase, cuando toca el timbre, no recoge sus cosas hasta que haya terminado de explicar el punto que estaba desarrollando, luego manda los ejercicios para el día siguiente y con la misma alegría con la que venía, se iba despidiéndose de nosotros con un "hasta mañana que paséis un buen día y hacer los deberes".

IV.3.1.2. La organización de la huella en los manuales: regularidades

Por otra parte, las declaraciones realizadas por los alumnos y las huellas del uso registradas en los manuales, señalan una cierta organización de las evidencias que pueden ayudar a comprender mejor el papel que desempeña el libro de texto. Ciertamente esas huellas no están presentes en todos los manuales, ni tampoco en todas las páginas de un mismo manual, pero sí puede reconocer una identificación temática localizada en las páginas de los libros de texto. De esta manera, se pueden identificar las siguientes regularidades:

- *en el texto del autor o en la iconografía*. En ellos se destaca lo más simple: subrayados de lo relevante, rechazo de información contenida, pequeñas modificaciones y ordenación numérica de la información.

- *en los laterales o en los espacios en blanco que contienen las páginas de algunos manuales*. En esos espacios se registran las definiciones más complejas, los esquemas y las aclaraciones o ampliaciones desarrolladas por el profesorado.

- *en los laterales pero con materiales externos como hojas con clips o post-its*. En ellas se insertan las informaciones más amplias, los trabajos propios y los resúmenes más amplios.

- *en la parte superior de la página*. Aparecen, normalmente, las informaciones referidas a la gestión: fechas, evaluaciones, relaciones con el temario, etc.

- también es interesante señalar que (en alguna ocasión donde el trabajo de apoyo del manual estaba estrechamente vinculado con los apuntes del alumno), al corresponder íntegramente algunos temas con lo indicado por el profesor, la alumna *arrancaba las hojas del libro y las colocaba en el lugar correspondiente de sus apuntes*.

Estas regularidades señaladas ya se han puesto de manifiesto en los libros de texto que desarrollados anteriormente. Con la finalidad de aclarar lo que podría ser una imagen de esas regularidades, se presenta una ejemplificación de las huellas registradas en el manual (Figura 82).

Figura 82. Zonificación frecuente de las huellas del alumnado en el uso del manual
Fuente: fondos propios (Legado NMV)

IV.3.1.3. La evidencia de la huella: estilos y criterios de trabajo

El trabajo realizado por los alumnos en los manuales permite identificar desde páginas sin ninguna evidencia, hasta otras muy complejas llenas de información que, en ocasiones, corresponden a varios usuarios del manual (como se vio en el apartado III.3). Las razones de esta variabilidad están vinculadas al estilo personal de cada alumno y pueden ser simples o complicados subrayados con una información confusa, como reconocen algunos.

El análisis de las huellas dejadas en los manuales, nos indican que en más del 70% de los casos la información es trabajada con varios criterios de referencia, normalmente relacionados con la importancia del contenido y su facilitación para la comprensión y el estudio. En este sentido, se recogen ejemplificaciones de las declaraciones del alumnado y las evidencias del mismo en los textos (figuras 83-85) y en todo el material hasta el momento presentado:

> 3031. (...) *Además las páginas del tema sin subrayar y sin dividir no entran a examen, no se resumen''.*
>
> 3002. (...) *subrayaba lo más importante, destacando con otro color las fechas y los nombres.*
>
> 3032. (...) *Las sub-apartados estaban subrayadas con fluorescente rosa y el contenido con amarillo ya que desde mi punto de vista el fluorescente amarillo es con el que más claro se ve las letras ya que es claro y me permitía diferenciar las partes subrayadas.*
>
> 3045. (...) *Subrayaba con un rotulador azul aquello que veía más importante y con lápiz aquello que encontraba menos esencial.*
>
> 3051. (...) *Yo en el libro que tenía es casa, subrayaba con lápiz y me fijaba en lo que ya estaba subrayado en color amarillo fluorescente por mi amigo, el que me dejó el libro.*
>
> 3033. (...) *Durante la clase, subrayaba las ideas principales con lápiz por si me equivocaba poder borrarlo.*

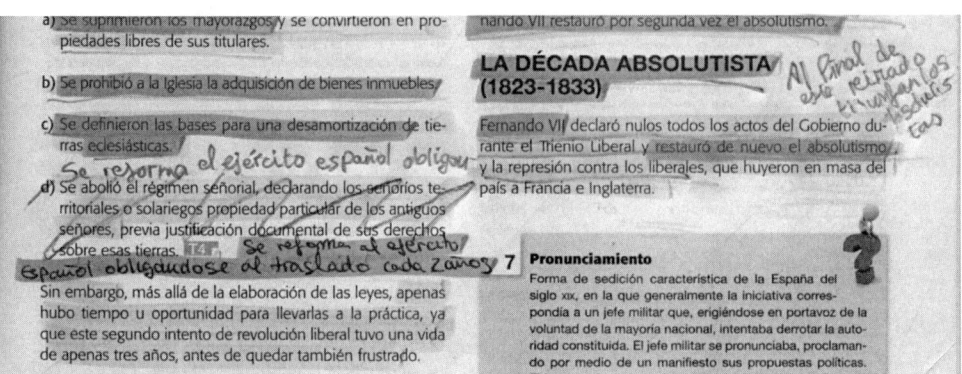

Figura 83. Evidencias de información densa perteneciente a dos usuarios (lápiz y grises), tachados y completar definiciones. Declarante 3002
Fuente: fondos propios (Legado NMV)

8.2. Industria

La industria artesanal

Durante el siglo XVIII, el taller artesanal es el protagonista de la vida industrial en la mayor parte de las ciudades. La industria artesanal más floreciente fue la **textil**, con 7 000 telares en **Castilla;** no obstante, nunca pudo mantener la competitividad con la inglesa o la alemana.

Carlos III abolió, mediante Real Cédula de 1783, la deshonra legal que recaía sobre los artesanos, con lo que, en adelante, no se perdería la **carta de hidalguía** por trabajar en los sectores productivos.

En el empuje de la iniciativa privada destaca, entre todas las regiones, **Cataluña,** donde los beneficios procedentes del comercio de vinos y aguardientes se invierten en levantar una floreciente **industria algodonera,** en torno a la cual se forja un incipiente proletariado.

En general, la industria española está limitada por los altos costes de producción y por la dificultad de articular un mercado nacional ante la escasa demanda de productos manufacturados por parte de la población.

Las manufacturas reales

Son el signo más evidente de la **intervención del Estado** en la economía productiva. Este participa en el desarrollo de distintos sectores como el **textil** (fábricas de paños de Segovia, Guadalajara y Talavera); el **siderúrgico** (en Guipúzcoa, Navarra y Gerona), para la provisión de material militar, y **el naval** (construcción de arsenales en Cádiz, Cartagena y El Ferrol). También estuvieron bajo control real las fábricas de tabaco de Sevilla, las de naipes de Madrid y Málaga, la de cristal de Segovia (La Granja de San Ildefonso) y la de porcelanas de Madrid (el Buen Retiro).

> **Los oficios son declarados honestos y honrados**
>
> «Declaro que no solo el oficio de curtidor, sino también los demás artes u oficios de herrero, sastre, zapatero, carpintero y otros a este modo, son honestos y honrados. Que el uso de ellos no envilece la familia ni la persona del que los ejerce, ni la inhabilita para obtener los empleos municipales de la república en que están avecindados los artesanos o menestrales que los ejerciten. Y que tampoco han de perjudicar las artes y oficios para el goce y prerrogativas de la hidalguía a los que los tuvieran legítimamente, conforme a lo declarado en mi ordenanza de reemplazos del ejército de 3 de noviembre de 1770.»
>
> CARLOS III: *Real Cédula de 1783.*

Figura 84. Evidencias de información sencilla, utilizando un subrayador azul (gris). Declarante 3002
Fuente: fondos propios (Legado NMV)

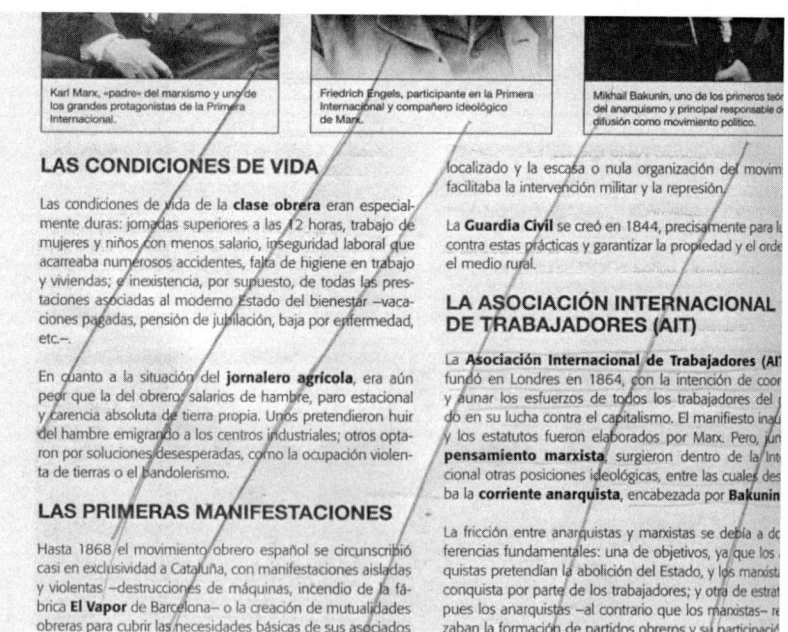

Figura 85. Evidencias de información explícita que no hay que estudiar, texto tachado con lápiz. Declarante 3002
Fuente: fondos propios (Legado NMV)

IV.3.1.4. La evidencia de la huella:
instrumentos utilizados

Sin duda, el instrumento que se utiliza para escribir o subrayar tiene también un papel importante en la apariencia del manual, así como los motivos para hacerlo así. Dichas razones suelen ser muy personales y opuestas entre los declarantes (limpieza, utilidad, necesidad de diferenciar lo suyo del anterior propietario del libro de texto, claridad, etc.). El lápiz y los colores fluorescentes (uno o varios a la vez) son los más utilizados, pero también lo es el bolígrafo o la combinación de varios de ellos (figuras 86-89):

3033. (...) *Durante la clase, subrayaba las ideas principales con lápiz por si me equivocaba poder borrarlo.*

3054. (...) *No me gusta subrayar con fosforitos en los libros, por lo que todo lo tenía subrayado a lápiz.*

3055. (...) *El tercer tema lo tengo subrayado con lápiz, por lo que no resalta mucho, esto es porque solo lo leí y lo subrayé al momento, pues era un tema al que el profesor nos dijo que no dedicáramos mucho tiempo.*

3007. (...) *Ella subrayaba con lápiz y yo al tener que poner todo lo que decía mi profesor utilizaba diferentes colores para que resaltara e identificara mis apuntes de los suyos.*

3051. (...) *Yo en el libro que tenía es casa, subrayaba con lápiz y me fijaba en lo que ya estaba subrayado en color amarillo fluorescente por mi amigo, el que me dejó el libro.*

3007. (...) *Las fechas y nombres importantes los subrayaba con boli para que se me olvidara.*

3064. (...) *También hay muchas anotaciones en bolígrafo y a lápiz, de contenido que la profesora a veces añadía o aclaraba y que yo lo anotaba donde podía y tenía espacio (márgenes, entre líneas, al final de la página, al principio...).*

3020. (...) *A la hora de subrayar el libro, utilizaba siempre el mismo color: verde, pues no me gusta subrayar con colores distintos y que a la hora de estudiar más que un libro parezca un arcoíris.*

3008. (...) *Lo que era más importante lo subrayaba con fosforito y lo demás a lápiz.*

3023. (...) *Pero sí que subrayaba siempre con fosforito, de cualquier color, aunque normalmente era rosa o naranja y puede apreciarse como la cantidad del fosforito es menor en estos cuatro temas que en los demás, a excepción del carlismo y la guerra civil.*

3031. (...) *Casi siempre subrayaba con color naranja fluorescente lo que iba a poner en el resumen (aunque al pasarlo a mano dejaba cosas que había subrayado sin poner), y con lápiz subrayaba lo que veía más importante según las explicaciones de la profesora.*

3033. (...) *Cuando estudiaba en mi casa y me lo había leído todo, algunas veces lo subrayaba con fluorescentes de colores, y solía hacerlo cada tema de un color distinto, para acordarme de los colores y que fuera más fácil memorizar.*

3055. (...) *Y el último tema lo tengo subrayado con colores fosforitos, rosa y amarillo; diferenciando los títulos en rosa y el desarrollo en amarillo.*

3027. (...) *El color de subrayador que más aparece es el amarillo, ya que es el que más me gusta. Solía subrayar los nombres de cada apartado en otro color, para que destacaran más.*

3063. (...) *Lo tengo subrayado todo en amarillo excepto las palabras clave en otro color como rosa o naranja para distinguirlas mejor y que se me queden fácilmente.*

3031. (...) *Algunos hechos relevantes o fechas a considerar aparecen en recuadros subrayados.*

3064. (...) *Las fechas y nombres relevantes los encuadraba a veces con boli para que al verlo destacara y no se me olvidara.*

problema. Eran conscientes de que la causa estribaba en que los propietarios de la mayor parte de las tierras del país no pagaban impuestos. Pero ni los privilegiados ni el rey estaban dispuestos a cambiar la situación.

La situación de los campesinos se agravó por las medidas tomadas en 1814. La restitución de sus bienes y privilegios a la nobleza, y sus consecuencias, hicieron subir la tensión en las zonas agrarias, hasta desencadenar sucesivos movimientos de protesta.

El descontento no se limitó al campo. Se extendió también paulatinamente en las ciudades. La represión, el hundimiento del comercio colonial y el paro afectaban a los grupos burgueses y al naciente proletariado urbano.

El Ejército se vio también perjudicado. Fernando VII se negó a integrar en él a los jefes guerrilleros. El retraso en el pago de soldadas, las míseras condiciones de vida en los cuarteles, y, sobre todo, el envío de

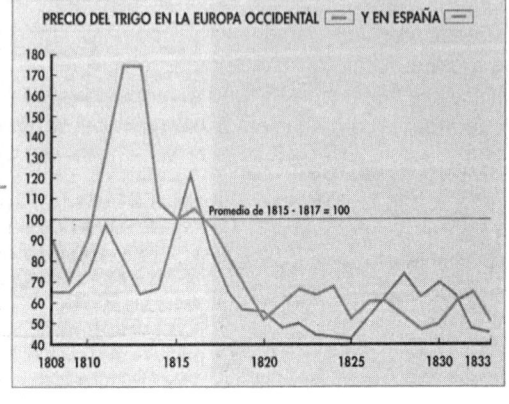

los precios del trigo. En ella puede observarse la tendencia a la baja que caracteriza el periodo de la posguerra europea. (Fuente: Josep Fontana, *La crisis del Antiguo Régimen*, 1808-1833, Barcelona, Crítica, 1979, p. 263).

Figura 86. Evidencias del uso del lápiz, muy abundante y uso fácil de borrar. Declarante 3030
Fuente: fondos propios (Legado NMV)

La ayuda a la república

La república solo pudo contar con el apoyo y la ayuda militar de la URSS de Stalin y, de mucho menor envergadura, de Francia y México, país este último que autorizó la venta de material del ejército mexicano y respaldó diplomáticamente la causa republicana.

La ayuda de la URSS en material bélico (aviones, carros de combate, combustibles), pilotos, técnicos y consejeros políticos fue importantísima para sostener la república y evitar su derrumbe inmediato. Pero esta ayuda (pagada siempre en efectivo) no fue tan copiosa y regular como la italogermana a lo largo de la guerra civil.

La decisión de Stalin de intervenir en la guerra civil española respondió sobre todo a razones políticas y estratégicas. Una derrota de la república debilitaría a Francia y fortalecería al eje nazi-fascista.

De la intervención de tropas extranjeras al lado de la república sobresalen las Brigadas Internacionales ▶ (Doc. 4). Estuvieron formadas por voluntarios –obreros, profesionales de las clases medias, intelectuales–, de un amplio abanico ideológico (comunistas, anarquistas, socialistas, demócratas); todos ellos movidos por un sentimiento de solidaridad en defensa de la causa republicana frente a la amenaza internacional del fascismo. Organizadas por dirigentes de los partidos comunistas integrados en la III Internacional, su intervención fue destacada en la defensa de Madrid y en la batalla de Teruel. Su número no fue tan amplio como la intervención de tropas extranjeras en el bando rebelde pero elevaron la moral de la retaguardia y de los combatientes republicanos.

LA UNIDAD *del* EJERCITO *y* PUEBLO SERA EL ARMA DE LA VICTORIA

DOC. 4. CARTEL CON UN SOLDADO DEL EJÉRCITO REPUBLICANO Y UN BRIGADISTA INTERNACIONAL.

▶ ¿Qué fueron las Brigadas Internacionales?

Figura 87. Evidencias del uso del bolígrafo. Declarante 3007
Fuente: fondos propios (Legado NMV)

Durante el **reinado de Isabel II (1833-1868)** se adoptaron medidas legislativas y políticas destinadas a asentar **definitivamente en España el Estado liberal.** Este período se divide en dos grandes etapas:

- **La primera (1833-1843)** coincidió con la **minoría de edad de la reina** (ya que llegó al trono con tres años). Fue necesario, por tanto, establecer una **regencia,** ejercida primero por su madre, la reina María Cristina (1833-1840), y después por el general Espartero (1840-1843).

- **La segunda (1843-1868)** correspondió a la **mayoría de edad de Isabel II** y terminó con una revolución que implantó por primera vez la democracia en España mientras los Borbones marchaban al exilio.

Figura 88. Evidencias del uso del rotulador. Declarante 3055
Fuente: fondos propios (Legado NMV)

▲ **Eduardo Aunós** centra su labor en la mejora de las relaciones laborales. Su obra más importante es la creación de la Organización Corporativa del Trabajo.

4.3
5.3 Política exterior

La dictadura establece como ejes de su política exterior:

- La alianza coyuntural con Francia para acabar con la presión de las cabilas de Abd el-Krim, que tiene en el desembarco de Alhucemas su constatación más evidente.

- Una actitud posterior de acercamiento a Inglaterra con el fin de sostener una posición de fuerza en territorio marroquí frente a Francia.

- Intento, tras el éxito de la campaña de Marruecos, de aumentar la representación de España en el Consejo permanente de la Sociedad de Naciones.

- Intensificar las relaciones con Portugal (dictadura) e Hispanoamérica (aumentando la representación diplomática).

5. OPOSICIÓN A LA DICTADURA.
6. Política laboral y relación con el movimiento obrero

La dictadura de Primo de Rivera pone en marcha una política laboral que consigue el apoyo de una gran parte del socialismo español, una vez desaparecida la figura de Pablo Iglesias, que fallece el 9 de diciembre de 1925.

Eduardo Aunós, ministro de Trabajo, regula las condiciones de la emigración estableciendo una dirección general para la misma. A esta acción hay que añadir la creación del seguro de maternidad y las ayudas a las familias numerosas, así como la reglamentación del descanso dominical.

Pero su obra cumbre en el plano laboral es la fundación de la **Organización Corporativa del Trabajo,** formada por comités paritarios de patronos y trabajadores que regulan las condiciones salariales y laborales y se someten al arbitraje de la autoridad gubernativa.

Figura 89. Evidencias del uso del subrayador fluorescente. Declarante 3027
Fuente: fondos propios (Legado NMV)

IV.3.2. Las tareas relacionadas con la información de los manuales: un trabajo relevante

La principal tarea en la que se implican profesores y alumnos gira en torno al contenido. La lectura de las declaraciones de los alumnos y las evidencias en los manuales, están vinculadas con el tratamiento de la información, con todos los procesos relacionados con esa necesidad de apropiarse, o al menos "tener", ese contenido objeto de conocimiento[40]. En ella pueden distinguirse distintas demandas y niveles de complejidad. Más concretamente se señalan las siguientes:

A. **El contenido y su importancia**: identificación y resaltado.
B. **Términos y conceptos**: aclaraciones y definiciones.
C. **Las carencias del manual**: las ampliaciones del contenido.
D. **La comprensión y la organización del contenido:** los esquemas y resúmenes.

IV.3.2.1. El contenido y su importancia: identificación y resaltado

Una primera tarea está vinculada con la determinación de *lo que es o no relevante destacar*. En esta dirección el alumnado señala, por una parte, los criterios para establecer lo que es o no importante y, por otro, la forma de plasmarlo en el texto, que va unida a un estilo personal y a las opciones que tiene que tomar cuando el manual es de segunda mano.

La existencia de los distintos recursos contenidos en los manuales lleva consigo una selección de los mismos, realizada por el profesorado en función de sus propias percepciones. Sin duda, la formación inicial del profesorado así como sus propias convicciones personales y la existencia tanto del programa oficial, como de las PAU, les lleva a tomar una serie de decisiones que se plasman en el trabajo que se realiza en el aula. Por otra parte, alumnos y profesores destacan (en los procesos de enseñanza) la selección del contenido que realizan, una selección que no solamente lleva a enfatizar en lo importante, sino también a señalar lo que no es y que queda registrado igualmente en el libro de texto.

Las razones que argumenta el alumnado para justificar esa huella, para "destacar lo que se trabaja en el manual", pueden ser simplemente formuladas de una manera inespecífica "lo más importante", o señalar los por qués de lo que hacen. En esta segunda posibilidad, se encuentran las que se vinculan a lo expuesto por el profesorado (muy abundantes), las relacionadas con los estilos personales de selección de los contenidos o, aquellas cuya razón es la de estudiar con mayores garantías de éxito. Evidentemente, en muchas de las declaraciones se utiliza más de un criterio. El registro de la huella de esta actividad en el libro se tiene ejemplarizado en el punto anterior, por lo que se remite a las evidencias en él expuestas. En cuanto a las valoraciones del alumnado, destacan las siguientes:

---

[40] Aunque no se puede olvidar que es también objeto de evaluación, tanto del programa oficial como de las PAU.

3004. (...) Yo tan solo subrayaba las cosas más importantes.

3010. (...) De vez en cuando subrayábamos algo relevante que decía la profesora.

3010. (...) Me gustaba hacer una buena selección a la hora de estudiar y destacar las palabras clave.

3020. (...) y subrayar lo importante que iba explicando.

3027. (...) Mi profesora se resumía el temario del libro, y cuando llegaba a clase iba leyendo, y mientras yo subrayaba en mi libro.

3032. (...) Solo subrayé el tema de Fernando VII y completé la información con otras fuentes (concretamente con Internet).

3033. (...) Subrayaba lo que ella decía ya que eran las ideas principales y lo que realmente importaba.

3034. (...) También subrayaba los aspectos y puntos más importantes, para al llegar a casa pasarlo a mi resumen.

3043. (...) Muchas veces el profesor decía "ahora cogemos el subrayador de plata" para destacar algo que era muy importante, en ese caso yo hacía un doble subrayado.

3045. (...) Por último, mencionaré la importancia de los consejos que nos daba el profesor cuando decía que unos contenidos eran más importante que otros.

3054. (...) mientras subrayábamos ideas principales que la profesora iba remarcando y siguiendo lo que ella explicaba en el libro de texto.

3054. (...) Remarcaba ideas principales, aquellas más importantes de cada pregunta y a lo que luego le tenía que dar mayor importancia a la hora de estudiar.

3063. (...) intentaba subrayar solo lo importante para no meter demasiado rollo e ir a lo concreto que es lo que me pedían.

3063. (...) Yo iba subrayándome el libro o los apuntes que tocaran ese día mientras para ahorrarme así ese trabajo luego en casa.

3064. (...) Ella comenzaba a explicar las cosas importantes, a veces a refrescar lo anterior y yo durante toda la clase subrayaba lo que ella iba diciendo pues eso era lo importante, marcaba con otro color incluso si ella hacía mucho hincapié en algo.

IV.3.2.2. Términos y conceptos: aclaraciones y definiciones

El manual, como soporte de la información y cuaderno de trabajo, supone, como manifiestan los alumnos que lo utilizan, el lugar donde directamente se van anotando aquellas palabras que ofrecen dificultad, no se entienden o hay que redefinirlas. En este sentido, es una tarea que citan constantemente los discentes y tiene un alcance muy interesante de observar. A veces son meras siglas que no se conocen (V.A., Vuestra Alteza), otras son de mayor alcance y que pueden verse definidas por distintos declarantes (Razzias). También es de destacar que si bien se anotan directamente en el texto del autor, a veces ocupan los espacios que quedan en las diferentes hojas e incluso al final del libro. Las siguientes valoraciones, y sus ejemplificaciones (figuras 90-100) correspondientes, se recogen a continuación:

3002. (...) escribía el significado de todas aquellas palabras que no entendía.

3010. (...) Cuando encontraba alguna palabra que no entendía su significado buscaba un sinónimo y encima de ella lo apuntaba.

3020. (…) así como añadir alguna aclaración de lo que no entendía.

3027. (…) Destacar también que, cuando alguna palabra o frase no venía bien expresada en el libro, la tachaba y la escribía yo con mis palabras, para que así me fuera más fácil estudiar.

3032. (…) En Fernando VII las anotaciones que tenía era sinónimos de las palabras técnicas que aparecían en el libro, con la finalidad de comprenderlo mejor y así me resultara más fácil de estudiar.

3045. (…) Al final de cada página, normalmente tengo apuntadas las palabras que más me costaba comprender o las más importantes y esenciales para la comprensión del tema.

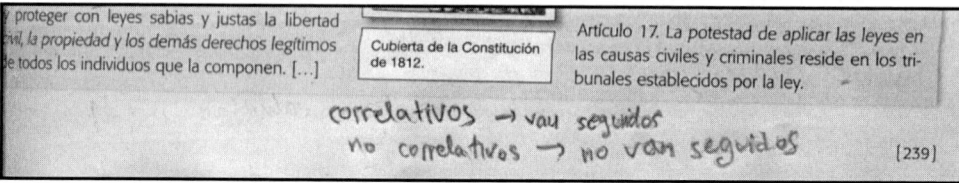

Figura 90. Aclaración de términos: "correlativo". Declarante 3002
Fuente: fondos propios (Legado NMV)

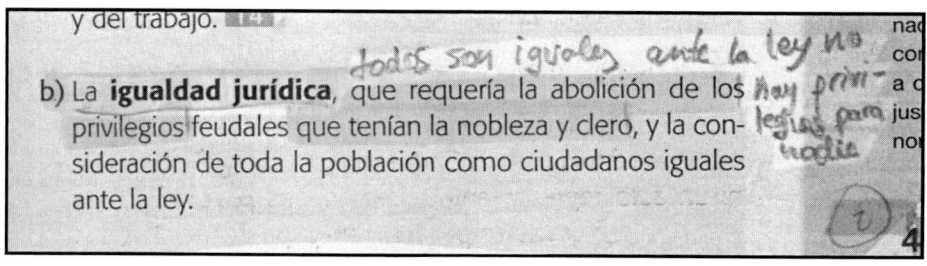

Figura 91. Aclaración de términos: igualdad jurídica. Declarante 3002
Fuente: fondos propios (Legado NMV)

Figura 92. Aclaración de términos: V.A. Declarante 3002
Fuente: fondos propios (Legado NMV)

Glosario

arrianismo: doctrina predicada por Arrio, presbítero en Alejandría. Era unitarista al negar la divinidad del hijo de Dios y, por tanto, el dogma de la trinidad. Fue condenada en el Concilio de Nicea.

Razzias → incursión de un ejército en territorio enemigo sin ánimo de conquista, sino de realizar saqueos, hacer daño, etc.

1. El reino visigodo

llegada de los visigodos.

1.1. Los primeros pueblos germánicos y el reino visigodo de Tolosa

A principios del siglo v irrumpieron en Hispania los vándalos, los alanos y los suevos, pueblos germánicos que habían atravesado el límite norte del debilitado Imperio romano. Los vándalos se establecieron en la Bética, los alanos ocuparon el centro de la Meseta y los suevos fundaron un reino en Galaecia.

Para combatirlos, el Imperio firmó un pacto con los visigodos, pueblo germánico más romanizado, en virtud del cual llegaron a Hispania como sus aliados militares en el año 415. En pago por sus servicios, les entregaron tierras en el sur de la Galia y en el este de la península Ibérica. En ellas fundaron, en el año 418, el reino visigodo con capital en Tolosa y tolerado por Roma. Su

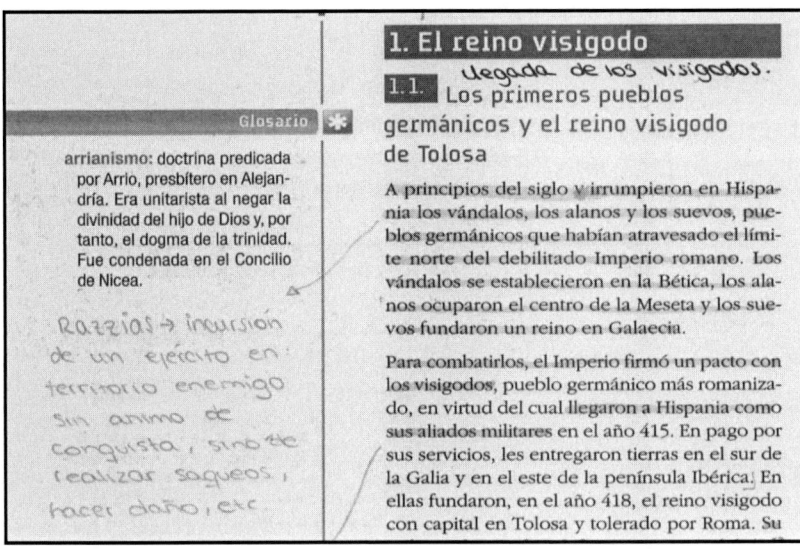

Figura 93. Aclaración de términos: razzias. Primer centro. Declarante 3043
Fuente: fondos propios (Legado NMV)

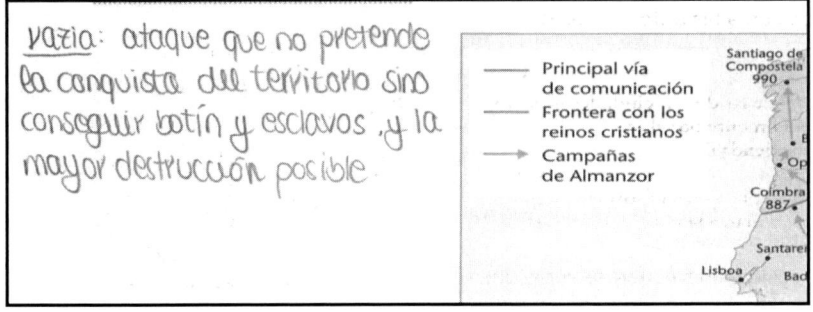

Figura 94. Aclaración de términos: razzias. Segundo centro. Declarante 3027
Fuente: fondos propios (Legado NMV)

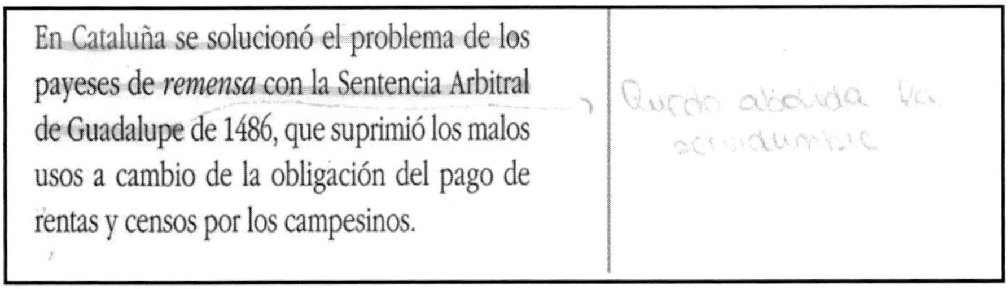

En Cataluña se solucionó el problema de los payeses de *remensa* con la Sentencia Arbitral de Guadalupe de 1486, que suprimió los malos usos a cambio de la obligación del pago de rentas y censos por los campesinos.

Quedó abolida la servidumbre

Figura 95. Aclaración de términos: Sentencia Arbitral de Guadalupe. Declarante 3043
Fuente: fondos propios (Legado NMV)

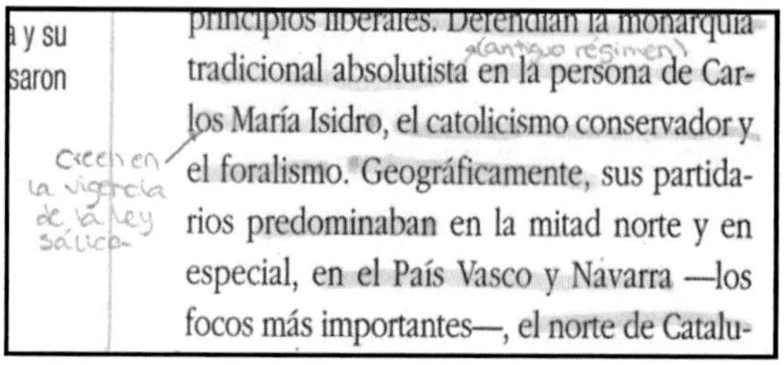

> principios liberales. Defendían la monarquía
> tradicional absolutista en la persona de Car-
> los María Isidro, el catolicismo conservador y
> el foralismo. Geográficamente, sus partida-
> rios predominaban en la mitad norte y en
> especial, en el País Vasco y Navarra —los
> focos más importantes—, el norte de Catalu-

Figura 96. Aclaración de términos: carlismo. Declarante3043
Fuente: fondos propios (Legado NMV)

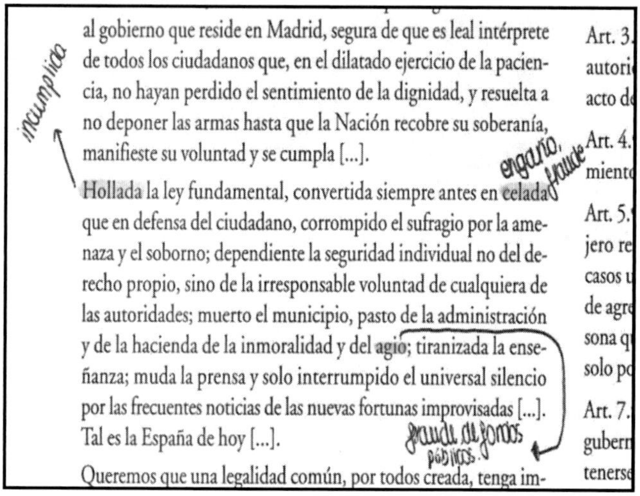

> al gobierno que reside en Madrid, segura de que es leal intérprete
> de todos los ciudadanos que, en el dilatado ejercicio de la pacien-
> cia, no hayan perdido el sentimiento de la dignidad, y resuelta a
> no deponer las armas hasta que la Nación recobre su soberanía,
> manifieste su voluntad y se cumpla [...].
> Hollada la ley fundamental, convertida siempre antes en celada
> que en defensa del ciudadano, corrompido el sufragio por la ame-
> naza y el soborno; dependiente la seguridad individual no del de-
> recho propio, sino de la irresponsable voluntad de cualquiera de
> las autoridades; muerto el municipio, pasto de la administración
> y de la hacienda de la inmoralidad y del agio; tiranizada la ense-
> ñanza; muda la prensa y solo interrumpido el universal silencio
> por las frecuentes noticias de las nuevas fortunas improvisadas [...].
> Tal es la España de hoy [...].
> Queremos que una legalidad común, por todos creada, tenga im-

Figura 97. Aclaración de términos: hollada, celada, agio. Declarante 3027
Fuente: fondos propios (Legado NMV)

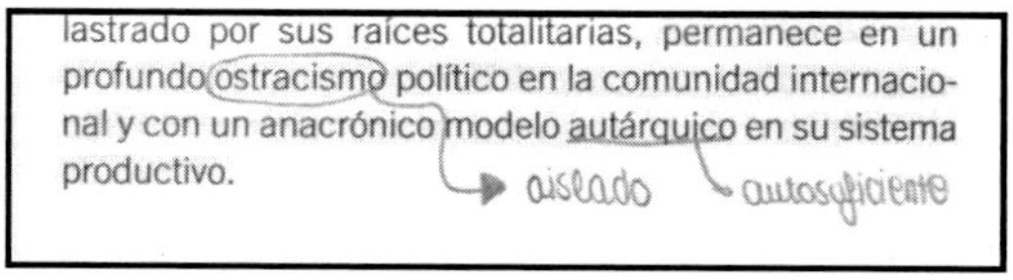

> lastrado por sus raíces totalitarias, permanece en un
> profundo ostracismo político en la comunidad internacio-
> nal y con un anacrónico modelo autárquico en su sistema
> productivo.

Figura 98. Aclaración de términos: Ostracismo, autárquico. Declarante 3027
Fuente: fondos propios (Legado NMV)

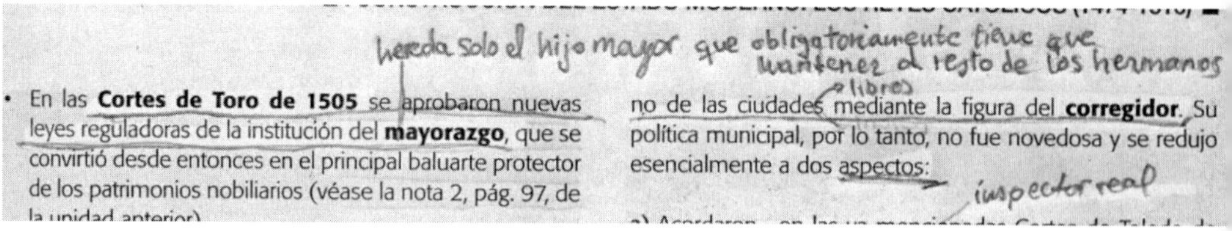

> • En las **Cortes de Toro de 1505** se aprobaron nuevas
> leyes reguladoras de la institución del **mayorazgo**, que se
> convirtió desde entonces en el principal baluarte protector
> de los patrimonios nobiliarios (véase la nota 2, pág. 97, de
> la unidad anterior)
>
> no de las ciudades mediante la figura del **corregidor**. Su
> política municipal, por lo tanto, no fue novedosa y se redujo
> esencialmente a dos aspectos:

Figura 99. Aclaración de términos: mayorazgo. Declarante 3002
Fuente: fondos propios (Legado NMV)

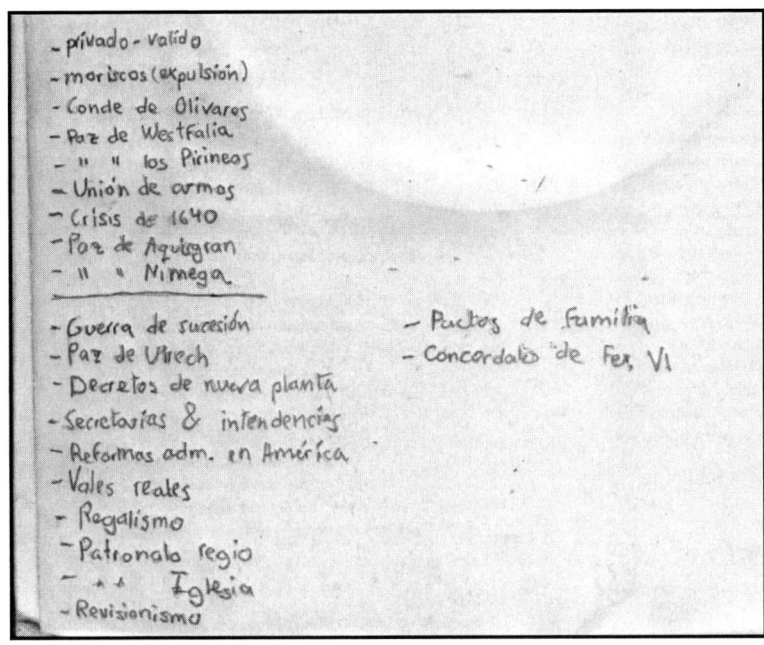

Figura 100. Relación de términos en la página en blanco final del libro. Declarante 3002
Fuente: fondos propios (Legado NMV)

IV.3.2.3. Las carencias del manual: las ampliaciones del contenido

La revisión de los contenidos de Historia de España, como se visto anteriormente, lleva consigo determinar aquello que realmente (en opinión de los docentes); es importante y se adapta tanto a la naturaleza de la asignatura, como también a sus propios criterios profesionales. Cualquier materialización de los programas, como es el caso de los manuales, supone una opción que tiene carencias en su redacción (según el profesor) y se pueden deber a ausencias de información o de expresiones inadecuadas que definan los hechos de los que están hablando.

En este estudio se tienen esas modificaciones registradas en los manuales, bien en los espacios interiores del manual (normalmente los espacios en blanco que hay en las páginas), o en la información que se inserta en sus páginas mediante folios o post-its. Así pues, las "explicaciones" que los docentes desarrollaban en las aulas llevan consigo que los alumnos las tomaran bien en el manual, en sus folios o en post-its. Las razones que los discentes declaran, derivadas de lo que sus profesores explicaban en clase, son que "no estaba en el libro pero era importante", "no estaba bien aclarado", "el libro era finito o insuficiente y había que completarlo", era necesario "perfilar mejor esa idea", "le faltaba estructura y por eso era necesario ponerla", era preciso una información adicional para poderlo comprender", etc.

Todas estas apreciaciones eran recogidas por los discentes y trasladadas directamente al libro (utilizando los espacios disponibles), o ampliadas a hojas que se introducían, en el libro y a los post-its. Sin duda, como algunos aclaran, luego les servían para comprender y estudiar mejor esta asignatura. Así pues, estas evidencias interpretadas por el alumnado se muestran a continuación y, posteriormente se identifican en los manuales, procurando una muestra amplia de declarantes (figuras 101-109).

3058. (...) En algunos temas, mi profesora sí que modificaba los apartados y subapartados del tema, por ejemplo en el tema de Al-Ándalus, en este tema también la última parte del tema, es decir el Reino Nazarí de Granada, lo dictó la profesora ya que lo que aparecía en el libro era un poco lioso para nosotros y por tanto ella consideró que lo mejor sería dictarlo.

3068. (...)Los márgenes siempre los solía utilizar para anotar cosas que el profesor explicaba, por ejemplo a él siempre le gustaba decir las constituciones por puntos y en su orden, por lo que yo cogía post-its y las ponía como él decía y después las pegaba en el libro.

3058. (...) En algunos temas, mi profesora sí que modificaba los apartados y subapartados del tema, por ejemplo en el tema de Al-Ándalus, en este tema también la última parte del tema, es decir el Reino Nazarí de Granada, lo dictó la profesora ya que lo que aparecía en el libro era un poco lioso para nosotros y por tanto ella consideró que lo mejor sería dictarlo.

3032. (...) tomando apuntes de las partes que la profesora creía que eran más importantes por lo que era necesario ampliarlos y de las partes que solo había que nombrarlas.

3058. (...) También puedo destacar que en algunos temas, en los márgenes del libro tengo anotaciones sobre conceptos que aparecían en el libro que ella ampliaba, también he decir que estas anotaciones era breves ya que la mayoría aparecía en el libro.

3031. (...) también hay anotaciones a lápiz de algunos comentarios importantes o información adicional que yo tomaba y podía poner en el tema para completarlo.

3027. (...) Hay anotaciones en los márgenes de las cosas importantes que dijera la profesora, o de aclaraciones suyas del temario.

3043. (...) En el margen del libro tenía un montón de apuntes dictados por el profesor, tanto que incluso en algunas páginas cuesta trabajo entender lo que pone de lo pequeña que es la letra y cuando no me cabía algo ponía post-its o flechas, lo que lo hacía un poco lioso para luego estudiarlo.

3045. (...) Las anotaciones en los márgenes eran procedentes de las aclaraciones que daba el profesor o mías para que a la hora de estudiar fuera más sencillo estructurarlo con mis propias palabras.

3033. (...) También hay una gran cantidad de anotaciones a lápiz, en los huecos en blanco, de lo que la profesora aclaraba e iba diciendo a lo largo de la clase.

3027. (...) Cuando hacía alguna anotación importante, lo apuntaba en el margen del libro.

3033. (...) También durante la explicación me dedicaba a escribir algunas anotaciones, que a la hora de estudiar eran muy útiles ya que me recordaban la explicación de la profesora.

3020. (...) tomar apuntes de lo que explicaba pero no estaba incluido en el libro.

3043. (...) El libro asignado por mi colegio era demasiado finito y el contenido era escaso, es por eso que el profesor estaba descontento y se dedicaba a dictar todo lo que según su parecer faltaba en el libro.

3054. (...) Por otro lado, en los márgenes normalmente apuntaba pequeños detalles y datos que daba la profesora y que nos advertía que no íbamos a encontrar en el contenido del libro.

3043. (...) En el margen del libro tenía un montón de apuntes dictados por el profesor, tanto que incluso en algunas páginas cuesta trabajo entender lo que pone de lo pequeña que es la letra y cuando no me cabía algo ponía post-its o flechas, lo que lo hacía un poco lioso para luego estudiarlo.

3068. (...) Todos esos apuntes que recogía siempre los escribía en post-its para así poder pegarlos en el libro en la página que correspondiese y a la hora de estudiar poder tenerlos en cuenta.

3008. (...) En cada tema del libro tenía los folios con los resúmenes de ese tema para estudiármelo mejor.

3031. (...) El libro está un poco dañado en la portada porque no lo llevaba forrado. Lleva algunos post-it en algunos de los temas (normalmente los ponía para diferenciar las evaluaciones pero al final han quedado por medio del libro arbitrariamente por el estrés de selectividad, ya que le di mil vueltas al libro). Detrás de la portada pone mi nombre y mi curso.

3033. (...) Cuando en alguna página tenía que poner muchas anotaciones y había poco hueco, utilizaba hojas en blanco que guardaba en mi archivador con un asterisco (x), el cual también ponía en el libro, para saber a qué página de este correspondía.

3063. (...) yo me hacía resúmenes del libro para estudiar, cada tema en un folio por delante y por detrás que es lo que nos exigía el profesor para el examen, así que el libro me servía como ayuda para esos resúmenes.

3068. (...) Muchas veces como en los post-its no cabía todo solía escribirlos en hojas aparte y después las unía al libro con clips, también en la páginas donde correspondiesen.

3068. (...) También como he dicho antes, cuando ya no me cabía todo en los post-its cogía una hoja y escribía ahí y ya al terminar la clase ponía las hojas escritas cada una en su lugar unidas con clips.

3010. (...) si era necesario hacía alguna anotación al margen de mi hoja para que a la hora del estudio pudiera recordar lo dicho en clase.

3020. (...) En el caso de que lo escrito no cupiese en el margen, hacía una llamada de atención y lo explicaba en la parte inferior de la página, donde suele haber más espacio.

3010. (...) En los márgenes me gustaba poner también de lo que trataba cada párrafo con una llave para que a la hora de recordar y estudiar el tema me resultara más fácil.

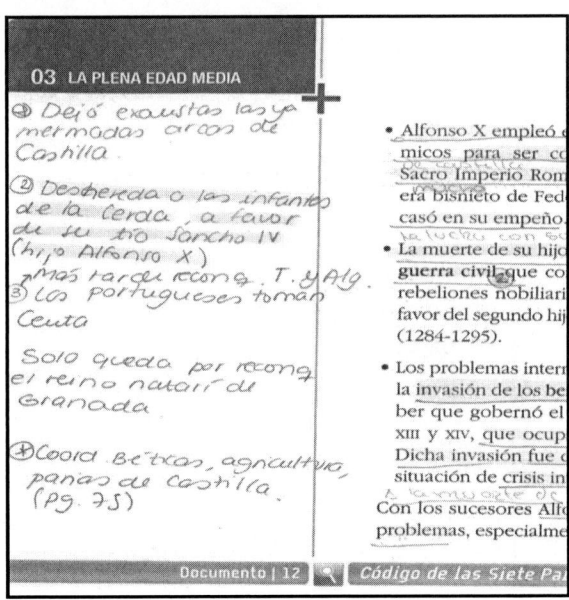

Figura 101. Ampliación breve de contenidos del texto: *arcas, infantes de la Cerda*, etc. Declarante 3068
Fuente: fondos propios (Legado NMV)

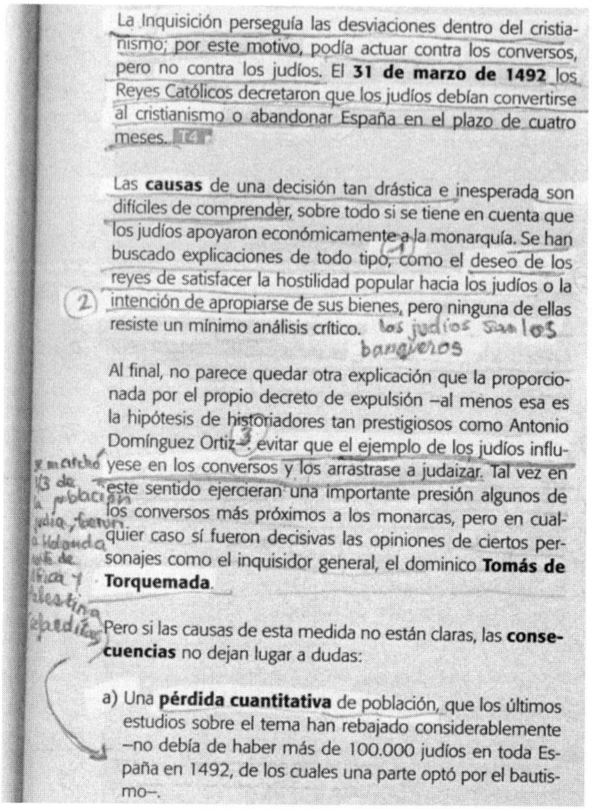

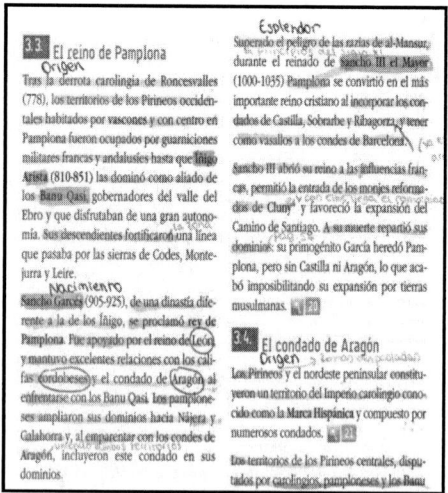

La Inquisición perseguía las desviaciones dentro del cristianismo; por este motivo, podía actuar contra los conversos, pero no contra los judíos. El **31 de marzo de 1492** los Reyes Católicos decretaron que los judíos debían convertirse al cristianismo o abandonar España en el plazo de cuatro meses.

Las **causas** de una decisión tan drástica e inesperada son difíciles de comprender, sobre todo si se tiene en cuenta que los judíos apoyaron económicamente a la monarquía. Se han buscado explicaciones de todo tipo, como el deseo de los reyes de satisfacer la hostilidad popular hacia los judíos o la intención de apropiarse de sus bienes, pero ninguna de ellas resiste un mínimo análisis crítico. los judíos son los banqueros

Al final, no parece quedar otra explicación que la proporcionada por el propio decreto de expulsión –al menos esa es la hipótesis de historiadores tan prestigiosos como Antonio Domínguez Ortiz–: evitar que el ejemplo de los judíos influyese en los conversos y los arrastrase a judaizar. Tal vez en este sentido ejercieran una importante presión algunos de los conversos más próximos a los monarcas, pero en cualquier caso sí fueron decisivas las opiniones de ciertos personajes como el inquisidor general, el dominico **Tomás de Torquemada**.

Pero si las causas de esta medida no están claras, las **consecuencias** no dejan lugar a dudas:

a) Una **pérdida cuantitativa** de población, que los últimos estudios sobre el tema han rebajado considerablemente –no debía de haber más de 100.000 judíos en toda España en 1492, de los cuales una parte optó por el bautismo–.

Figura 102. Clarificación cuantificada de número de judíos expulsados. Declarante 3002
Fuente: fondos propios (Legado NMV)

3.3. El reino de Pamplona

Origen

Tras la derrota carolingia de Roncesvalles (778), los territorios de los Pirineos occidentales habitados por vascones y con centro en Pamplona fueron ocupados por guarniciones militares francas y andalusíes hasta que Íñigo Arista (810-851) las dominó como aliado de los Banu Qasi, gobernadores del valle del Ebro y que disfrutaban de una gran autonomía. Sus descendientes fortificaron una línea que pasaba por las sierras de Codes, Montejurra y Leire.

Nacimiento

Sancho Garcés (905-925), de una dinastía diferente a la de los Íñigo, se proclamó rey de Pamplona. Fue apoyado por el reino de León y mantuvo excelentes relaciones con los califas cordobeses y el condado de Aragón al enfrentarse con los Banu Qasi. Los pamploneses ampliaron sus dominios hacia Nájera y Calahorra y, al emparentar con los condes de Aragón, incluyeron este condado en sus dominios.

Esplendor

Superado el peligro de las razias de al-Mansur, durante el reinado de Sancho III el Mayor (1000-1035) Pamplona se convirtió en el más importante reino cristiano al incorporar los condados de Castilla, Sobrarbe y Ribagorza, y tener como vasallos a los condes de Barcelona.

Sancho III abrió su reino a las influencias francas, permitió la entrada de los monjes reformados de Cluny* y favoreció la expansión del Camino de Santiago. A su muerte repartió sus dominios: su primogénito García heredó Pamplona, pero sin Castilla ni Aragón, lo que acabó imposibilitando su expansión por tierras musulmanas.

3.4. El condado de Aragón

Origen

Los Pirineos y el nordeste peninsular constituyeron un territorio del Imperio carolingio conocido como la **Marca Hispánica** y compuesto por numerosos condados.

Los territorios de los Pirineos centrales, disputados por carolingios, pamploneses y los Banu

Figura 103. Organización de la información: origen, nacimiento, esplendor. Declarante 3043
Fuente: fondos propios (Legado NMV)

1. Las operaciones militares

1.1. Alzamiento militar y comienzo de la guerra

En la tarde del 17 de julio de 1936...

El día 18 de julio el alzamiento se... la Península. Algunas guarniciones... ron, otras permanecieron fieles a... en algunos lugares la resistencia d... obreros derrotó a los golpistas.

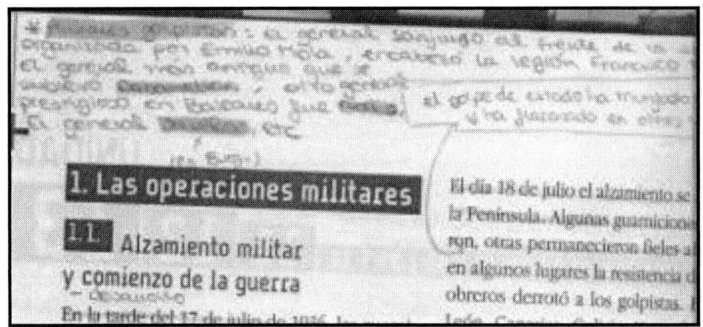

Figura 104. Ampliación de la información y destacado de términos clave: avances golpistas. Declarante 3004
Fuente: fondos propios (Legado NMV)

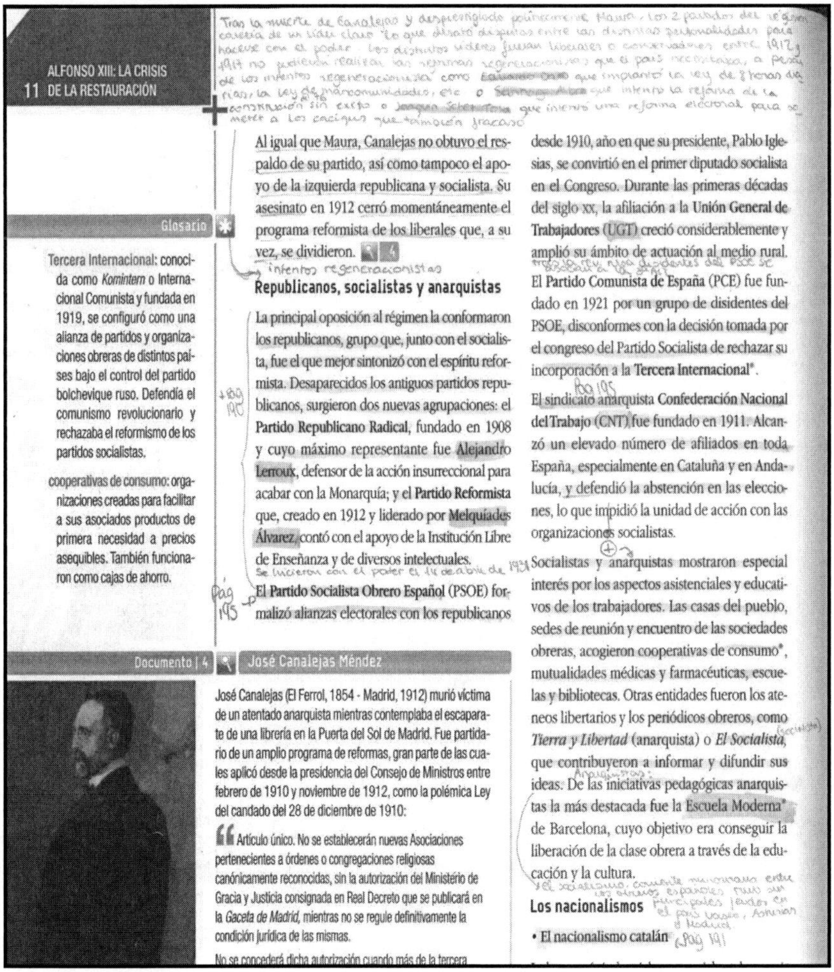

ALFONSO XIII: LA CRISIS DE LA RESTAURACIÓN 11

Al igual que Maura, Canalejas no obtuvo el respaldo de su partido, así como tampoco el apoyo de la izquierda republicana y socialista. Su asesinato en 1912 cerró momentáneamente el programa reformista de los liberales que, a su vez, se dividieron.

Republicanos, socialistas y anarquistas

La principal oposición al régimen la conformaron los republicanos, grupo que, junto con el socialista, fue el que mejor sintonizó con el espíritu reformista. Desaparecidos los antiguos partidos republicanos, surgieron dos nuevas agrupaciones: el **Partido Republicano Radical**, fundado en 1908 y cuyo máximo representante fue Alejandro Lerroux, defensor de la acción insurreccional para acabar con la Monarquía; y el **Partido Reformista** que, creado en 1912 y liderado por Melquíades Álvarez, contó con el apoyo de la Institución Libre de Enseñanza y de diversos intelectuales.

El Partido Socialista Obrero Español (PSOE) formalizó alianzas electorales con los republicanos desde 1910, año en que su presidente, Pablo Iglesias, se convirtió en el primer diputado socialista en el Congreso. Durante las primeras décadas del siglo XX, la afiliación a la **Unión General de Trabajadores (UGT)** creció considerablemente y amplió su ámbito de actuación al medio rural.

El **Partido Comunista de España** (PCE) fue fundado en 1921 por un grupo de disidentes del PSOE, disconformes con la decisión tomada por el congreso del Partido Socialista de rechazar su incorporación a la **Tercera Internacional***.

El sindicato anarquista **Confederación Nacional del Trabajo (CNT)** fue fundado en 1911. Alcanzó un elevado número de afiliados en toda España, especialmente en Cataluña y en Andalucía, y defendió la abstención en las elecciones, lo que impidió la unidad de acción con las organizaciones socialistas.

Socialistas y anarquistas mostraron especial interés por los aspectos asistenciales y educativos de los trabajadores. Las casas del pueblo, sedes de reunión y encuentro de las sociedades obreras, acogieron cooperativas de consumo*, mutualidades médicas y farmacéuticas, escuelas y bibliotecas. Otras entidades fueron los ateneos libertarios y los periódicos obreros, como *Tierra y Libertad* (anarquista) o *El Socialista*, que contribuyeron a informar y difundir sus ideas. De las iniciativas pedagógicas anarquistas la más destacada fue la Escuela Moderna* de Barcelona, cuyo objetivo era conseguir la liberación de la clase obrera a través de la educación y la cultura.

Los nacionalismos

• El nacionalismo catalán

Glosario

Tercera Internacional: conocida como *Komintern* o Internacional Comunista y fundada en 1919, se configuró como una alianza de partidos y organizaciones obreras de distintos países bajo el control del partido bolchevique ruso. Defendía el comunismo revolucionario y rechazaba el reformismo de los partidos socialistas.

cooperativas de consumo: organizaciones creadas para facilitar a sus asociados productos de primera necesidad a precios asequibles. También funcionaron como cajas de ahorro.

Documento | 4 José Canalejas Méndez

José Canalejas (El Ferrol, 1854 - Madrid, 1912) murió víctima de un atentado anarquista mientras contemplaba el escaparate de una librería en la Puerta del Sol de Madrid. Fue partidario de un amplio programa de reformas, gran parte de las cuales aplicó desde la presidencia del Consejo de Ministros entre febrero de 1910 y noviembre de 1912, como la polémica Ley del candado del 28 de diciembre de 1910:

Artículo único. No se establecerán nuevas Asociaciones pertenecientes a órdenes o congregaciones religiosas canónicamente reconocidas, sin la autorización del Ministerio de Gracia y Justicia consignada en Real Decreto que se publicará en la *Gaceta de Madrid*, mientras no se regule definitivamente la condición jurídica de las mismas.

No se concederá dicha autorización cuando más de la tercera...

Figura 105. Ampliación de la información dentro y fuera del texto alternando con información sobre la gestión. Declarante 3043
Fuente: fondos propios (Legado NMV)

5.3. Modelos de monarquía: autoritarismo y pactismo

[anotación manuscrita: Cortes en Castilla y León]

Las relaciones feudo-vasalláticas complicaban las relaciones políticas en las monarquías medievales, pues si bien el rey representaba la cima del poder feudal y, por tanto, era el señor de todos los habitantes del reino, en la realidad sus posibilidades de actuación se hallaban muy limitadas por la autonomía de los señoríos y los privilegios de la nobleza y la Iglesia.

La institución monárquica era la principal representación del poder político en la Edad Media. Los monarcas intentaron afianzar su poder frente a la nobleza, la Iglesia y las nacientes ciudades. La forma en la cual los reyes ejercieron dicho poder generó dos modelos de monarquía:

- **El modelo autoritario,** en el cual el rey procuraba ejercer su poder sin limitaciones. Las instituciones –Consejo Real, Cortes, etc.– vieron reducidas sus funciones a tareas consultivas o de simple aprobación de los designios reales. Este modelo se dio **en Castilla,** donde, desde el siglo XIV, se impuso la legislación real frente a la jurisprudencia foral. Así, el rey pudo gobernar sin contar con las instituciones antes citadas ▶ **(Doc. 19).**

[anotación manuscrita: modelo centralizador]

- **El modelo pactista,** en el que el rey debía tener en cuenta la opinión de las Cortes del reino (en las que estaban representadas la nobleza, la aristocracia urbana y la Iglesia). Las Cortes podían hacer propuestas legislativas o peticiones al rey a cambio de aprobar las aportaciones económicas que solicitaba la monarquía. El rey debía también respetar las leyes del reino (fueros*). Se trataba de un modelo propio de territorios donde la nobleza había obtenido elevadas cotas de poder. Este modelo se impuso **en la Corona de Aragón** ▶ **(Doc. 20).** *[anotación: más iniciativa legislativa]*

[anotación manuscrita: cada reino sus cortes Aragón / Cataluña / Valencia]

5.4. La administración municipal *[anotación: (3 reinos)]*

La administración municipal fue ganando importancia al mismo tiempo que las ciudades se engrandecían y aumentaba su peso económico. Paralelamente iba creciendo su autonomía del poder real o nobiliario.

En la Corona de Aragón hay que diferenciar el modelo aragonés, en el que el gobierno de los municipios recaía en un **cabildo de jurados,** presididos por un **justicia o alcalde** nombrado por el rey, y el modelo catalán, en el que el municipio era gobernado por unos magistrados locales –**jurats**– asesorados por un **consell.** Un ejemplo bien conocido era el de la ciudad de Barcelona, gobernada por cien jurats que formaban el llamado Consejo de Ciento y unos magistrados, los consejeros o consellers.

En la Corona de Castilla el órgano municipal más importante era el **concejo,** que incluía al principio a todos los vecinos. Pero el gobierno recaía en los **regidores,** cargos vitalicios que formaban el ayuntamiento junto a los representantes del rey: **alcaldes, jueces o merinos.** A finales del siglo XIV surgió la figura del **corregidor,** cuya función era representar a la corona en los municipios, aparte de poseer funciones judiciales y militares.

Fue frecuente que los concejos fuesen **dominados por oligarquías locales** formadas por la pequeña nobleza o la burguesía enriquecida, que acapararon tanto los cargos electos como los designados por los reyes.

DOC. 19. ORGANIZACIÓN POLÍTICA DE LA CORONA DE CASTILLA.

Consejo Real	Audiencia	Hacienda	
• Asesorar al rey en el gobierno	• Órgano supremo de justicia	• Administrar la economía del reino	• Realizaban peticiones al monarca • Aconsejaban al rey

DOC. 20. ORGANIZACIÓN POLÍTICA DE LA CORONA DE ARAGÓN.

▶ ¿Qué diferencias existían entre ambos modelos?

[anotaciones manuscritas:
- *Ciudades, municipios / fueros / Cortes → poderes que debilitaban al rey*
- *Justicia Mayor de Aragón: velar porque el rey respetara los fueros, leyes. Era una institución. Llevada a cabo por nobles.]*

*Fueros: En una primera significación, se refiere al conjunto de usos y costumbres convertido en ley de un reino; en una segunda significación, designa las libertades, privilegios y normas concedidas a una localidad durante el proceso de repoblación.

Figura 106. *Ampliación puntual* de la información con *evidencias de dos usuarios del manual.* Declarante 3029
Fuente: fondos propios (Legado NMV)

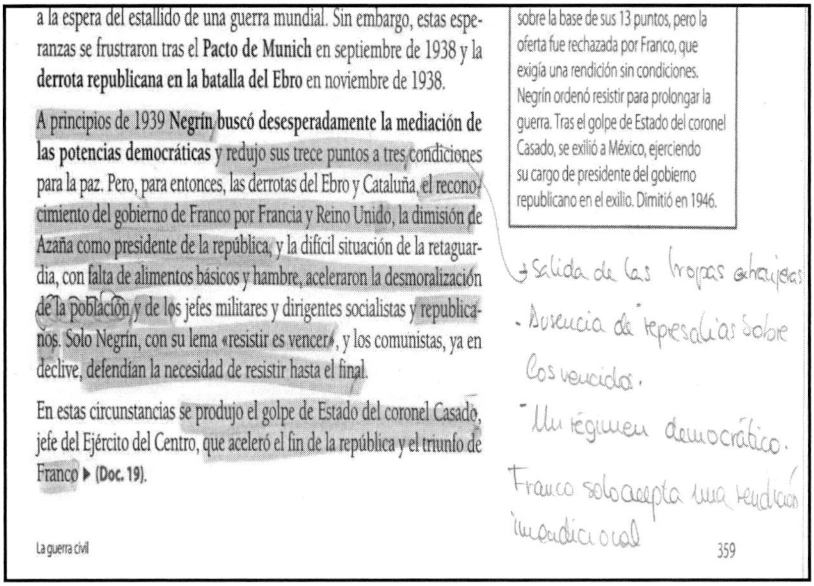

a la espera del estallido de una guerra mundial. Sin embargo, estas esperanzas se frustraron tras el **Pacto de Munich** en septiembre de 1938 y la **derrota republicana en la batalla del Ebro** en noviembre de 1938.

A principios de 1939 Negrín buscó desesperadamente la mediación de las potencias democráticas y redujo sus trece puntos a tres condiciones para la paz. Pero, para entonces, las derrotas del Ebro y Cataluña, el reconocimiento del gobierno de Franco por Francia y Reino Unido, la dimisión de Azaña como presidente de la república, y la difícil situación de la retaguardia, con falta de alimentos básicos y hambre, aceleraron la desmoralización de la población y de los jefes militares y dirigentes socialistas y republicanos. Solo Negrín, con su lema «resistir es vencer», y los comunistas, ya en declive, defendían la necesidad de resistir hasta el final.

En estas circunstancias se produjo el golpe de Estado del coronel Casado, jefe del Ejército del Centro, que aceleró el fin de la república y el triunfo de Franco ▶ (Doc. 19).

sobre la base de sus 13 puntos, pero la oferta fue rechazada por Franco, que exigía una rendición sin condiciones. Negrín ordenó resistir para prolongar la guerra. Tras el golpe de Estado del coronel Casado, se exilió a México, ejerciendo su cargo de presidente del gobierno republicano en el exilio. Dimitió en 1946.

[anotaciones manuscritas:]
- Salida de las tropas extranjeras
- Ausencia de represalias sobre los vencidos.
- Un régimen democrático.
- Franco solo acepta una rendición incondicional

La guerra civil   359

Figura 107. Ampliación de la información referida a un hecho concreto: rendición de la II República. Declarante 3008
Fuente: fondos propios (Legado NMV)

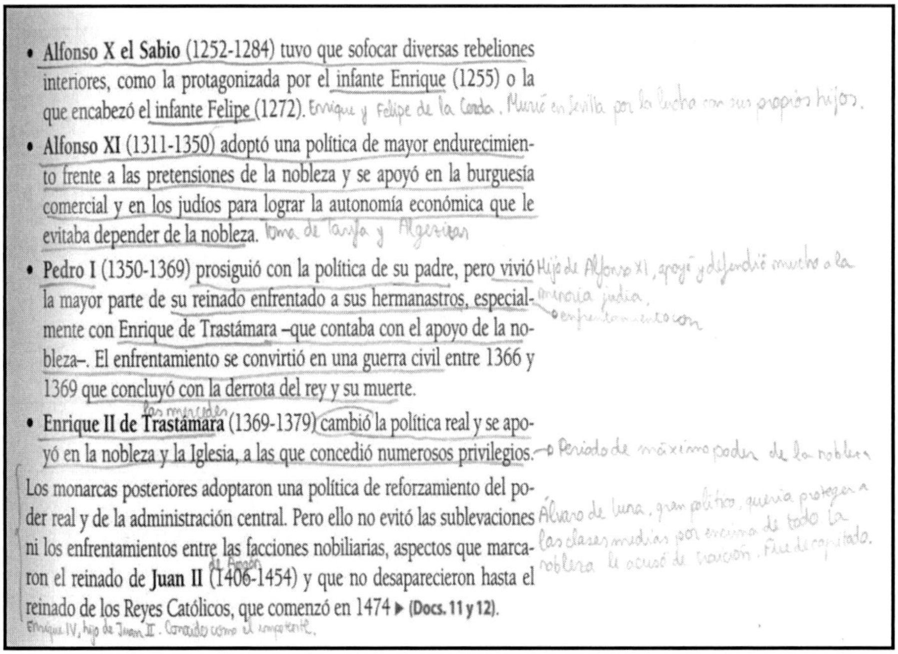

- **Alfonso X el Sabio** (1252-1284) tuvo que sofocar diversas rebeliones interiores, como la protagonizada por el infante Enrique (1255) o la que encabezó el infante Felipe (1272). *[anotación: Enrique y Felipe de la Cerda. Murió en Sevilla por la lucha con sus propios hijos.]*
- **Alfonso XI** (1311-1350) adoptó una política de mayor endurecimiento frente a las pretensiones de la nobleza y se apoyó en la burguesía comercial y en los judíos para lograr la autonomía económica que le evitaba depender de la nobleza. *[anotación: toma de Tarifa y Algeciras]*
- **Pedro I** (1350-1369) prosiguió con la política de su padre, pero vivió la mayor parte de su reinado enfrentado a sus hermanastros, especialmente con Enrique de Trastámara –que contaba con el apoyo de la nobleza–. El enfrentamiento se convirtió en una guerra civil entre 1366 y 1369 que concluyó con la derrota del rey y su muerte. *[anotación: Hijo de Alfonso XI, apoyó y defendió mucho a la minoría judía. Se enfrentó con...]*
- **Enrique II de Trastámara** *[anotación: las mercedes]* (1369-1379) cambió la política real y se apoyó en la nobleza y la Iglesia, a las que concedió numerosos privilegios. *[anotación: Periodo de máximo poder de la nobleza]*

Los monarcas posteriores adoptaron una política de reforzamiento del poder real y de la administración central. Pero ello no evitó las sublevaciones ni los enfrentamientos entre las facciones nobiliarias, aspectos que marcaron el reinado de **Juan II** *[anotación: de Aragón]* (1406-1454) y que no desaparecieron hasta el reinado de los Reyes Católicos, que comenzó en 1474 ▶ (Docs. 11 y 12). *[anotación: Enrique IV, hijo de Juan II. Conocido como el impotente.]*

[anotación lateral: Álvaro de Luna, gran político, quería proteger a las clases medias por encima de toda la nobleza. La nobleza lo acusó de traición. Fue decapitado.]

Figura 108. Ampliación de la información constante en el texto del autor: desde Alfonso X a Enrique II.
Declarante 3009
Fuente: fondos propios (Legado NMV)

que fundó la República del Rif (1923-1926), dificultaron las acciones de ocupación.

Posteriormente, el desembarco en la bahía de Alhucemas en 1925 posibilitó la conquista sistemática del territorio y el final de la guerra. Para esta operación, en la que se combinaron fuerzas marítimas y terrestres, se requirió la colaboración de Francia. Abd-el-Krim se entregó a las autoridades francesas y el 10 de julio de 1927 se dieron por concluidas las operaciones militares.

2.2. El Directorio civil

A los éxitos del Directorio militar sobre el orden público y en Marruecos, se sumaron una economía en expansión, favorecida por la práctica del proteccionismo y por la buena coyuntura internacional, y el apoyo de la UGT a la política social del dictador.

Primo de Rivera fundó la **Unión Patriótica**, grupo político creado para aglutinar las adhesiones al régimen. Frente a estos apoyos, en contra del Directorio se situaron los viejos políticos liberales, los anarquistas, los comunistas, los nacionalistas y algunos intelectuales, como Miguel de Unamuno. **11**

El 3 de diciembre de 1925, Miguel Primo de Rivera sustituyó el Directorio militar por otro civil, en cuya composición figuraron hombres de la Unión Patriótica como José Calvo Sotelo (ministro de Hacienda), el conde de Guadalhorce (Obras Públicas) o Eduardo Aunós (Trabajo). El propósito de este Directorio civil era institucionalizar, perpetuar, la Dictadura, para lo cual se tomaron diversas medidas.

- En el ámbito político, el dictador anunció en septiembre de 1926 la creación de una Asamblea Nacional Consultiva, idea respaldada por miles de firmas que recogieron los hombres de la Unión Patriótica. La Asamblea, integrada por personalidades de ideología muy dispar, llegó a preparar en 1929 un proyecto de Constitución que no prosperó.

- En el ámbito social, Eduardo Aunós creó la Organización Corporativa del Trabajo, inspirada en las encíclicas papales y en la legislación de la Italia fascista aunque, a diferencia de ella, reconocía la libertad sindical. De acuerdo con esta organización se crearon los

Comités Paritarios —compuestos por igual número de obreros y de patronos— con el objeto de regular la vida laboral y que obtuvieron el apoyo de la UGT. Además, se impulsaron medidas favorables a los obreros, como el fomento de cooperativas de casas baratas, la aparición de seguros sociales o la protección de las clases pasivas —derechos de jubilación.

- Las acciones del Directorio civil en el ámbito económico fueron numerosas y pretendieron consolidar el régimen. El conde de Guadalhorce dirigió un ambicioso plan de obras públicas que mejoró la infraestructura viaria —carreteras, ferrocarriles— y creó las confederaciones hidrográficas para ampliar los regadíos agrarios.

El ministro Calvo Sotelo emprendió una política económica expansiva e intervencionista. Adoptó medidas como la creación de monopolios estatales, como el de petróleos —CAMPSA, que permitió nacionalizar un importante sector antes controlado por empresas extranjeras como la Standard Oil o la Shell—, Telefónica e Iberia. Estas medidas económicas supusieron una mejora en las

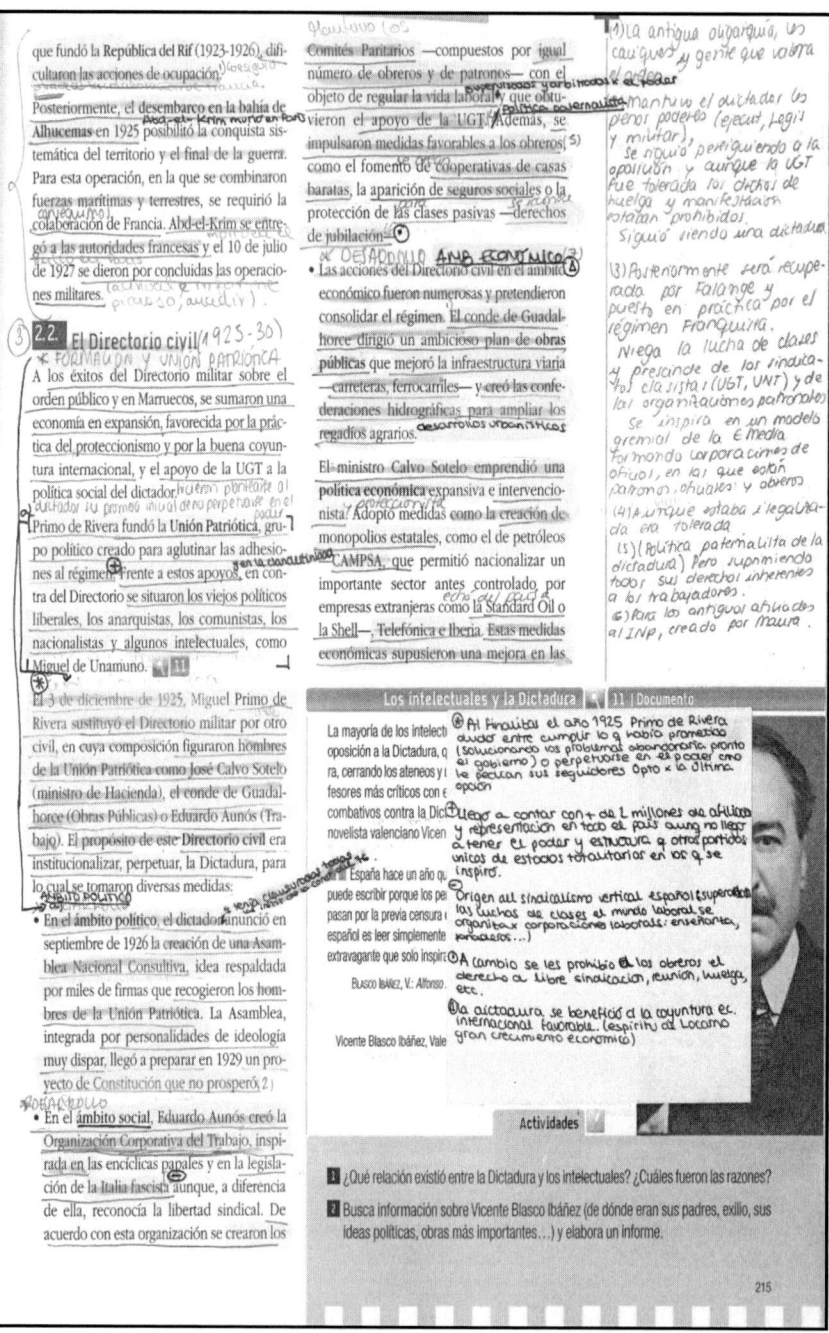

Los intelectuales y la Dictadura · **11 | Documento**

La mayoría de los intelectuales se opusieron a la Dictadura, cerrando los ateneos y los profesores más críticos con el régimen, combativos contra la Dictadura como el novelista valenciano Vicente [...]

España hace un año que no puede escribir porque los periódicos pasan por la previa censura y el español se lee simplemente extravagante que solo inspira [...]

Blasco Ibáñez, V.: Alfonso [...]

Vicente Blasco Ibáñez, Vale [...]

Actividades

1 ¿Qué relación existió entre la Dictadura y los intelectuales? ¿Cuáles fueron las razones?

2 Busca información sobre Vicente Blasco Ibáñez (de dónde eran sus padres, exilio, sus ideas políticas, obras más importantes…) y elabora un informe.

215

Figura 109. Ampliación de la información compleja en la que se incluye post-its. Declarante 3009
Fuente: fondos propios (Legado NMV)

164

IV.3.2.4. La comprensión y la organización del contenido: los esquemas y resúmenes

Un cometido importante del libro de texto es el vinculado con la comprensión. Dicha capacidad se relaciona con la elaboración de esquemas o realización de resúmenes que permitan sintetizar la información en ellos contenida (Marzano, 2007). En este sentido, el alumnado declara cómo en los manuales registra ese hecho de realizar esquemas y resúmenes que le facilitan el proceso. Estos esquemas pueden estar basados en el texto del autor del manual "3002. (...) A veces, al margen, me hacía un breve esquema de los contenidos principales de cada párrafo", o registrar que era el que el alumno hacía a partir del facilitado por la profesora "3058. (...), yo, aparte, hacia otro esquema con el fin de que a la hora de estudiar pudiese estructurarme mucho mejor". Por otra parte, cuando faltaba espacio se recurría a hojas sueltas o a los post-its "3068. (...) cuando ya no me cabía todo en los post-its cogía una hoja y escribía ahí y ya al terminar la clase ponía las hojas escritas cada una en su lugar unidas con clips". Sin embargo, otras veces están insertos y vinculados con flechas, no solamente con el texto, sino también con las imágenes y con los esquemas que el propio libro tiene implicando una complejidad muy personal e interesante, como queda mostrado en algunas de las evidencias que se presentan (Figuras 110-125). Hemos seleccionado, en las huellas el intenso trabajo realizado por la declarante 3029 (sobre todo con las imágenes de tiempo y espacio) y la diferencia en la ampliación del contenido que, en una misma página, tienen dos alumnos distintos: 3043 y 3068:

3002. (...) *A veces, al margen me hacía un breve esquema de los contenidos principales de cada párrafo.*

3058. (...) *También es cierto que aparte del copiar el esquema que la profesora ponía en la pizarra sobre aquello que explicaría ese día, yo aparte hacia otro esquema con el fin de que a la hora de estudiar pudiese estructurarme mucho mejor.*

3068. (...) *También como he dicho antes, cuando ya no me cabía todo en los post-its cogía una hoja y escribía ahí y ya al terminar la clase ponía las hojas escritas cada una en su lugar unidas con clips.*

3004. (...) *y lo que iba a escribir en mis resúmenes, y todo ellos en casa.*

3007. (...) *Pero sobre todo en el libro se puede apreciar que muchas veces al principio del tema tenía apuntadas frases de políticos o de eruditos de la época, así, por ejemplo, voy a mencionar una que me impresionó y que me gusto, es de Antonio del Castillo, el creador del modelo de la Restauración que su frase es: "La política es el arte de lo imposible".*

3031. *Casi siempre subrayaba con color naranja fluorescente lo que iba a poner en el resumen (aunque al pasarlo a mano dejaba cosas que había subrayado sin poner), y con lápiz subrayaba lo que veía más importante según las explicaciones de la profesora, es decir, en lápiz un primer subrayado en clase y en naranja fluorescente un subrayado a conciencia en casa para hacer el resumen del tema que luego me tendría que estudiar.*

3034. (...) *También subrayaba los aspectos y puntos más importantes, para al llegar a casa pasarlo a mi resumen.*

3045. (...) *unos había que resumirlos, otros estaban totalmente perfectos... siguiendo sus indicaciones, lo anotaba al comienzo del punto para que no se me olvidara aplicarlo a la hora del estudio.*

3063. (...) *yo me hacía resúmenes del libro para estudiar, cada tema en un folio por delante y por detrás que es lo que nos exigía el profesor para el examen, así que el libro me servía como ayuda para esos resúmenes.*

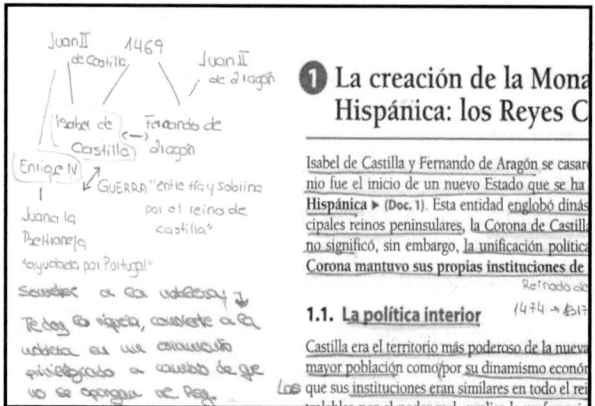

Figura 110. Esquema de la creación de *la monarquía hispánica*. Declarante 3007
Fuente: fondos propios (Legado NMV)

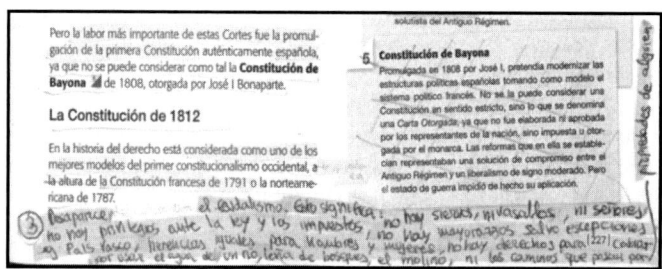

Figura 111. Resumen sobre *la constitución de 1812* con evidencias del trabajo de un primer usuario, y destacado
el segundo. Declarante 3002
Fuente: fondos propios (Legado NMV)

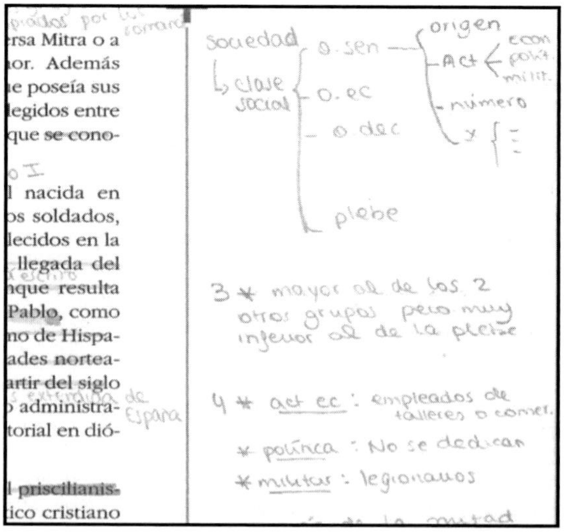

Figura 112. Esquema de la sociedad romana con aclaraciones de las clases sociales. Declarante 3043
Fuente: fondos propios (Legado NMV)

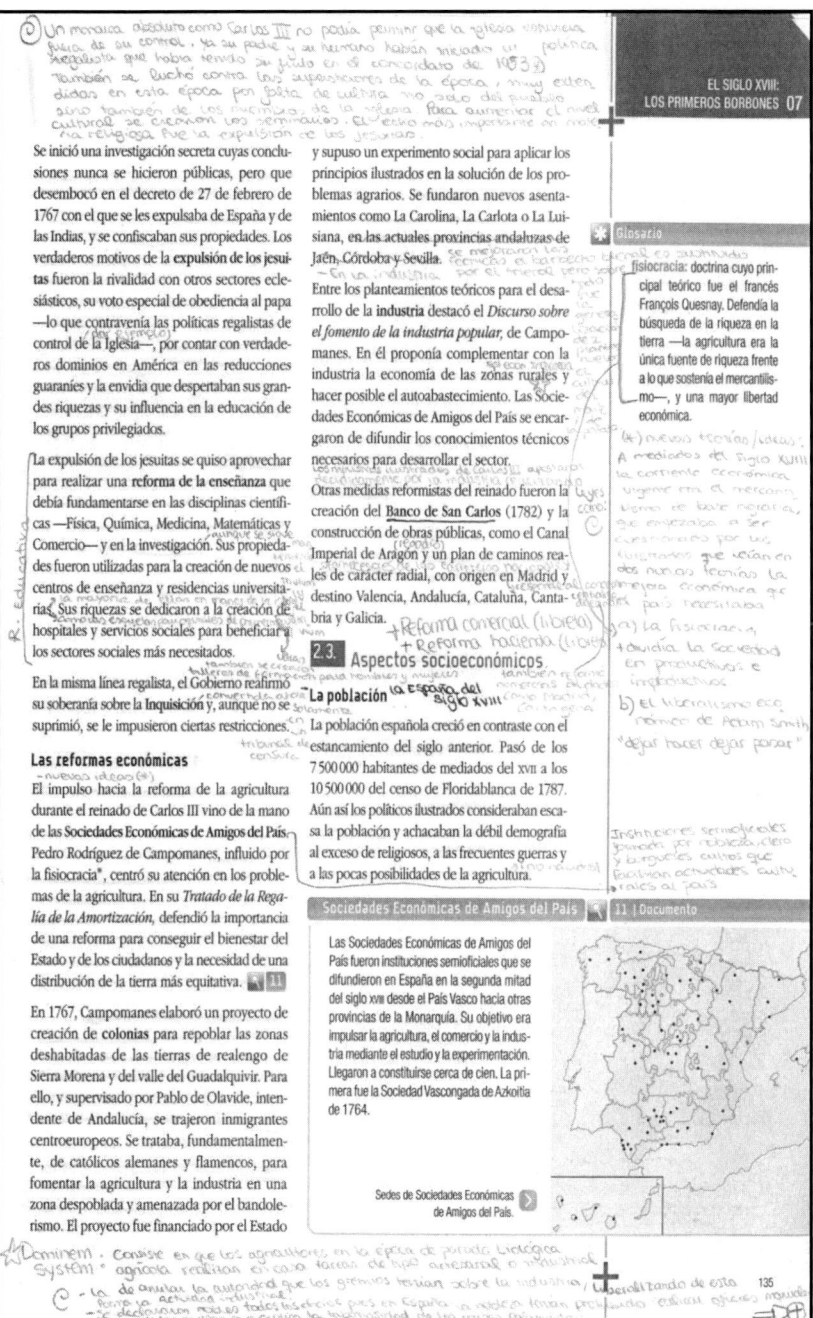

Figura 113. La interpretación del docente y del alumno: misma editorial, mismo centro y diferente profesor.
Declarante 3043
Fuente: fondos propios (Legado NMV)

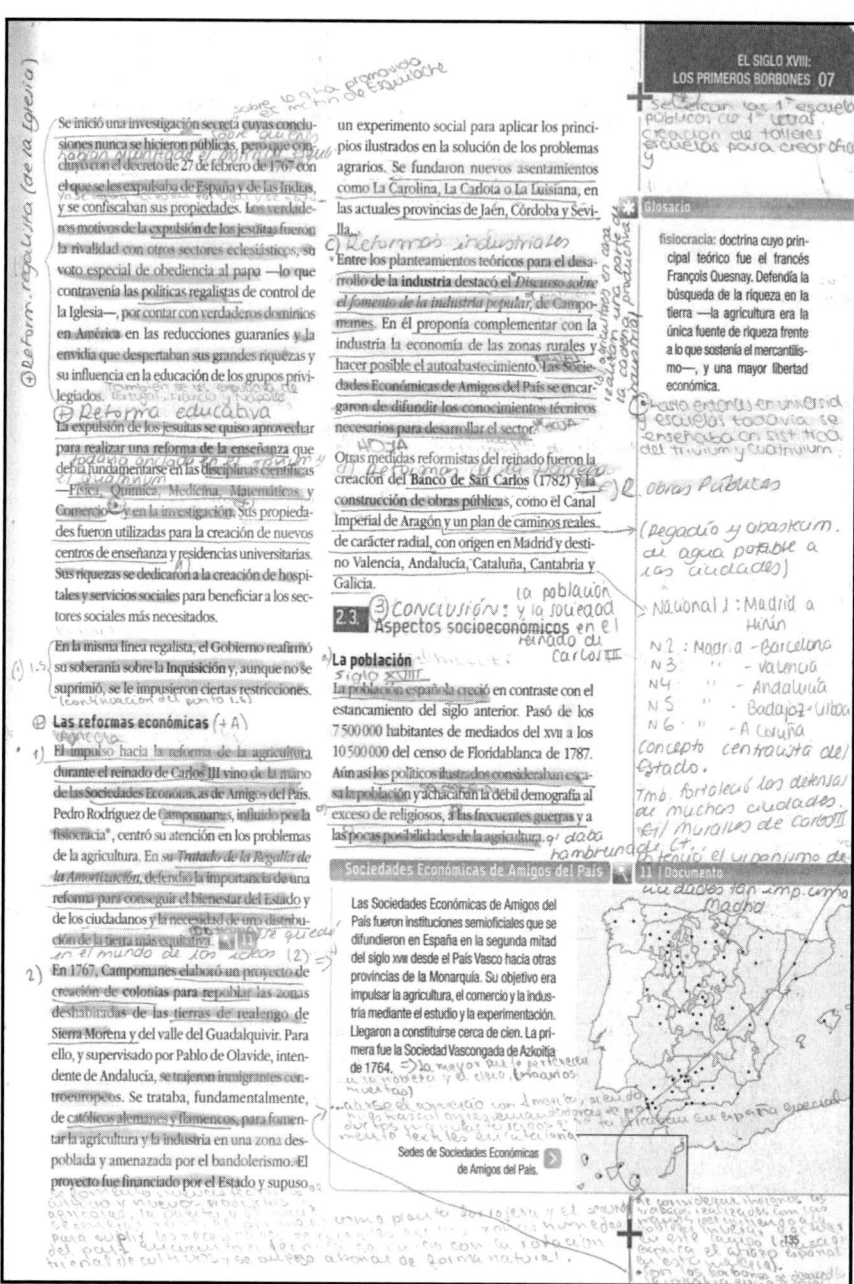

Se inició una investigación secreta cuyas conclusiones nunca se hicieron públicas, pero que con-cluyó con el decreto de 27 de febrero de 1767 con el que se les expulsaba de España y de las Indias, y se confiscaban sus propiedades. Los verdaderos motivos de la expulsión de los jesuitas fueron la rivalidad con otros sectores eclesiásticos, su voto especial de obediencia al papa —lo que contravenía las políticas regalistas de control de la Iglesia—, por contar con verdaderos dominios en América en las reducciones guaraníes y la envidia que despertaban sus grandes riquezas y su influencia en la educación de los grupos privilegiados.

La expulsión de los jesuitas se quiso aprovechar para realizar una reforma de la enseñanza que debía fundamentarse en las disciplinas científicas —Física, Química, Medicina, Matemáticas y Comercio— y en la investigación. Sus propiedades fueron utilizadas para la creación de nuevos centros de enseñanza y residencias universitarias. Sus riquezas se dedicaron a la creación de hospitales y servicios sociales para beneficiar a los sectores sociales más necesitados.

En la misma línea regalista, el Gobierno reafirmó su soberanía sobre la Inquisición y, aunque no se suprimió, se le impusieron ciertas restricciones.

Las reformas económicas

El impulso hacia la reforma de la agricultura durante el reinado de Carlos III vino de la mano de las Sociedades Económicas de Amigos del País. Pedro Rodríguez de Campomanes, influido por la fisiocracia*, centró su atención en los problemas de la agricultura. En su *Tratado de la Regalía de la Amortización*, defendió la importancia de una reforma para conseguir el bienestar del Estado y de los ciudadanos y la necesidad de una distribución de la tierra más equitativa.

En 1767, Campomanes elaboró un proyecto de creación de colonias para repoblar las zonas deshabitadas de las tierras de realengo de Sierra Morena y del valle del Guadalquivir. Para ello, y supervisado por Pablo de Olavide, intendente de Andalucía, se trajeron inmigrantes centroeuropeos. Se trataba, fundamentalmente, de católicos alemanes y flamencos, para fomentar la agricultura y la industria en una zona despoblada y amenazada por el bandolerismo. El proyecto fue financiado por el Estado y supuso

un experimento social para aplicar los principios ilustrados en la solución de los problemas agrarios. Se fundaron nuevos asentamientos como La Carolina, La Carlota o La Luisiana, en las actuales provincias de Jaén, Córdoba y Sevilla.

Entre los planteamientos teóricos para el desarrollo de la industria destacó el *Discurso sobre el fomento de la industria popular*, de Campomanes. En él proponía complementar con la industria la economía de las zonas rurales y hacer posible el autoabastecimiento. Las Sociedades Económicas de Amigos del País se encargaron de difundir los conocimientos técnicos necesarios para desarrollar el sector.

Otras medidas reformistas del reinado fueron la creación del Banco de San Carlos (1782) y la construcción de obras públicas, como el Canal Imperial de Aragón y un plan de caminos reales. de carácter radial, con origen en Madrid y destino Valencia, Andalucía, Cataluña, Cantabria y Galicia.

2.3 Aspectos socioeconómicos

La población

La población española creció en contraste con el estancamiento del siglo anterior. Pasó de los 7 500 000 habitantes de mediados del XVII a los 10 500 000 del censo de Floridablanca de 1787. Aún así los políticos ilustrados consideraban escasa la población y achacaban la débil demografía al exceso de religiosos, a las frecuentes guerras y a las pocas posibilidades de la agricultura.

Sociedades Económicas de Amigos del País | 11 | Documento

Las Sociedades Económicas de Amigos del País fueron instituciones semioficiales que se difundieron en España en la segunda mitad del siglo XVIII desde el País Vasco hacia otras provincias de la Monarquía. Su objetivo era impulsar la agricultura, el comercio y la industria mediante el estudio y la experimentación. Llegaron a constituirse cerca de cien. La primera fue la Sociedad Vascongada de Azkoitia de 1764.

Sedes de Sociedades Económicas de Amigos del País.

Figura 114. La interpretación del docente y del alumno: misma editorial, mismo centro y diferente profesor. Declarante 3068
Fuente: fondos propios (Legado NMV)

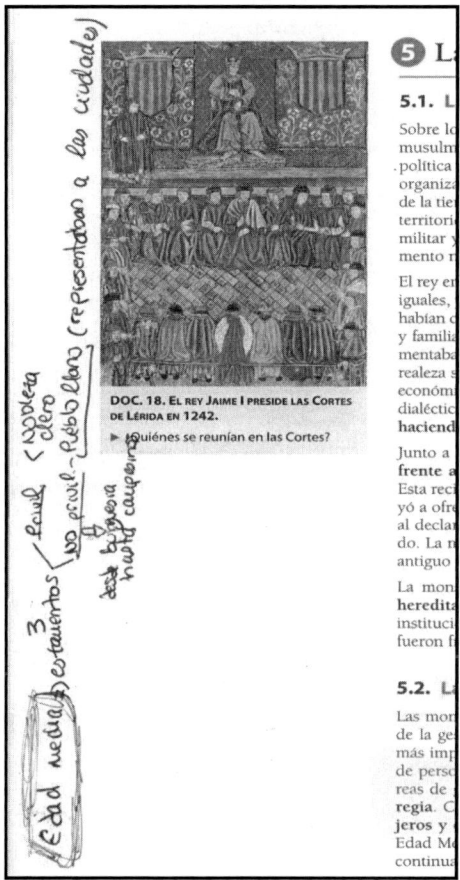

Figura 115. Esquemas: Edad Media. Declarante 3029
Fuente: fondos propios (Legado NMV)

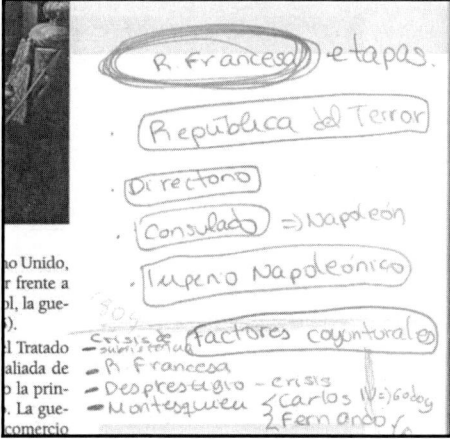

Figura 116. Esquemas: Revolución francesa. Declarante 3029
Fuente: fondos propios (Legado NMV)

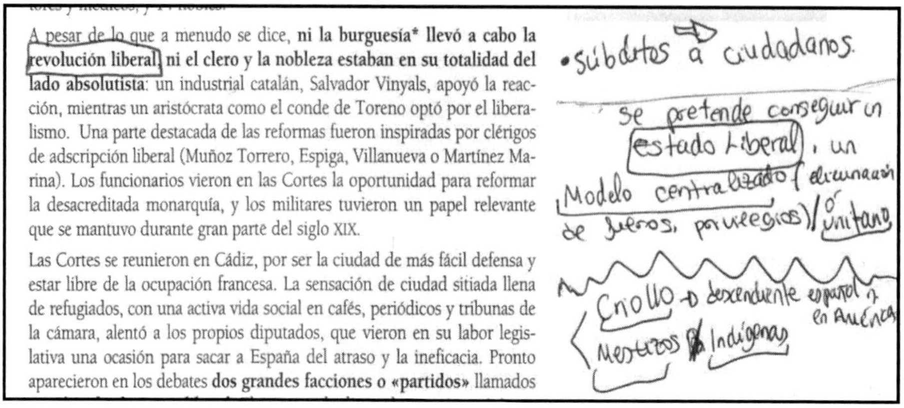

A pesar de lo que a menudo se dice, **ni la burguesía* llevó a cabo la revolución liberal** ni el clero y la nobleza estaban en su totalidad del **lado absolutista**: un industrial catalán, Salvador Vinyals, apoyó la reacción, mientras un aristócrata como el conde de Toreno optó por el liberalismo. Una parte destacada de las reformas fueron inspiradas por clérigos de adscripción liberal (Muñoz Torrero, Espiga, Villanueva o Martínez Marina). Los funcionarios vieron en las Cortes la oportunidad para reformar la desacreditada monarquía, y los militares tuvieron un papel relevante que se mantuvo durante gran parte del siglo XIX.

Las Cortes se reunieron en Cádiz, por ser la ciudad de más fácil defensa y estar libre de la ocupación francesa. La sensación de ciudad sitiada llena de refugiados, con una activa vida social en cafés, periódicos y tribunas de la cámara, alentó a los propios diputados, que vieron en su labor legislativa una ocasión para sacar a España del atraso y la ineficacia. Pronto aparecieron en los debates **dos grandes facciones o «partidos»** llamados

Figura 117. Esquemas: *La revolución liberal*. Declarante 3029
Fuente: fondos propios (Legado NMV)

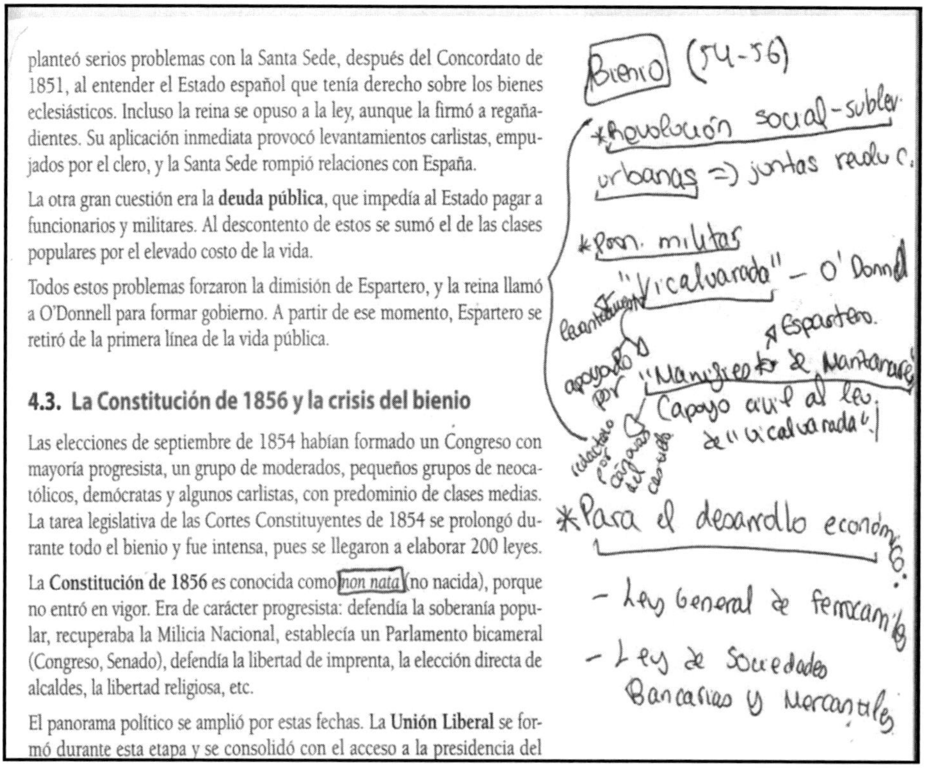

planteó serios problemas con la Santa Sede, después del Concordato de 1851, al entender el Estado español que tenía derecho sobre los bienes eclesiásticos. Incluso la reina se opuso a la ley, aunque la firmó a regañadientes. Su aplicación inmediata provocó levantamientos carlistas, empujados por el clero, y la Santa Sede rompió relaciones con España.

La otra gran cuestión era la **deuda pública**, que impedía al Estado pagar a funcionarios y militares. Al descontento de estos se sumó el de las clases populares por el elevado costo de la vida.

Todos estos problemas forzaron la dimisión de Espartero, y la reina llamó a O'Donnell para formar gobierno. A partir de ese momento, Espartero se retiró de la primera línea de la vida pública.

4.3. La Constitución de 1856 y la crisis del bienio

Las elecciones de septiembre de 1854 habían formado un Congreso con mayoría progresista, un grupo de moderados, pequeños grupos de neocatólicos, demócratas y algunos carlistas, con predominio de clases medias. La tarea legislativa de las Cortes Constituyentes de 1854 se prolongó durante todo el bienio y fue intensa, pues se llegaron a elaborar 200 leyes.

La **Constitución de 1856** es conocida como *non nata* (no nacida), porque no entró en vigor. Era de carácter progresista: defendía la soberanía popular, recuperaba la Milicia Nacional, establecía un Parlamento bicameral (Congreso, Senado), defendía la libertad de imprenta, la elección directa de alcaldes, la libertad religiosa, etc.

El panorama político se amplió por estas fechas. La **Unión Liberal** se formó durante esta etapa y se consolidó con el acceso a la presidencia del

Figura 118. Esquemas: El bienio reformista. Declarante 3029
Fuente: fondos propios (Legado NMV)

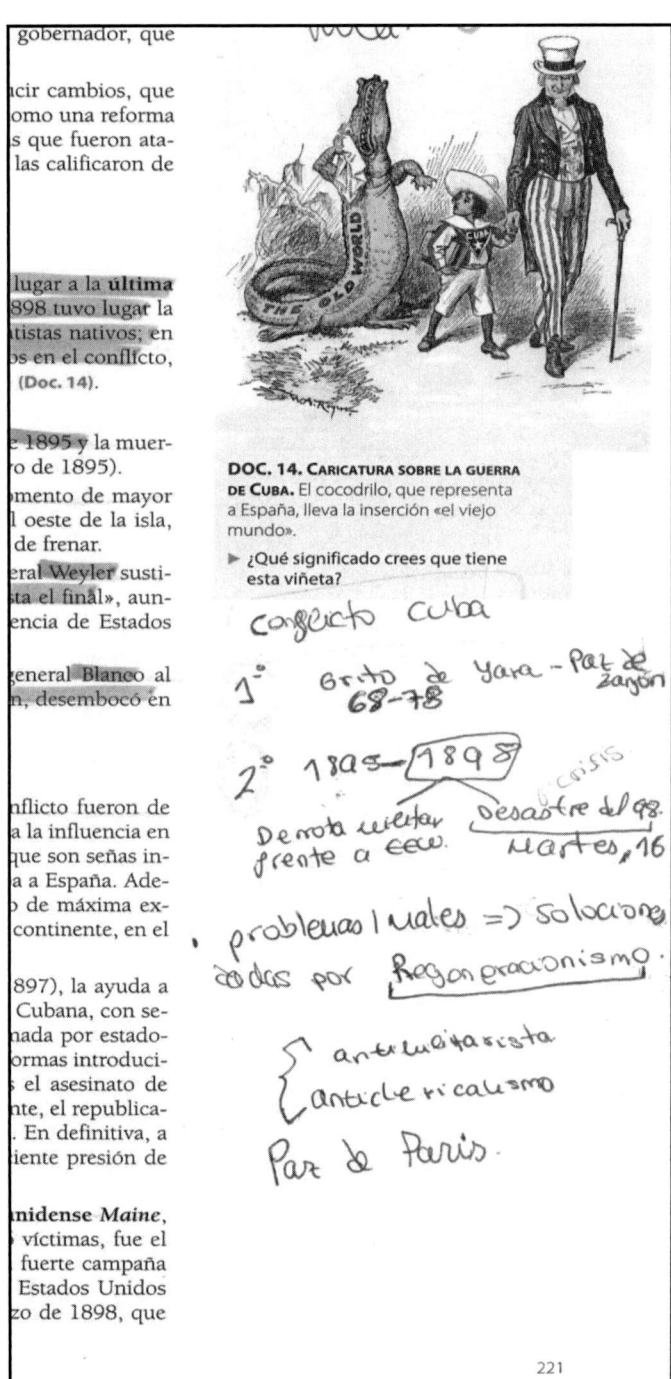

gobernador, que

cir cambios, que
omo una reforma
s que fueron ata-
las calificaron de

lugar a la **última**
898 tuvo lugar la
tistas nativos; en
os en el conflicto,
(Doc. 14).

1895 y la muer-
o de 1895).
mento de mayor
l oeste de la isla,
de frenar.
eral Weyler susti-
ta el final», aun-
encia de Estados

eneral Blanco al
n, desembocó en

nflicto fueron de
a la influencia en
que son señas in-
a a España. Ade-
o de máxima ex-
continente, en el

897), la ayuda a
Cubana, con se-
nada por estado-
ormas introduci-
s el asesinato de
nte, el republica-
. En definitiva, a
iente presión de

nidense *Maine*,
víctimas, fue el
fuerte campaña
Estados Unidos
zo de 1898, que

DOC. 14. Caricatura sobre la guerra de Cuba. El cocodrilo, que representa a España, lleva la inserción «el viejo mundo».

▶ ¿Qué significado crees que tiene esta viñeta?

[anotaciones manuscritas:]

conflicto cuba

1° Grito de Yara – Paz de Zanjón
68-78

2° 1895 – 1898 crisis
Derrota militar Desastre del 98.
frente a eeuu. Martes, 16

, problemas / males => soluciones
todas por Regeneracionismo.

{ antimilitarista
{ anticlericalismo

Paz de Paris.

221

Figura 119. Esquemas: Crisis del 98. Declarante 3029
Fuente: fondos propios (Legado NMV)

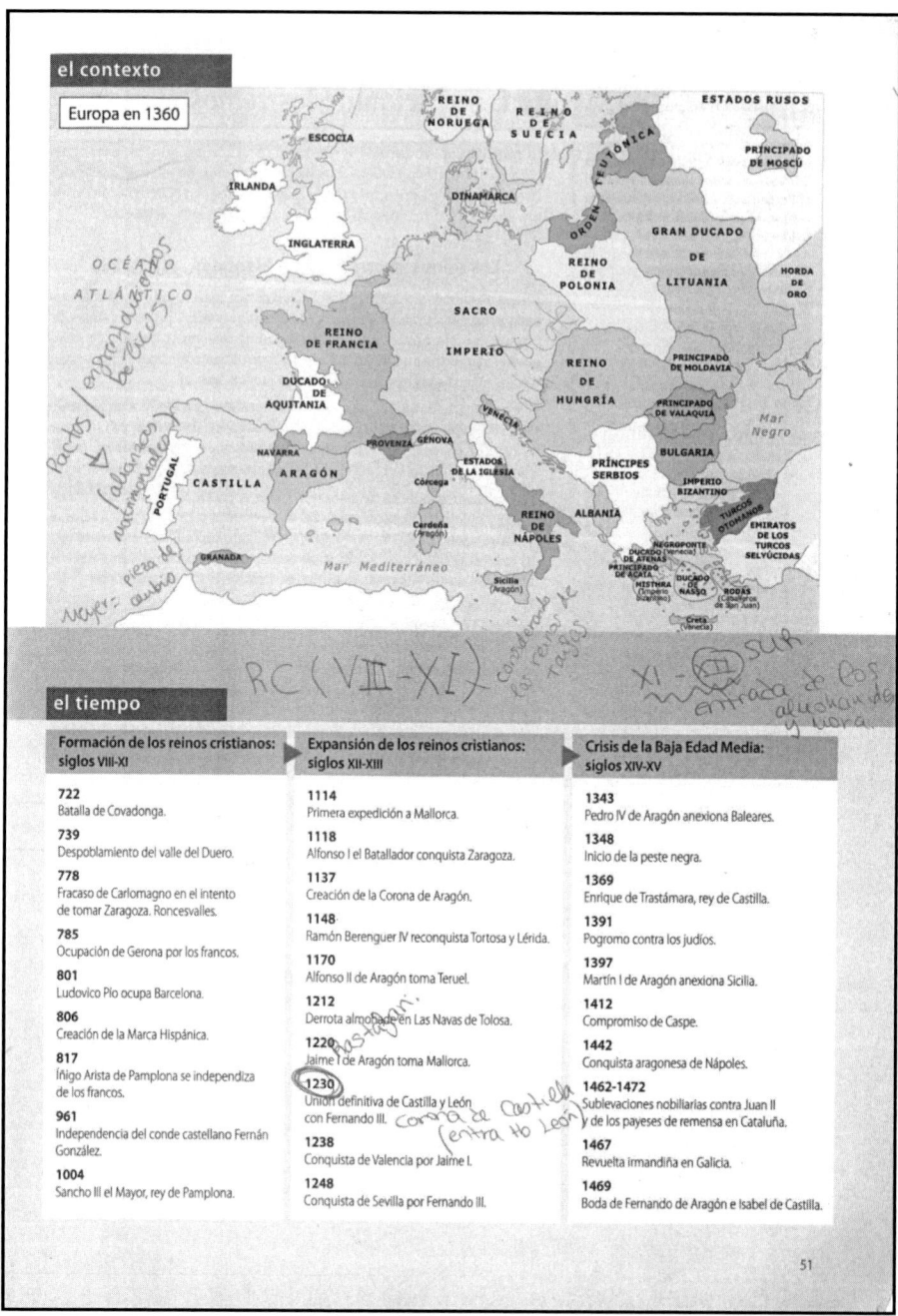

Figura 120. Tiempo y espacio: siglo XIV. Declarante 3029
(ya presentado en la figura 22, repetido para mantener la secuencia de trabajo realizada)
Fuente: fondos propios (Legado NMV)

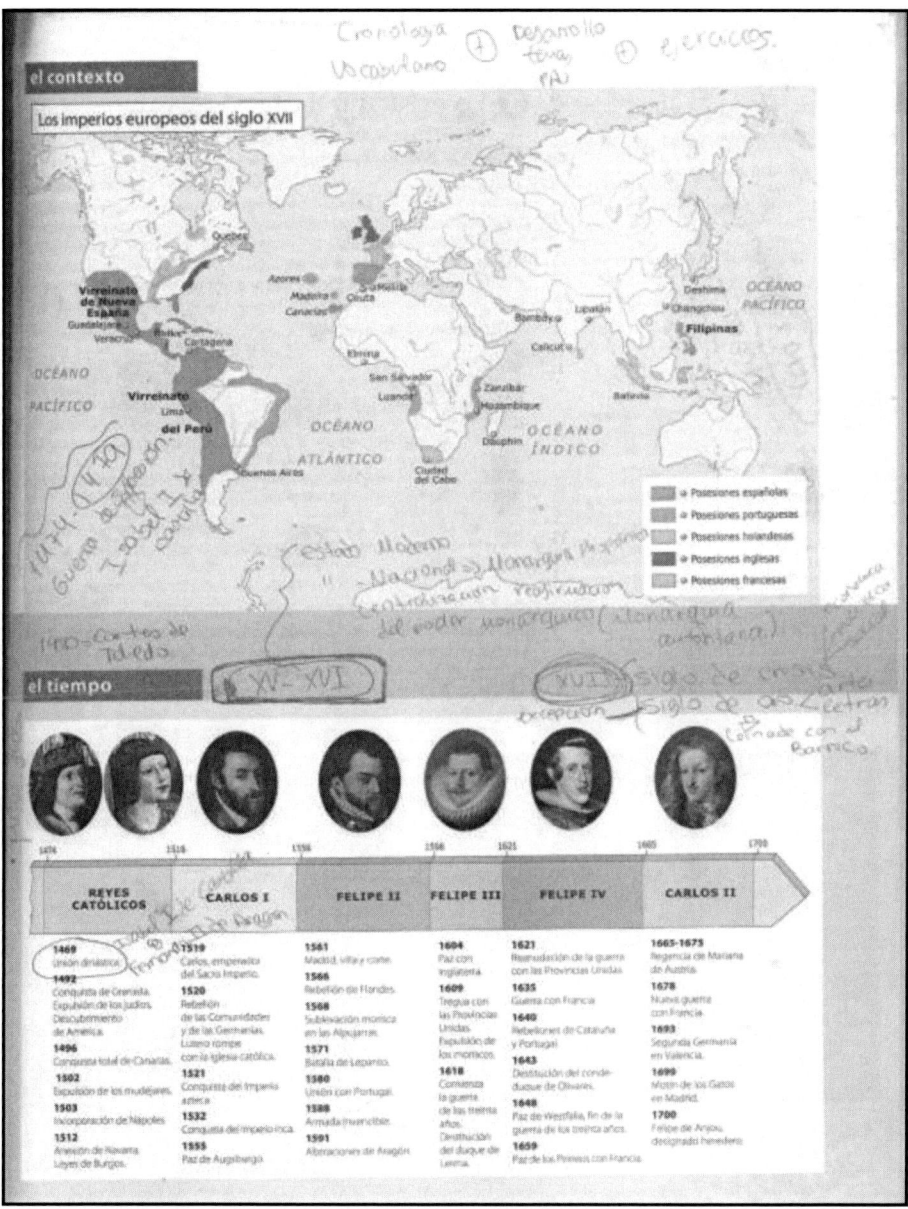

Figura 121. Tiempo y espacio: siglo XVII. Declarante 3029
Fuente: fondos propios (Legado NMV)

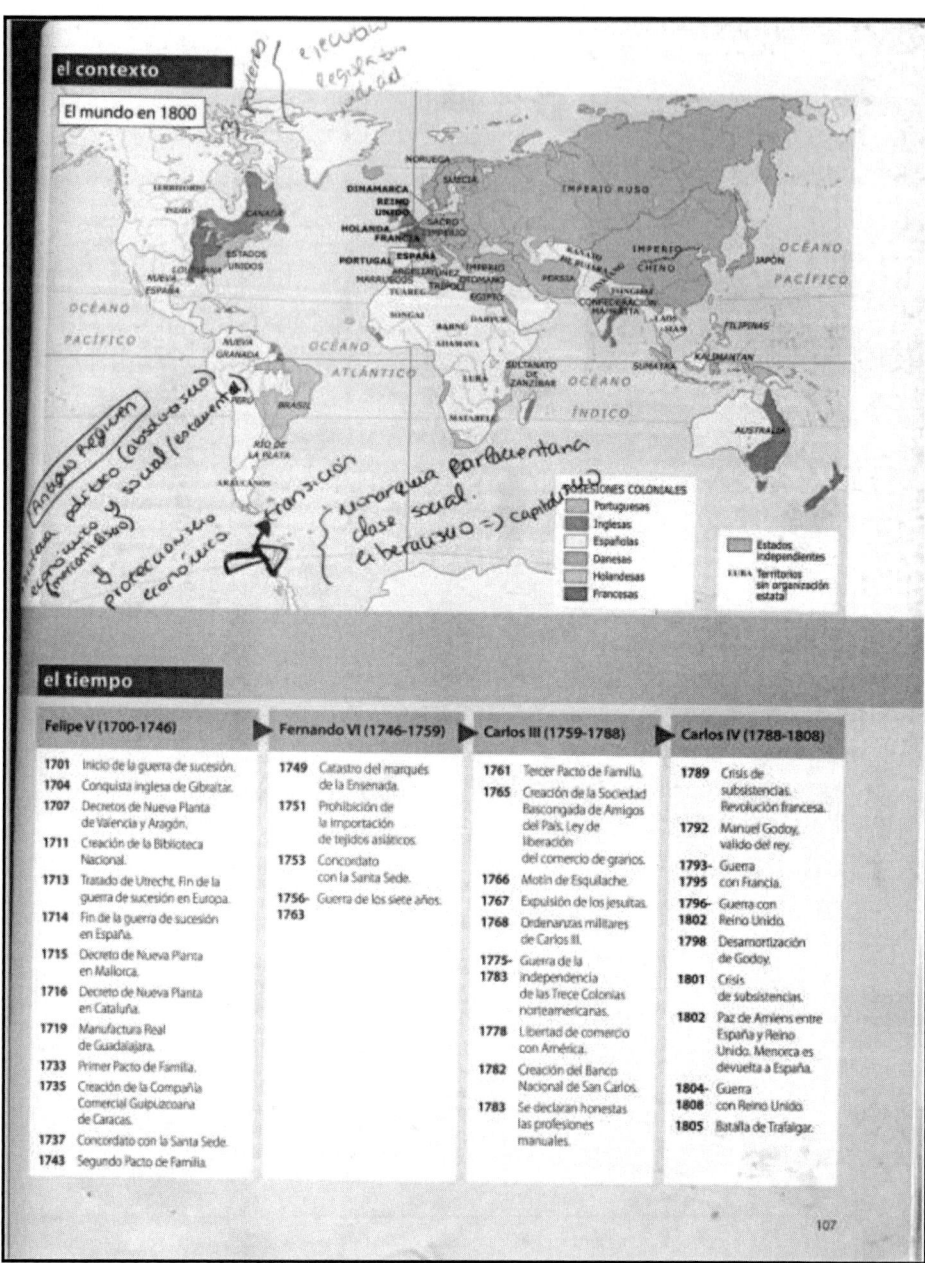

Figura 122. Tiempo y espacio: siglo XVIII. Declarante 3029
Fuente: fondos propios (Legado NMV)

Figura 123. Tiempo y espacio: mitad del XIX. Declarante 3029
Fuente: fondos propios (Legado NMV)

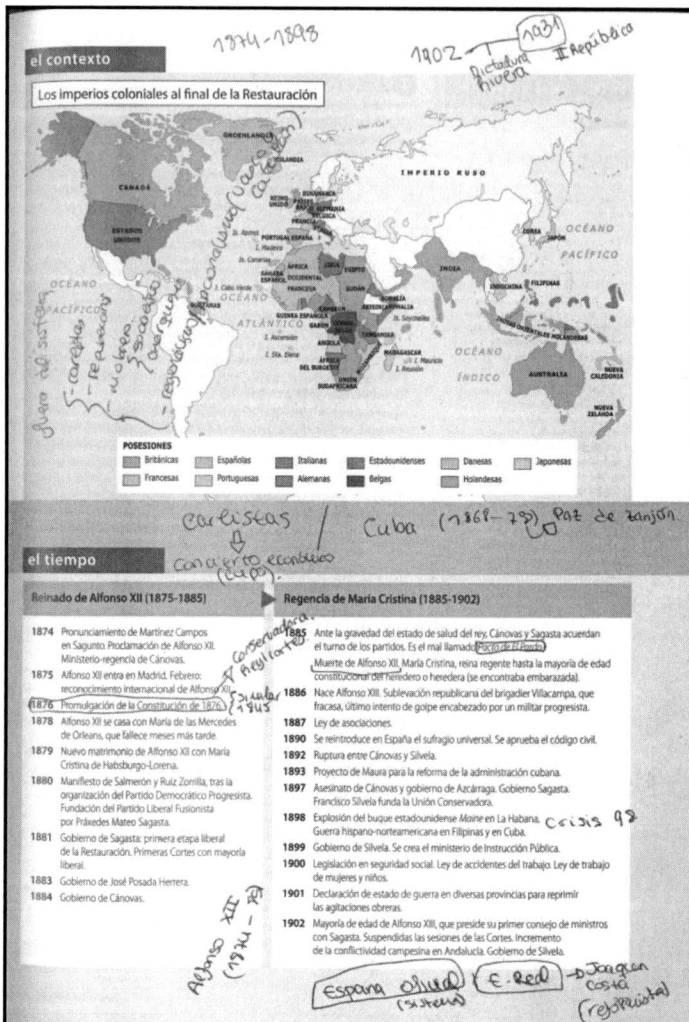

Figura 124. Tiempo y espacio: Los imperios coloniales. Declarante 3029
Fuente: fondos propios (Legado NMV)

Figura 125. Una pequeña concesión (p. 209). Declarante 3029
Fuente: fondos propios (Legado NMV)

IV.3.3. La huella de las tareas relacionadas con la gestión de los procesos de enseñanza aprendizaje

Las tareas de gestión de lo que acontece en el aula siempre han existido y el alumnado ha tomado nota de ellas. Así, ha estado más o menos informado (registrándolo en algún lugar), sobre lo que es o no importante del contenido, las preguntas de exámenes, la ayuda para seleccionar la información que hay que tener para realizar los trabajos, etc.

Una de las evidencias de esa gestión, mayoritariamente seguida, está vinculada con la estructura de explicación y estudio del contenido con la que el profesorado presenta los temas: introducción, desarrollo y conclusiones[41]. Este hecho aparece cuando los declarantes verbalizan sus recuerdos con el libro de texto delante "3031. (...) la mayoría de los temas (si no todos) están divididos en tres partes: introducción, desarrollo y conclusión", o bien "3055. (...) Además, en algunas de las páginas de este tema hay llaves con las palabras CON y ANA, que significan Conclusión y Análisis".

Otra preocupación del alumnado son los exámenes y el contenido que entraba en ellos para localizarlo específicamente en el libro. Así lo explican justificando la información que aparece en sus manuales "3009. (...) decía el profesor que eran más importantes y que eran posible pregunta de examen", "3012. (...) yo me lo indicaba con lápiz en la parte superior de la página".

Por supuesto, las PAU y la selectividad están presentes en todas estas anotaciones, indicando su importancia e incluso si eran para el comentario de texto o para las preguntas cortas. Lo declaraban así en sus narraciones "3034. (...) A lo largo del libro también podemos encontrar la palabra SELECTIVIDAD en aquellos apartados que podían ser preguntas de la PAU".

También aparecen alusiones que hacen referencia al contenido en general, para indicar su importancia o la relación del temario del libro con la programación del profesorado o para facilitar la organización del estudio y aprendizaje. Cabe señalar, por último, otras anotaciones que tienen que ver con las fechas de evaluación, aunque estas no han sido declaradas por parte de los alumnos. Todas esta evidencias recogidas en las figuras 126-146.

> 3055. Además, en algunas de las páginas de este tema hay llaves con las palabras CON y ANA, que significan Conclusión y Análisis, respectivamente; estas palabras las puse porque tuvimos que hacer por nuestra cuenta un comentario de texto y me organicé así para saber qué partes tenía que utilizar y dónde.
>
> 3031. (...) También la mayoría de los temas (si no todos) están divididos en tres partes: introducción, desarrollo y conclusión.
>
> 3007. (...) En las actividades que nos mandaba para comentarios de texto, las solía hacer en folios aparte pero siempre al lado de los textos que se encuentran al final de cada sumario del libro, ponía las características generales del comentario por ejemplo, si era jurídico o histórico etc.
>
> 3009. (...) Y lo que sí que tengo son cruces, muchas cruces, de los temas que decía el profesor que eran más importantes y que eran posible pregunta de examen.
>
> 3012. (...) también me hacía una cruz en las páginas que la profe consideraba importantes y decía que no iban a entrar en el examen y cuando la profesora decía que eso era importante yo me lo indicaba con lápiz en la parte superior de la página.

---

[41] Siguiendo las orientaciones que se dan desde la coordinación de las PAU, figura 85.

3020. (...) También solía escribir en letra mayúscula al principio de algunas páginas "importante", lo que significaba que el profesor había insistido mucho en el contenido que se explicaba y era posible pregunta de examen. Esto me ayudaba mucho a la hora de estudiar, para profundizar más en ciertos contenidos que podían aparecer en el examen.

3053. y nosotros veíamos que le daba importancia o cuando sabíamos de por sí que era importante y nos lo decía "esto entra seguro".

3034. A lo largo del libro también podemos encontrar la palabra SELECTIVIDAD en aquellos apartados que podían ser preguntas de la PAU. Del mismo modo, podíamos encontrar las letras "IMP" cuando la profesora le daba más importancia de la normal a algún apartado o epígrafe.

3045. Cuando llegó la hora de selectividad, al ver el temario que entraba para el examen de la parte B, seleccioné con distintos colores como el verde y el azul las cosas que era imprescindible nombrar para desarrollar los temas. De esta manera, también incluía los contenidos que entraban con la palabra "selectividad" y yo misma desarrollaba las introducciones y conclusiones que iba a escribir en cada una de las preguntas tipo de las pruebas PAU.

3018. (...) y también apuntaba lo que era más importante y lo que menos, por si luego cuando tenía que estudiar disponía de poco tiempo tenía que ir a lo fundamental.

3029. (...) Puede encontrar algunas anotaciones en los márgenes del libro, las cuales son muy puntuales. Estas anotaciones están relacionadas con el temario del libro a partir de asteriscos o flechas.

3033. También durante la explicación me dedicaba a escribir algunas anotaciones, que a la hora de estudiar eran muy útiles ya que me recordaban la explicación de la profesora.

3063. En los índices de cada tema era el profesor el que nos daba las anotaciones precisas que debíamos hacer para que quedara todo bien estructurado, y en los apuntes fotocopiados también, pues combinábamos libro y fotocopias dependiendo del tema.

TAREAS DE GESTIÓN: la influencia de las PAU. Ejemplos de la huella de estas pruebas hacia la estructura de la prueba (Inicio, Desarrollo y Conclusión) y puntuaciones. La importancia de las PAU a la hora de estructuración del contenido es evidente y constante.

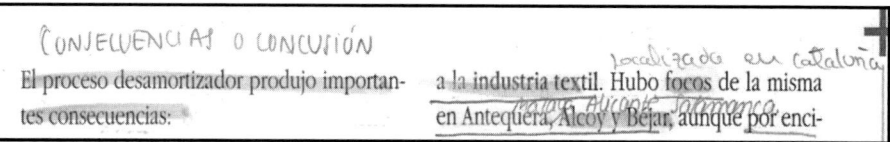

Figura 126. Tareas de gestión. Relación con las orientaciones de las PAU: conclusión. Declarante 3068
Fuente: fondos propios (Legado NMV)

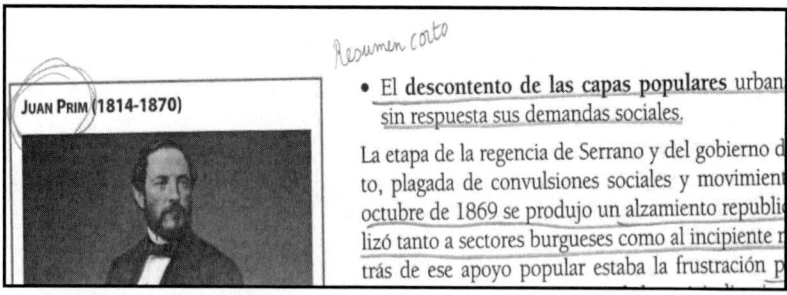

Figura 127. Tareas de gestión. Relación con las orientaciones de las PAU: resumen. Declarante 3009
Fuente: fondos propios (Legado NMV)

1.4. El califato (929-1031)   3ª Etapa   *Introducción por qué vienen los musulmanes*

A principios del siglo X el emirato cordobés sufría una grave crisis. Las disensiones internas y las amenazas de unos reinos cristianos cada vez más fuertes eran los problemas más acuciantes. En este contexto llegó al poder Abd al-Rahman III (912-961). Las victorias militares sobre sus enemigos

Figura 128. Tareas de gestión. Relación con las orientaciones de las PAU: introducción. Declarante 3008
Fuente: fondos propios (Legado NMV)

Introducción

① La revolución de septiembre y el gobierno provisional

El malestar político, económico y social que se arrastraba desde años atrás condujo al pronunciamiento del almirante Juan Bautista Topete en la bahía de Cádiz el 19 de septiembre de 1868. El modelo político isabelino,

Figura 129. Tareas de gestión. Relación con las orientaciones de las PAU: introducción Declarante 3008
Fuente: fondos propios (Legado NMV)

Los Austrias mayores   DESARROLLO

ante los siglos XVI y XVII se mantuvo en el trono español la dinastía Habsburgo o de los Austrias. España formó un amplísimo imperio virtió en la primera potencia del mundo, pero también mantuvo las ras que arruinaron la Hacienda y precipitaron su decadencia.

La monarquía universal de Carlos I
encia y consolidación de la dinastía en España
os I era hijo de Felipe el Hermoso, heredero de las posesiones de y favorito para el Sacro Imperio, y de Juana, hija mayor y heredera

Figura 130. Tareas de gestión. Relación con las orientaciones de las PAU: desarrollo. Declarante 3007
Fuente: fondos propios (Legado NMV)

3.3. La Primera República

La Primera República (1873-1874) fue proclamada por las dos cámaras legislativas reunidas (lo cual estaba prohibido por la Constitución de 1869) el 11 de febrero de 1873.

Caricatura de la proclamación de la Primera República.

En principio fue un régimen indefinido y políticamente inestable. Se prescindió del procedimiento habitual de convocar Cortes constituyentes: en su lugar, se formó un Gobierno, presidido por el republicano Estanislao Figueras, pero con mayoría de radicales.

Los republicanos, sin embargo, deseaban convocar elecciones para reunir unas Cortes constituyentes; los radicales, para evitarlo, promovieron dos golpes de Estado con la ayuda del Ejército (febrero y abril de 1873). Con ello, los republicanos se quedaron solos en el Gobierno.

En mayo, finalmente, se celebraron elecciones, y el partido gobernante obtuvo la mayoría (un 90 % de los votos), aunque la abstención (más del 60 % del electorado) fue elevada. El nuevo Gobierno, presidido por Pi i Margall, inició el proceso de elaboración de una Constitución, que se plasmó en un proyecto constitucional (1873).

Sin embargo, la nueva República federal, creada desde el poder, fue desbordada por la izquierda: por una parte, por los propios republicanos intransigentes; por otra, por movimientos sociales como el de los campesinos andaluces (que ocupaban tierras para repartírselas) o el de los obreros de Alcoy (que promovieron una huelga general).

Los republicanos intransigentes impulsaron, a partir del verano de 1873, un movimiento federalista espontáneo que pretendía establecer de manera inmediata y directa la estructura federal del Estado, combinada con algunas medidas de carácter social. Este movimiento fue conocido como cantonalismo porque se formaron cantones (municipios autónomos) en Levante, Murcia y Andalucía. Entre ellos destacaron el de Málaga, que pervivió hasta septiembre de 1873, y, sobre todo, el de Cartagena. Este cantón fue liderado por Roque Barcia y resistió hasta enero de 1874 gracias al apoyo de los marinos sublevados.

EL PROYECTO CONSTITUCIONAL DE 1873	
Principios	Establecía una república federal y la soberanía popular como origen del poder, así como la separación radical entre Iglesia y Estado, sin subvenciones a ningún culto religioso.
Las Cortes y la jefatura del Estado	Se instituía el Senado como cámara de representación territorial de los 17 estados federados, incluidos Cuba y Puerto Rico. El jefe del Estado era el presidente de la República.
Contenido social	La mayor aportación fue en el ámbito de la legislación social y de protección de los obreros: permitió la aprobación en España de la primera ley que prohibía el trabajo de los menores de dieciséis años; aunque estuvo vigente hasta 1900, no se aplicó en la práctica. Incluía un proyecto de creación de jurados mixtos de patronos y obreros para dirimir los conflictos laborales y la reducción de la jornada de trabajo a nueve horas.

ANA

Actividades

26 ¿Cómo se proclamó la Primera República?

27 Enumera los problemas que hubo de afrontar la Primera República española.

 9. La construcción del Estado liberal

Figura 131. Tareas de gestión. Relación con las orientaciones de las PAU: se pueden identificar los términos ANA (análisis) y CON (conclusiones). Declarante 3055
Fuente: fondos propios (Legado NMV)

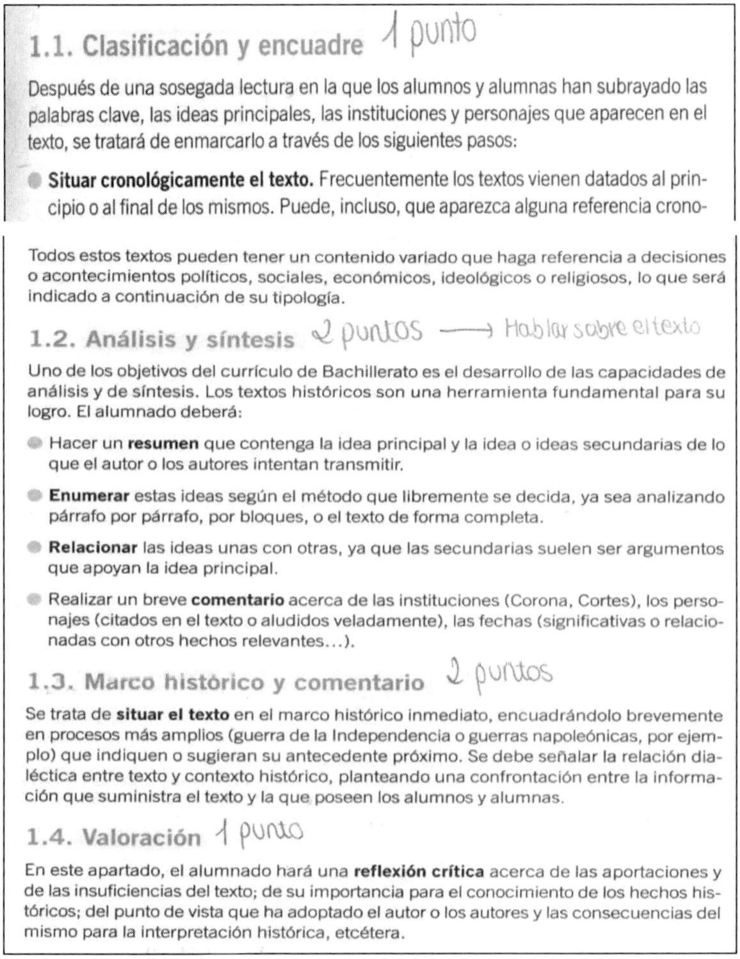

1.1. Clasificación y encuadre 1 punto

Después de una sosegada lectura en la que los alumnos y alumnas han subrayado las palabras clave, las ideas principales, las instituciones y personajes que aparecen en el texto, se tratará de enmarcarlo a través de los siguientes pasos:

- **Situar cronológicamente el texto.** Frecuentemente los textos vienen datados al principio o al final de los mismos. Puede, incluso, que aparezca alguna referencia crono-

Todos estos textos pueden tener un contenido variado que haga referencia a decisiones o acontecimientos políticos, sociales, económicos, ideológicos o religiosos, lo que será indicado a continuación de su tipología.

1.2. Análisis y síntesis 2 puntos → Hablar sobre el texto

Uno de los objetivos del currículo de Bachillerato es el desarrollo de las capacidades de análisis y de síntesis. Los textos históricos son una herramienta fundamental para su logro. El alumnado deberá:

- Hacer un **resumen** que contenga la idea principal y la idea o ideas secundarias de lo que el autor o los autores intentan transmitir.
- **Enumerar** estas ideas según el método que libremente se decida, ya sea analizando párrafo por párrafo, por bloques, o el texto de forma completa.
- **Relacionar** las ideas unas con otras, ya que las secundarias suelen ser argumentos que apoyan la idea principal.
- Realizar un breve **comentario** acerca de las instituciones (Corona, Cortes), los personajes (citados en el texto o aludidos veladamente), las fechas (significativas o relacionadas con otros hechos relevantes...).

1.3. Marco histórico y comentario 2 puntos

Se trata de **situar el texto** en el marco histórico inmediato, encuadrándolo brevemente en procesos más amplios (guerra de la Independencia o guerras napoleónicas, por ejemplo) que indiquen o sugieran su antecedente próximo. Se debe señalar la relación dialéctica entre texto y contexto histórico, planteando una confrontación entre la información que suministra el texto y la que poseen los alumnos y alumnas.

1.4. Valoración 1 punto

En este apartado, el alumnado hará una **reflexión crítica** acerca de las aportaciones y de las insuficiencias del texto; de su importancia para el conocimiento de los hechos históricos; del punto de vista que ha adoptado el autor o los autores y las consecuencias del mismo para la interpretación histórica, etcétera.

Figura 132. Tareas de gestión. Relación con las orientaciones de las PAU: puntuación de los apartados de la prueba. Declarante 3027
Fuente: fondos propios (Legado NMV)

TAREAS DE GESTIÓN: la influencia de las Evaluaciones. Ejemplos de la huella de estas evidencias hacia las evaluaciones y fechas.

{3ª evaluación}
TEMA 3. Movimiento obrero.
Pag. 149.

4.3. Orígenes: (conclusión R Indust)
~~Los inicios del movimiento obrero~~
A parte de las consecuencias económicas la R. Indust trajo consec sociales, especialm el inicio del movimiento obrero.

La formación de organizaciones obreras en España se produjo en fechas muy tardías en

Ante estas nuevas ideas que llegaban a España, en enero de 1872, el Gobierno ordenó la represión del internacionalismo con el apoyo de la mayoría parlamentaria. Esto, unido a la crisis vivida en el seno de la Internacional por la rup-

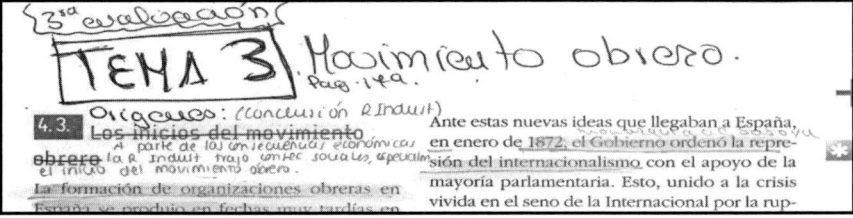

Figura 133. Tareas de gestión. Relación con las evaluaciones: 3ª evaluación. Declarante 3068
Fuente: fondos propios (Legado NMV)

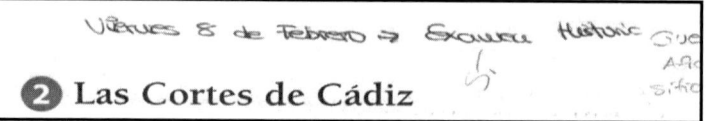

Figura 134. Tareas de gestión. Relación con las evaluaciones: fecha de evaluación. Declarante 3007
Fuente: fondos propios (Legado NMV)

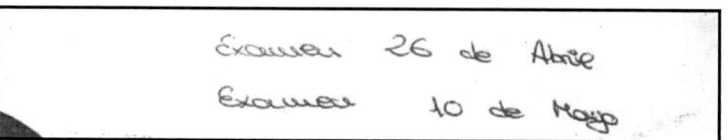

Figura 135. Tareas de gestión. Relación con las evaluaciones: fecha de evaluación. Declarante 3007
Fuente: fondos propios (Legado NMV)

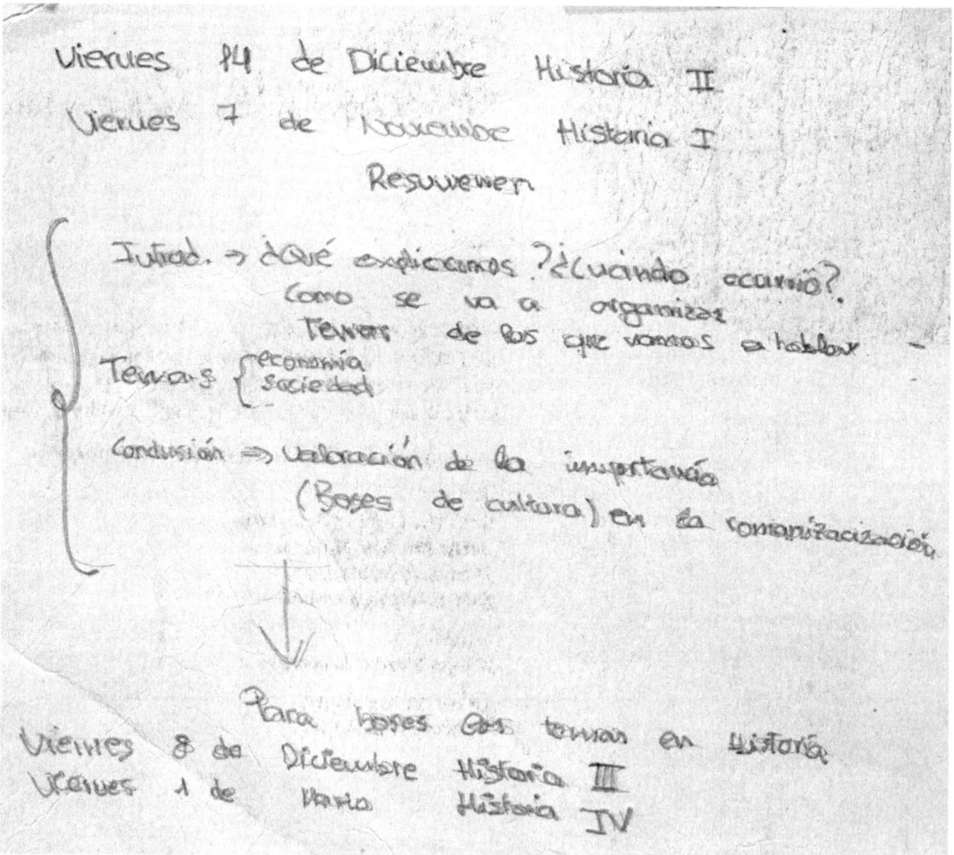

Figura 136. Tareas de gestión. Relación con las evaluaciones: fechas de evaluación en la contraportada en blanco del manual. Declarante 3007
Fuente: fondos propios (Legado NMV)

TAREAS DE GESTIÓN: la relación con el temario a desarrollar en la asignatura Historia de España.

Figura 137. Tareas de gestión. Relación con temario: tema 6. Declarante 3068
Fuente: fondos propios (Legado NMV)

Figura 138. Tareas de gestión. Relación con el temario: tema 10. Declarante 3068
Fuente: fondos propios (Legado NMV)

TAREAS DE GESTIÓN: valoraciones del contenido bien por su importancia o por la relación con el examen

Figura 139. Tareas de gestión. Relación con el contenido: vinculación con los exámenes. Declarante 3009
Fuente: fondos propios (Legado NMV)

IMPORTANTE

2.2. La labor legislativa de las Cortes

La obra legislativa de las Cortes de Cádiz fue ingente *enorme* y representó una r
tura radical con los principios hasta entonces vigentes. *se ven, españa nación*

- El primer decreto de las Cortes, de 24 de septiembre de 1810, ya es
bleció que **la soberanía residía en la nación** y que las Cortes asum

Figura 140. Tareas de gestión. Relación con el contenido: vinculación con la relevancia. Declarante 3009
Fuente: fondos propios (Legado NMV)

Más importante

④ El trienio liberal (1820-1823)

Tras el pronunciamiento de Riego, Fernando VII juró la Constitución de
1812, formó un gobierno integrado por destacados liberales y se inició una
labor legislativa que recuperaba muchos decretos de las Cortes de Cádiz.

Figura 141. Tareas de gestión: Relación con el contenido: vinculación intensa con la relevancia. Declarante 3009
Fuente: fondos propios (Legado NMV)

NO, solo definiciones

① La crisis de la monarquía y la guerra de la independencia

Los sucesos de Aranjuez en marzo de 1808, la invasión napoleónica y

Figura 142. Tareas de gestión. Relación con el contenido: vinculación con definiciones. Declarante 3009
Fuente: fondos propios (Legado NMV)

4.2. La presencia visigoda en Hispania

Leer

Los visigodos eran un pueblo germano. Provenían del norte del valle del
Danubio pero, en el siglo IV, la presión de los hunos hizo que penetraran
en tierras del Imperio romano. A principios del siglo V, los visigodos se

Figura 143. Tareas de gestión. Relación con el contenido: vinculación baja con el contenido, solamente lectura.
Declarante 3007
Fuente: fondos propios (Legado NMV)

5.2. La pérdida de las colonias (internet).

En 1895 se produjo la insurrección nacionalista que dio lugar a la **última guerra cubana**, que tuvo dos momentos: entre 1895 y 1898 tuvo lugar la guerra entre el ejército español y los grupos independentistas nativos; en 1898 se produjo la intervención directa de Estados Unidos en el conflicto, lo que llevó al enfrentamiento hispano-norteamericano ▶ (Doc. 14).

Figura 144. Tareas de gestión. Relación con el contenido: vinculación con otras fuentes. Declarante 3008
Fuente: fondos propios (Legado NMV)

Los reinos cristianos en la Baja Edad Media

No sale

l siglo XIII, el mapa político de la Península cristiana presentaba aún

Figura 145. Tareas de gestión. Relación con el contenido: vinculación con la relevancia dada, no está considerado como relevante. Declarante 3007
Fuente: fondos propios (Legado NMV)

Nada

mía y la sociedad andalusíes

a de Al-Andalus

Figura 146. Tareas de gestión: Relación con el contenido: irrelevancia del contenido para el desarrollo de la asignatura. Declarante 3007
Fuente: fondos propios (Legado NMV)

CONCLUSIONES

CONCLUSIONES

Es siempre un desafío llegar a este momento de reflexión y síntesis final (con el que se concluye el trabajo), que pone de relieve aquello que se considera más representativo y singular de la investigación. Así pues, las interrogantes, las respuestas alcanzadas y las nuevas perspectivas para seguir investigando, constituyen la base de estas conclusiones. En definitiva, reflejan lo que se ha aportado al tema estudiado, bien expresado por Borries, Körber y Meyer (2006), *¿Qué uso se hace efectivamente del manual?*, que ha sido el eje en torno al cual se ha desarrollado este trabajo unido a la interrogante *¿Qué podemos aprender de las huellas dejadas en los manuales por el alumnado?*

La respuesta a la pregunta anteriormente formulada ha constituido la finalidad de esta publicación que, partiendo de lo que sobre el libro de texto ya se ha investigado y publicado, tanto a nivel nacional como internacional, pretende aportar, desde la complementariedad, algunos resultados y reflexiones sobre este tema complejo. Así pues, la respuesta a la interrogante que se plantearon se ha desarrollado de acuerdo con:

- el diseño que tiene la línea de investigación, a la que se ha aportado información sobre un tema concreto: uso del libro de texto,
- los trabajos citados en la fundamentación, principalmente el de Borries, Körber y Meyer (2006) y el de Sikorova (2011),
- partir del libro concreto utilizado y trabajado por los alumnos en las aulas, como fuente de información y solicitar -de los participantes- la explicación de las huellas que en ellos se pueden observar, y
- la voluntad de aportar el material utilizado a los fondos sobre la "memoria educativa" que gestiona el CEME de la Universidad de Murcia.

Las evidencias registradas en los manuales: punto de partida de la investigación

Las huellas registradas en los manuales son habituales en este recurso de enseñanza, sin embargo, su identificación e interpretación es un proceso más complejo de llevar a cabo. La dificultad de acceder a los manuales ya se puso de manifiesto, pero el mayor problema fue el que los alumnos explicaran lo que en ellos estaba recogido y, además, convencerlos de la pertinencia de que ese material era necesario conservar en la memoria educativa[41]. Así pues, superados esos problemas, puede señalarse como significativo del análisis de las huellas registradas en los manuales: la descripción, la interpretación y la creación de un esquema de referencia para su interpretación. Más concretamente:

---

[41] Ya expusimos las razones: la resistencia a desprenderse del material y la venta o préstamo del libro.

- en primer lugar, es perfectamente observable en los manuales la ausencia de huellas, páginas arrancadas, subrayados, tachados, reordenación del contenido, resúmenes, esquemas y ampliaciones de contenido. Estas últimas pueden encontrase en los espacios en blanco de las páginas y/o insertas en los libros mediante hojas o post-its;

- segundo, son perceptibles en las huellas los útiles con los que el alumnado trabaja la información: lápiz, bolígrafo y diferentes subrayadores de colores. La apariencia de las huellas va desde orden/pulcritud a desorden/caos,

- tercero, todas estas referencias están relacionadas con: *el contenido* de Historia de España y con *la gestión* académica que lleva consigo. Más concretamente, las anotaciones pueden estar:

    referidas a la información, pudiendo identificarse: subrayados y resaltados, aclaraciones y definiciones, ampliaciones y, por último, esquemas y resúmenes;

    referidas a la gestión, las relacionadas con: la estructura de estudio (inicio, desarrollo y conclusiones), los exámenes (aquello que podría entrar en cada una de las evaluaciones y las fechas), y con las PAU/Selectividad (importancia/relación con el temario).

- cuarto, independiente de la editorial del manual, existen **unas regularidades** en esas huellas que nos permiten analizar, en cualquier manual, una información relevante sobre su utilización por parte del profesorado y/o del alumnado. Concretamente se pueden identificar:

    - *en el texto del autor o en la iconografía,* las anotaciones más simples: subrayados de lo relevante, rechazo de información contenida, pequeñas modificaciones y ordenación numérica de la información;

    - *en los laterales de las páginas o en los espacios en blanco,* se registran las definiciones más complejas, los esquemas, las aclaraciones o ampliaciones;

    - *en los laterales, pero con materiales externos al manual* (como hojas sujetas con clips o post-its), anotaciones más amplias y complejas;

    - *en la parte superior de la hoja*, normalmente, las informaciones referidas a la gestión;

    - en alguna ocasión se *arrancaba las hojas del libro y se colocaba en el lugar correspondiente de los apuntes del alumno.*

Las descripciones y valoraciones realizadas: profundizando y comprendiendo el uso de los manuales

Las evidencias, paso necesario e imprescindible que permite configurar una imagen de las tareas realizadas, son insuficientes para comprender la huella dejada. Así pues era necesario plantearse interrogantes tales como: ¿por qué se realizaban esas señales en el manual?, ¿qué tareas se realizaban en el aula y fuera de ella? ¿qué hacían los alumnos mientras se desarrollaban en el aula los procesos de enseñanza-aprendizaje? ¿qué recursos del manual se utilizaban en clase y cuáles en la casa? o, como síntesis, ¿qué podemos aprender sobre el uso de los libros de texto a partir de las huellas en ellos dejadas?

La primera de las razones declaradas tiene un carácter general y alude a que el libro de texto (y la información en él procesada) podría ser utilizado como: *ayuda a los apuntes que realizaba el alumno, de complemento a los apuntes proporcionados por el profesor o bien el libro era el único recurso que se usaba.* Las anotaciones realizadas no difieren del uso que el alumno declara, pues todos ellos presentaban la misma apariencia del trabajo realizado en ellos, si exceptuamos las ampliaciones y algunas indicaciones de la gestión. En cuanto al uso del instrumento para destacar la información, no hay diferencias ni razones específicas que vayan más allá de los gustos personales y, en todo caso el lápiz está más generalizado por poderse borrar.

Otra declaración importante, vinculada con la información tachada, era constatar que el libro ya había sido utilizado por otro alumno, y era necesario distinguir las anotaciones realizadas con otro profesor y lo que correspondía al actual propietario con un docente distinto. Es importante señalar, en esa dirección, las recomendaciones que un instituto daba para que los libros fuesen utilizados con facilidad por varios alumnos. Unas consideraciones que tienen que ver con la convicción de no grabar económicamente a las familias, pero que pueden ser muy cuestionables para el uso de los manuales en los procesos de enseñanza-aprendizaje, como se consideró anteriormente.

La constatación de las evidencias de las huellas y la interpretación que el alumnado daba de ellas, permite una comprensión importante, pero no abordaba *"la temporalidad y el lugar"* donde se habían realizado las anotaciones, por lo que se hacía necesaria la obtención de esa información. Las preguntas formuladas en el cuestionario para obtener esos datos llevaban una doble estructura, por un lado incluía las dos situaciones (en el aula y fuera de ella) y, por otro, la ponderación mediante escala Likert (referida al uso de los recursos del manual: textuales, icónicos y actividades) y la explicación mediante una pregunta abierta que indagaba sobre aquello que los discentes hacían en cada una de las dos situaciones (aula y casa).

La tarea importante que el alumnado adjudica al trabajo en el aula, es la de estar atenta para "facilitar el estudio en casa, pues se podía subrayar o anotar lo que se decía y daba tiempo a atender" o "yo iba subrayándome el libro o los apuntes que tocaran ese día mientras para ahorrarme así ese trabajo luego en casa, y añadiendo los esquemas y aclaraciones que el nos decía que pusiéramos para tener menos dificultades a la hora de estudiármelo y tener resueltas todas mis dudas". Evidentemente existe una tendencia a decir que en clase se atendía (aunque hay declaraciones de alumnos que no lo dicen), pero también hay múltiples declaraciones que expresamente indican y ejemplifican lo provechoso que es el buen uso del tiempo en el aula. De esta manera, se puede mantener, con una cierta consistencia, que las tareas realizadas en el aula están destinadas, fundamental pero no exclusivamente, a comprender. Por otra parte, las de casa son destinadas a sintetizar y a estudiar (tampoco en exclusiva). Si esto fuese así, es evidente que la cuantificación de los tiempos dedicados al manual en casa y en el aula no es objeto de una misma categoría de interpretación, pues desarrollan tareas distintas y complementarias, teniendo que entender esos dos espacios, que son el aula y la casa, desde realidades distintas para cada situación.

Por otra parte, referida a la naturaleza de las tareas que se realizan, son las que ya se señalaron anteriormente: las relacionadas con la información y con las de gestión. Las vinculadas con la información: a) el contenido y su importancia, b) términos y conceptos, c) las ampliaciones de la información; están *vinculadas con la selección y comprensión del contenido* (en ellas se identifica lo relevante, se aclaran términos que podrán ofrecer dudas de significado y se muestran las carencias del manual proponiendo ampliaciones de dicho contenido). La siguiente tarea, d) realización de esquemas y resúmenes, tiene un referente distinto, pues ya está *implicada la estructuración de la información, la organización del contenido y la síntesis* del mismo, lo que supone capacidades cognitivas más complejas (las evidencias muestran esquemas, re-numeraciones, elaboraciones breves del significado del texto, e incluso relaciones del texto con la localización espacial en los mapas o temporal en ejes cronológicos).

Es también preciso señalar en las conclusiones que se estamos realizando, la importancia de las evidencias que tienen que ver con la gestión del contenido. Éstas ejemplarizan las relaciones que para los alumnos tienen las tareas académicas (centradas en el contenido), y sus finalidades personales (muchas veces centradas casi exclusivamente en aprobar), con la que se puede o no estar de acuerdo y que tienen aspectos positivos y negativos. Se pueden vincular estas huellas, como ya se señaló en el apartado empírico, con las tareas que Doyle (1978) señala vinculadas con los alumnos. Saber dónde se encuentra la información (hay alusiones a la libreta, Internet, etc.), agrupar los contenidos que van a ser objeto de evaluación y tener clara la fecha en la que se realizará, es también una tarea que cuando está bien programada (y lo que se va a hacer es relevante y no solamente memorismo) supone logros académicos y personales muy significativos.

El estudio de los distintos recursos con los que se estructuran los libros de texto utilizados por el docente y por el discente (dentro y fuera del aula), supone también arrojar luz sobre este campo. En este sentido, es totalmente imprescindible la descripción del alumnado, pues las huellas (exceptuando alguna aislada) no arrojan luz sobre esta información. Tal y como ya se señaló, se distinguen tres recursos (textuales, icónicos y actividades), solicitando valoraciones de aquellos que utilizaba el profesor en el aula y los que el alumnado tenía presente en su casa. Los resultados mostraron la importancia que tiene "el texto del autor", tanto en el aula como en casa, y cómo los discentes hacen más uso de ellos en casa que el docente en el aula. Esta matización, unida a la que se expuso sobre la naturaleza de estas tareas, perfila las opiniones que exponen Borries, Körber y Meyer (2006) y Sikorova (2011), pues se coincide en las medias de los "recursos textuales" en general (autor, documentos, páginas Web recomendadas y C.D.), pero hay diferencias en el uso del texto del autor a favor del docente.

Por último, cabes señalar, cuando se buscan las regularidades de uso de los diferentes recursos en los manuales, la mayor dedicación del alumnado en la casa hacia el texto del autor (aunque inferior al de su profesor en valores absolutos) y un pequeño grupo centrado en los recursos icónicos de los manuales.

El uso del manual en el contexto de enseñanza: necesidad de comprenderlo en el marco donde es utilizado

La descripción del uso del libro realizada por los alumnos, a partir de las evidencias registradas en sus manuales, ha permitido una lectura interpretativa basada en las valoraciones que de ellas realizan los discentes. Sin embargo, al formar este trabajo parte de la línea de investigación que se ha citado repetidamente, permitió otras interrogantes que en su momento se formularon: ¿Cuáles son las prácticas de enseñanza-aprendizaje en los que esos manuales son utilizados? ¿Qué aulas son las que acogen esta enseñanza? ¿Qué programación sustentan ese uso?

El libro de texto es uno de los recursos de enseñanza-aprendizaje de Historia de España, y tal y como ya se investigó en la línea de trabajo, el 70% de los docentes desarrollan una clase expositiva con muchos y muy variados matices, que van desde una mera situación pasiva de los discentes, hasta la participación y los esfuerzos para la comprensión y reestructuración de los contenidos. Evidentemente, el desarrollo de los procesos de enseñanza-aprendizaje gira en torno a los contenidos, y los esfuerzos de los docentes van en esa dirección de la enseñanza. Así pues, el uso del manual por parte del alumnado, supone una tarea de selección de la información, comprensión, ampliación y reorganización, bien por medio de los resúmenes o de los esquemas, *respondiendo así a las expectativas que sobre él se tiene desde la práctica habitual de enseñanza realizada por el profesorado, lo que hace problemático cualquier cambio que no vaya en la dirección de cambio en la enseñanza.*

Por otra parte, esa metodología no ocurre en un espacio indefinido, sino en aulas que son habitualmente utilizadas para todas las asignaturas. Esos espacios van desde la más absoluta indeterminación hacia el contenido en ellas impartido, hasta aulas específicas donde el espacio está configurado para la asignatura de historia, también evidentemente de geografía. Nuevamente el manual no es ajeno a ese medio donde es utilizado, pues tal y como se mostró en anteriores apartados, el uso de los recursos icónicos del libro de texto es la única fuente de imágenes y datos en la que se apoyan alumnos y profesor, durante la clase de Historia de España.

En esta línea de contextualización del uso del libro de texto surge el interrogante de la influencia que tienen el programa oficial y la planificación de la asignatura que hace el docente. Es evidente el peso del currículo de Historia y las exigencias de las PAU y cómo el libro de texto se inserta y da respuestas a ese marco de enseñanza-aprendizaje de Historia de España.

Por último, cabe señalar cómo en las investigaciones realizadas por los diferentes autores que han sido referencia en este trabajo, se pone de manifiesto la preocupación por la contribución de la historia en la formación y madurez del alumnado e igualmente su influencia en la capacidad de "reflexión" que debe desarrollar los discentes. Un hecho, que por obvio no debe olvidarse, es que estos alumnos han superado dos tipos de evaluación, una interna en sus institutos (los datos de los protocolos de exámenes constituyeron dos tesis de licenciatura y una doctoral en esta línea de investigación) y otra externa, las PAU (trabajo de Suficiencia Investigadora). Es lógico que se pregunte, al observar los protocolos de los exámenes de unas y otras evaluaciones, si la naturaleza de los exámenes que tienen que superar (en este caso lo han hecho), desarrolla o no capacidades intelectuales elementales o superiores. Sí se puede mantener que el trabajo realizado por los alumnos en sus manuales indica algunas capacidades que van más allá de la memoria y repetición, sin que ello quiera decir en absoluto que se ha obtenido un nivel altamente satisfactorio de resultados de aprendizaje.

Imaginando el futuro: por dónde continuar investigando

Dar respuesta a este apartado supone preguntarse por dónde seguir. Se han planteado interrogantes, a las que se les ha dado respuesta y, precisamente en esas soluciones, aparecen nuevas preguntas por las que seguir investigando. No se puede olvidar que, unido al estudio del presente, hay también una preocupación y convicción de preservar estas fuentes de primera mano para la memoria educativa. Así pues, las reflexiones para el futuro recogerán también esa finalidad.

Referido a la preservación de la memoria educativa, la colaboración con el CEME y el grupo MANES, a través del legado Nicolás Martínez Valcárcel (NMV), sigue siendo el destino de toda la información obtenida y rescatada. Una información que referida a la enseñanza-aprendizaje de Historia de España, aporta evidencias y datos sobre muchas de las dimensiones que constituyen esta asignatura y va permitiendo construir una evolución que se enriquece tanto por datos y vestigios del pasado, como por la ampliación de las distintas dimensiones y recursos que intervienen en esta materia, como es el caso de los libros de texto, permitiendo estudios longitudinales como señala Barton (2010)

Referido al manual y a lo que hoy sabemos como recurso de contenido, se hace totalmente imprescindible abordar el estudio de los apuntes, tal y como ha ido apareciendo en este trabajo. Dicha investigación (en parte ya iniciada pues se dispone de un número considerable de apuntes valorados y donados por los alumnos), tiene que implicarse en las relaciones entre estos medios y en el análisis de lo que son los apuntes del profesor y los elaborados por los alumnos. Nuevamente es necesario disponer de estos materiales, del trabajo realizado con ellos por el alumnado y las valoraciones que los discentes realizan. Otra cuestión, totalmente imbricada con estos recursos es Internet. Ya se ha puesto de manifiesto, y de hecho se ha recogido en este trabajo, que la utilización de este medio se centra fundamentalmente como repositorio de materiales proporcionados por el profesor y mucho menos como fuente de información.

Otro de los ámbitos de investigación está referido a la madurez que alcanzan los alumnos en esta materia. Conocer qué recursos y cómo se trabajan es la base para entender lo que está ocurriendo en las aulas de Historia de España, pero como bien se señala continuamente en las investigaciones ¿realmente se está formando reflexivamente en esa asignatura? Está clara la ponderación de los resultados académicos que alcanzan estos alumnos (Bachillerato y PAU), también lo están los protocolos de exámenes que habitualmente realizan (disponibles sin excesivas dificultades), el estudio de unos y otros indican un grado de dominio alcanzado que, paradójicamente, no se considera satisfactorio por parte del profesorado. Por otra parte, es preciso abordar otros aprendizajes alcanzados por los discentes relacionados con las emociones (ya iniciadas en esta línea de investigación), la vinculación del presente con el pasado y el uso del patrimonio a través de las salidas que los alumnos realizan.

Como recapitulación final que aborde el tema de por dónde seguir investigando, podemos decir que las posibilidades expuestas anteriormente no son incompatibles entre sí, no puede pensarse que las emociones sociales estén al margen de los contenidos de esta materia, no puede pensarse que las salidas y el trabajo con el patrimonio próximo y lejano, se haga al margen del contenido y, no puede pensarse que ver en hechos del presente evidencias del pasado pueda ser realizado al margen de Historia de España. Es preciso abordar estos contenidos de forma conjunta bajo el interrogante que los engloba ¿Qué aprendizajes han alcanzado académica y personalmente los alumnos?, que va estrechamente vinculado con otras cuestiones: ¿Dónde y cómo los adquieren? ¿Qué papel desempeñan los recursos de información? ¿Cuál es papel del profesorado? Evidentemente algunas pistas han aparecido en este trabajo que, sin duda, en el momento que los recursos lo permitan, seguirá implicándose en su búsqueda e interpretación.

BIBLIOGRAFÍA

BIBLIOGRAFÍA

AA.VV. (2000). *Informe sobre enseñanza de la Historia*. Madrid, Real Academia Española de la Historia. Disponible en: http://www.filosofia.org/his/h2000ah.htm Consultado el 25/01/2014.

Agulló, M.C. (2010). La voz y la palabra de los tesoros vivos: fuentes orales y recuperación del patrimonio histórico-educativo inmaterial. *Revista Educatio Siglo XXI,28* (2), 157-178.

Aisenberg, B. (2005). Una aproximación a la relación entre la lectura y el aprendizaje de la historia. *Íber: Didáctica de las ciencias sociales, geografía e historia, 43*, 94-104.

Alarcón, M.D. (2010).*La huella del alumnado en los manuales escolares como evidencia de su uso, interpretación, valoraciones y valor del medio (Patrimonio)*. Tesis Doctoral presentada en el Departamento de Didáctica y Organización Escolar, Facultad de Educación, Universidad de Murcia, el 21 de enero de 2016.

Alarcón, M.D. (2016).*Las PAU de Historia de España en el año 2009: un estudio descriptivo por Comunidades Autónomas*. Suficiencia Investigadora, Departamento de Didáctica y Organización Escolar, Facultad de Educación, Universidad de Murcia.

Alegre, C. (2014*). Los libros de texto de Historia y Ciencias Sociales de Primaria y Bachillerato en el ámbito iberoamericano: Argentina, España y Paraguay (2000-2010)*. Trabajo Fin de Master inédito. Presentado en la universiad de Huelva. Disponible en: http://hdl.handle.net/10334/2261 Consultado el 25/01/2014.

Alonso, J. (1995). *Motivación y aprendizaje en el aula. Cómo enseñar a pensar*. Madrid:Santillana.

Alonso, M.R. (2005). *Los Catálogos Urbanísticos y otros Catálogos Protectores del Patrimonio Cultural Inmueble (Revista de Urbanismo y Edificación)*. Madrid: Aranzadi.

Altamira, R. (1891). *La enseñanza de la historia*. Madrid: Fortanet (esta obra, en su versión de 1895, fue reeditada por la editorial Akal en 1997).

Alted, A. (1996). *Entre el pasado y el presente. Historia y memoria*. Madrid: UNED.

Alverman, D. (1989). Teacher-Student Mediation of Content Area Text. *Theory into Practice*, 27, 142-147.

Alzate, M.V. (1999). ¿Cómo leer un texto escolar? Texto, paratexto e imágenes. *Revista de Ciencias Humanas, 6*(20), 114-123.

Alzate, M.V. (2000). El texto escolar como instrumento pedagógico: partidarios y detractores. *Revista de Ciencias Humanas, 6* (21). Disponible en: http://www.utp.edu.co/~chumanas/revistas/revistas/rev21/alzate.htmConsultado el 25/08/2014.

AMPA (Asociación de madres y Padres de alumnos). Información disponible en: http://ampainfantemurcia.blogspot.com.es/

Angvik, M., y Borries, B. (Eds.). (1997). *Youth and History. A comparative European survey on historical consciousness and political attitudes among adolescents*. Hamburg: KAsociaciörber-Stingtung.

Apple, M.W. (1992). The text and cultural politics. *Educational Researcher, 21 (7)*, 4-11.

Area, M. (1994). Los medios y materiales impresos en el currículo. En J.M. Sancho (coord.). *Para una tecnología educativa* (85-113). Barcelona: Horsori.

Arranz, L. (coord.) (1997). *Actas del 5º Congreso sobre el Libro de Texto y Materiales Didácticos*. 2 vols. Madrid: Universidad Complutense de Madrid.

Azzollini, S., y González, F. (2006). La localización temporal de recuerdos autobiográficos. *Anuario de investigaciones, 14*, 19-27.

Balan, J. (1984). *Las Historias de Vida en Ciencias Sociales*. Buenos Aires: Nueva Visión.

Bardin, L. (1986). *Análisis de contenido*. Madrid: Akal

Barton, K.C. (2010). Investigación sobre las ideas de los estudiantes acerca de la historia. *Enseñanza de las Ciencias Sociales, 9*, 97-114. Disponible en: http://www.raco.cat/index.php/EnsenanzaCS/issue/view/10274/showTocConsultad o el 25/01/2015.

Barton, K.C. (2014). Legacies of the Chat-N-Nibble. En C. Woyshner (ed.), *Leaders in educational studies: Social Studies* (pp.5-15).Rotterdam: Sense Publishers.

Bartra, R. (2008). *Antropología del cerebro*. México: Fondo de Cultura Económica.

Beltrán, J., Martínez-Valcárcel, N., Souto, X., Franco, S., y Hernández, J. (2003). Narrativas sobre la enseñanza de la Historia en Bachillerato. Descripción de la técnica utilizada y consistencia de la misma.*Comunicación presentada a la X Conferencia de Sociología de la Educación*, 18 y 20 de septiembre, Valencia.

Beltrán, J., Martínez-Varcálcel, N., y Souto, J.M. (2002). Tradición e innovación de la enseñanza de la Historia en tiempos de reforma: consideraciones metodológicas a propósito de una investigación.*Comunicación presentada a la IX Conferencia de Sociología de la Educación*, 19 y 21 de septiembre, Palma de Mallorca.

Benejam, P., y Pagès, J. (Coords.).(2002). *Enseñar y aprender Ciencias Sociales, Geografía e Historia en la Educación Secundaria*. Barcelona: Horsori.

Benso, C. (2000). El libro de texto en la enseñanza secundaria (1845-1905). *Revista de Educación, 323*, 43-66.

Bericat, E. (1998). *La integración de los métodos cuantitativo y cualitativo en lainvestigación social*. Barcelona: Ariel.

Bertaux, D. (1993). De la perspectiva de la historia de vida a la transformación de la práctica sociológica. En J. M. Marinas, y C. Santamarina (Eds.), *La Historia oral. Métodos y experiencias* (pp. 19-34). Madrid: Debate.

Biddle, B.J., y Anderson, D.S. (1989). Teoría, métodos, conocimiento e investigación sobre la enseñanza. En M.C. Wittrock (Ed.), *La investigación de la enseñanza* I(pp. 93-148). Barcelona: Paidós.

Bisquerra, R. (1989). *Métodos de investigación educativa. Guía práctica*. Barcelona: CEAC.

Blanco, A. (2008). La representación del tiempo histórico en los libros de texto de primero y segundo de la enseñanza secundaria obligatoria. *Enseñanza de las Ciencias Sociales: Revista de Investigación, 7*, pp. 77-88.

Blas, P. (1993) Lo que saben de Historia nuestros alumnos de Bachillerato. *Revista de Educación, 300*, 279-283.

Bolívar, A. (2002). "¿De nobis ipsis silemus?": Epistemología de la investigación biográfico-narrativa en educación. *Revista Electrónica de Investigación Educativa, 4 (1)*. Disponible en: http://redie,uabc.mx/vol4no1/ contenido-bolivar.html Consultado el 25/04/2015.

Borries, B., Körber, A. y Meyer-Hamme, J. (2006). Uso reflexivo de los manuales escolares de Historia: resultados de una encuesta realizada a docentes, alumnos y universitarios. *Revista Enseñanza de las Ciencias Sociales, 5,* 3-19.

Boyd, C. (2000). *Historia Patria. Política, historia e identidad nacional en España, 1875-1975.* Barcelona: Pomares-Corredor.

Boyd, C. (2013). "Los textos escolares". En J. Álvarez (Coord.), *Las Historias de España, colección Historia de España* (pp.441-561) Critica 12 Marcial Pons.

Burguera, J. (2002). Los libros de historia del bachillerato en Cataluña: análisis de los contenidos. *Íber: Didáctica de las ciencias sociales, geografía e historia, 33,* 95-108.

Burguera, J. (2006). Usos i abusos del llibre de text. *Revista Perspectiva escolar, 302,* 75-79.

Cabero, J., Duarte, A., y Romero, R. (2002). Los libros de texto y sus potencialidades para el aprendizaje. Disponible en: http://tecnologiaedu.us.es/revistaslibros/public5.htm 09/06/02 Consultado el 23/11/2014.

Calvo, A. y Susinos, T. (2010). Prácticas de investigación que escuchan la voz del alumnado: mejorar la universidad indagando la experiencia. *Revista de currículum y formación del profesorado, 14* (3), 1-14.

Canes, F. (2001). El debate sobre los libros de texto de Secundaria en España (1875-1931). *Revista Complutense de Educación, 12*(1), 357-395.

Cantarero, J.E. (1997). Los nuevos libros de texto: el currículum real de la Reforma. *Investigación en la Escuela, 31,* 73-88.

Capel, H. (2013): El patrimonio natural y territorial. De la protección a la gestión y regeneración del paisaje cultural. *ZARCH: Journal of interdisciplinary studies in Architecture and Urbanism, 2,* 10-41.

Capel, H. (2014). *El patrimonio: la construcción del pasado y del futuro.* Barcelona: Ediciones del Serbal.

Carbone, G. (2003). *Libros escolares. Una introducción a su análisis y evaluación.* Buenos Aires: FCE.

Carretero, M. y Montanero, M. (2008). Enseñanza-aprendizaje de la Historia: aspectos cognitivos y culturales. *Revista Cultura y Educación, 20* (2), 133-142.

Carretero, M., Jacott, L., y López-Manjón, A. (2002). Learning history through texbooks: are Mexican and Spanish students taught the same story? *Learning and Instruction, 12,* 651-665.

Carretero, M., y Voss, J. F. (Comps.). (2004). *Aprender y pensar la historia.* Buenos Aires: Amorrortu.

Carriazo, J.L., Díaz, A.J., Conejero, M., Cruz, S., Gómez, M., Jerez, A., y Sánchez, M. A. (2014). *Análisis de los contenidos de los manuales de Historia de España (Segundo de Bachillerato).*Sevilla: Fundación Pública Andaluza Centro de Estudios Andaluces, Consejería de la Presidencia, Junta de Andalucía.

Castañeda, L.E. Galván y L. Martínez (Comp.) (2004). *Lecturas y lectores en la historia de México.*México: CIESA.

Chartier, A.M. (2003). "Travaux d'élèves et cahiers scolaire: l'histoire de l'éducation du côté des pratiques", en *Etnohistoria de la escuela. XII Coloquio Nacional de Historia de la Educación,* Burgos, Universidad de Burgos y Sociedad Española de Historia de la Educación, 2003, p. 34.

Chartier, A.M. (2009). Los cuadernos escolares: ordenar los saberes escribiéndolos. *Cultura escrita y sociedad, 8,* 163-182.

Chartier, R. (ed.) (2006). *¿Qué es un libro?.* Madrid: Círculo de Bellas Artes.

Chervel, A. (1991). Historia de las disciplinas escolares. Reflexiones sobre un campo de investigación. *Revista de Educación, 295,* 59-111.

Chevallard, Y. (1998). La transposición didáctica. Del saber sabio al saber enseñado. Buenos Aires: AIQUE.

Chevallard, Y. (2010). ¿Cuál puede ser el valor de evaluar? Notas para desprenderse de la evaluación "como capricho y miniatura". *Conferencia presentada en el II Congreso Internacional de Didácticas Específicas,* 30 de septiembre – 2 de octubre, Buenos Aires.

Choppin, A. (1980). L'histoire des manuels scolaires. Une approche globale. *Histoire de l'Éducation , 9,* 1-25.

Choppin, A. (1991). *Le Thesaurus Emmanuelle sur les manuels scolaires.* Paris: INRP.

Choppin, A. (1992a). *Les manuels scolaires: histoire et actualité.* París: Hachette Education.

Choppin, A. (1992b). The Emmanuelle Textbook Proyect. *Journal of Curriculum Studies, 24* (4), 345-356.

Choppin, A. (1998). Las políticas de libros escolares en el mundo: perspectiva comparativa e histórica. En J. Pérez y V. Radkau (coords.), *Identidad en el imaginario nacional. Reescritura y enseñanza de la historia* (pp. 169-180). México: Instituto de Ciencias Sociales y Humanidades de la Universidad Autónoma de Puebla/El Colegio de San Luis y Georg Eckert Institut.

Choppin, A. (2000). Los manuales escolares de ayer a hoy: el ejemplo de Francia. *Historia de la Educación,19,*13-37.

Choppin, A. (2001). Pasado y presente de los manuales escolares. *Revista Educación y Pedagogía,13*(29 y 30), 209-229.

Choppin, A. (2008). Le manuel scolaire, une fausse évidence historique. *Histoire de l'éducation, 117,* 7-56.

Comunidad Autónoma de la Región de Murcia (CARM): Centro Regional de Estadística de la Región de Murcia (CREM). *Evolución de la población según entidades: Serie 2005 – 2014.* Consultado el 12/05/2015.

Cook, T.D., y Reichardt, CH.S. (1986). *Métodos cualitativos y cuantitativos en investigación evaluativa.* Madrid: Ediciones Morata.

Crossley, M. y Murby, M. (1994). Textbook Provision and the Quality of School Curriculum in Developing Countries: Issues and policy options. *Comparative Education, 30,* (2), 99-114.

Cuesta, R. (1997). *Sociogénesis de una disciplina escolar: la Historia.* Barcelona: Pomares-Corredor.

Cuesta, R. (1998). *Clío en las aulas: La enseñanza de la Historia en España entre reformas, ilusiones y rutinas.* Madrid: Akal.

Damasio, A. (2013). *En busca de Spinoza.* Barcelona: Destino.

DeCarli, G. (2007). *Un Museo Sostenible. Museo y Comunidad en la Preservación Activa de su Patrimonio.* Costa Rica: UNESCO, UNA, ILAM.

Delgado, J. M., y Gutiérrez, J. (Coords.). (1994). *Métodos y Técnicas Cualitativas de Investigación en Ciencias Sociales.* Madrid: Síntesis Psicología.

Díaz, J.L. (2014). Memoria personal y memoria histórica. En N. Martínez-Valcárcel, *La construcción de los recuerdos escolares de Historia de España en Bachillerato 1993-2013. Investigación 2009-2013* (pp. 21-27). Valencia: NauLlibres.

Escolano, A. (2001). El libro escolar como espacio de memoria. En G. Ossenbach y M. Somoza(Eds.), *Los manuales escolares como fuente para la Historia de la Educación en América Latina* (pp. 35-46). Madrid, UNED.

Escolano, A. (2006). El libro escolar y la cultura de la educación. La manualística, un campo en construcción. En A. Escolano (Dir.) *Currículum editado y sociedad del conocimiento* (pp.13-34). Valencia: Tirant los Blanch.

Escolano, A. (2010). La cultural material de la escuela y educación patrimonial. R*evista Educatio Siglo XXI, 28* (2), 43-64.

Escolano, A. (2012). El manual como texto. *Pro-Posições, v. 23, n. 3* (69), 33-50.

Escolano, A. (Dir.). (1998). *Historia ilustrada del libro escolar en España. De la posguerra a la reforma educativa.* Madrid: Fundación Germán Sánchez Ruipérez.

Fernández, A. (2005). La importancia de ser llamado libro de texto. Buenos Aires: Miño Dávila.

Fernández, M. (2010). *Selectividad. Historia*. Madrid: Anaya.

Flanagan, C.C. (1991). Materiales impresos en el aula. En Husen, T. y Postlethwaite, T.N. (Eds.). *Enciclopedia Internacional de Educación*. 6. Madrid. Vicens Vives-MEC.

Fontaine, L. y Eyzaguirre, B. (1997). Por qué es importante el texto escolar. *Estudios Públicos, 68*, 355-369.

Freeman, D.J., Belli, G.M., Porter, A.C., Floden, R.E., Schmidt, W.H. y Schwille, J.R. (1983). The influence of different styles of textbook use on instructional validity of standardised tests. *Journal of Educational Measurement, 20*, 259-270.

Freeman, D.T. y Porter, A.C. (1989). Do textbooks dictate the content of mathematics instruction in elementary schools? *American Educational Research Journal, 26* (3), 403-421.

Gairín, J., Muñoz, J., Feixas, M. y Guillamón, C. (2009). La transición Secundaria universidad y la incorporación a la Universidad. *Revista Española de Pedagogía*, Vol. 67, No. 242 (enero-abril 2009), pp. 27-44

Galindo, R. (1996). El conocimiento del profesor de secundaria y la enseñanza de la Historia. Resumen de la Tesis Doctoral. *Boletín Informativo de la Asociación Universitaria de Didáctica de las Ciencias Sociales, 2*, 24-26.

Gallardo, K.E. (2009). Manual Nueva Taxonomía Marzano y Kendall. Consultado el 12 de febrero de 2015 de, http://www.cca.org.mx/profesores/congreso_recursos/descargas/kathy_marzano.pdf

García, M. (2015, 11 de marzo). *Historia de España 2º Bachillerato*. Extraído el 20 de junio de 2015 desde https://magdalenagarcialopez.wordpress.com/

García, R. (IP): "El Turismo Cultural en la Revitalización del Patrimonio Histórico de Lorca: Actores y Estrategias". Proyecto de Investigación financiado por la Fundación Séneca-Agencia de Ciencia y Tecnología de la Región de Murcia, 2014-2016 (Programa Jóvenes Líderes en Investigación, código de ayuda: 18937/JLI/13).

Gil, J. (1994). *Análisis de datos cualitativos. Aplicaciones a la investigación educativa.* Barcelona: PPU.

Gimeno, J. (2010). *Saberes e incertidumbres sobre el currículum.* Madrid: Morata.

Gimeno, J., y Pérez, A. (1989). *La enseñanza: su teoría y su práctica*. Madrid: Akal.

Gómez, C.J., et al. (2014). La enseñanza de la historia y el análisis de libros de texto. Construcción de identidades y desarrollo de competencias. *Revista de la Facultad de Educación de Albacete, 29 (*1), 1-25.

González, J. M et al. (1995). *Geografía e Historia. Lo que saben los alumnos al terminar el Bachillerato*. Madrid: MEC/CIDE.

González, M.P. (2006). Conciencia histórica y enseñanza de la historia: una mirada desde los libros. *Enseñanza de las Ciencias Sociales, 5, 21-30*. Disponible en: http://www.raco.cat/index.php/EnsenanzaCS/issue/view/10274/showToc Consultado el 16/04/2015.

González, N., y Pagés, J. (2005). La presencia del patrimonio cultural en los libros de texto de la ESO en Cataluña. *Investigación en la Escuela,56*, 55-66.

Goodson, I. (1992). *School Subjects and Curriculum Change. Studies in Curriculum History*. Philadelphia: The Falmer Press.

Güemes, R. (1994). *Libros de texto y desarrollo del currículo en el aula. Un estudio de casos*. Tesis doctoral, Humanidades y Ciencias Sociales, Universidad de La Laguna.

Güemes, R. (2001). Algunas investigaciones en torno al uso de los libros de texto en las aulas. *Comunicación y pedagogía: Nuevas tecnologías y recursos didácticos, 175*, 76-83.

Guimerá, C. yCarretero, M. (1991). El pensamiento del profesor de Historia de Secundaria. *Studia Paedagógica, 23*, 83-89.

Hermosilla, J., e Hiranzo, E. (2004). El patrimonio rural como factor de desarrollo endógeno. *Saitabi, 54*, 9-24.

Hernández, R., Fernández, C., y Baptista, P. (2010). *Metodología de la investigación*. México: McGraw Hill.

Heyneman, S; Farrel, J.P. y Sepúlveda-Stuardo, M.A. (1981). Textbooks and achievement in developing countries: what we know. *Journal of Curriculum Studies, 13* (3), 227-246.

Hinchman, K. (1987). The textbook and those content-area teachers. *Reading Research and Instruction, 26*, 247-263.

Horsley, M. (2007). Didáctica del uso de los libros de Texto: un análisis sociocultural. *Ponencia presentada en elPrimer Seminario Internacional de Textos Escolares*, noviembre, Santiago de Chile.

Horsley, M., y Lambert, D. (2001). The secret garden of classrooms and textbooks: Insights into research on the classroom use of textbooks'. En *The Future of Textbooks? International Colloquium in School Publishing: Research about Emerging Trends*, ed M Horsley, Teaching Resources and Textbook Research Unit.

Inspección De Bachillerato (1984). *Profesores y alumnos ante la Enseñanza de la Geografía y la Historia en el Bachillerato*. Documento de Trabajo nº 15. Madrid: Servicio de Publicaciones del Ministerio de Educación y Ciencia.

Jönsen, E.B. (1997). *Libros de texto en el caleidoscopio. Estudio crítico de la literatura y la investigación sobre los textos escolares*. Barcelona: Pomares-Corredor.

Julia, D. (1995). La cultura escolar como objeto historico.*Paedagogica Historica:International journal of the history of education,*(I), 353-382.

Ley General de Educación y Financiamiento de la Reforma Educativa (LGE) de 4 de agosto de 1970

Llull, J. (2005): Evolución del concepto y de la significación social del patrimonio cultural. *Arte, Individuo y Sociedad,17*, 175-204.

Luís, A. (2000). *La enseñanza de la historia ayer y hoy*. Sevilla: Díada.

Macarrón, A.M. (2008): *Conservación del patrimonio cultural*. Madrid: Síntesis.

Maestro, P. (1997). *Historiografía y enseñanza de la Historia*. Tesis doctoral, Departamento de Humanidades Contemporáneas, Facultad de Filosofía y Letras, Universidad de Alicante.

Maestro, P. (2002). Libros escolares y curriculum: del reinado de los libros de texto a las nuevas alternativas del libro escolar. *Revista de Teoría y Didáctica de las Ciencias Sociales, 7*, 25-52.

Mahamud, K. (2012). *Adoctrinamiento emocional y socialización política en el primer franquismo (1939-1959). Emociones y sentimientos en los manuales escolares de enseñanza primaria.* Tesis doctoral, Universidad Nacional de Educación a Distancia de Madrid.

Malo, C. (2000): *Patrimonio Cultural intangible y globalización.* Bogotá: Editorial Dupligráficas.

Marinas, J. M., y Santamarina, C. (Eds.). (1994). *La Historia oral. Métodos y experiencias.* Madrid: Debate.

Martín, B. y Ramos, M.I. (2014). El instituto, el aula y las relaciones entre los discentes: un marco de comprensión lleno de descripciones y sentimientos. En Martínez-Valcárcel, N. (Dir). *La Historia de España en los recuerdos escolares. Análisis, interpretación y poder de cambio de los testimonios de profesores y alumnos* (pp. 131-156). Valencia: Nau Llibres.

Martínez, J. y Rodríguez J. (2010). El currículum y el libro de texto. Una dialéctica siempre abierta. En J. Gimeno (Ed.), *Saberes e incertidumbres sobre el currículum* (pp. 246-268). Madrid: Morata.

Martínez, M.E. (2008). *La evaluación de Historia de España en C.O.U. y bachillerato en la Comunidad Autónoma de la Región de Murcia (1993-2004).* Tesis doctoral, Facultad de Educación, Universidad de Murcia.

Martínez-Valcárcel, N, Navarro, E. y Zamora, B. (2005). *El uso de los apuntes en la enseñanza de la Historia de España en Bachillerato (1992-2002). ¿Ha cambiado algo después de dos reformas y una década de observación?* DIGITUM: Universidad de Murcia. Disponible en http://hdl.handle.net/10201/40648

Martínez-Valcárcel, N. (1998). Los problemas de especialización y globalización en los currícula de primaria. Notas para un debate. En Gómez, C., y Fernández, M. *La Función Docente en Educación Infantil y Primaria desde las nuevas especialidades* (pp.249-267).Granada: Grupo Editorial Universitario.

Martínez-Valcárcel, N. (2012). El uso de los manuales escolares de Historia en España. Análisis de los resultados desde la propuesta de Shulman. *Revista Iber Didáctica de las Ciencias Sociales, Geografía e Historia, 70,* 48-58.

Martínez-Valcárcel, N. (2016). El uso del libro de texto de Historia de España en bachillerato. *Revista Historia da Educação.* V. 20, nº 50, p. 69-93.

Martínez-Valcárcel, N. (Dir). (2014). *La Historia de España en los recuerdos escolares.* Valencia: NauLlibres.

Martínez-Valcárcel, N. (Dir.) y García, R. (Coord.). (2016). *El patrimonio enseñado: plataforma para el desarrollo del turismo responsable. Base de Datos 2013-2014.* Murcia: Diego Marín

Martínez-Valcárcel, N. (Dir.) y García, R. (Coord.). (2016). *La construcción de los recuerdos escolares de Historia de España en Bachillerato (1983-2015).Base de Datos 1983-2003.* Murcia: Diego Marín.

Martínez-Valcárcel, N. (Dir.) y Souto, X. (Coord.). (2014). *La construcción de los recuerdos escolares de Historia de España en Bachillerato (1993-2013).Base de Datos 2011-2013.* Murcia: Diego Marín.

Martínez-Valcárcel, N. (IP): "Los procesos de enseñanza-aprendizaje de Historia de España Contemporánea". Proyecto subvencionado por la Fundación Séneca, 2001 (PI-50/00694/FS/01).

Martínez-Valcárcel, N. (IP): "Diseño y desarrollo de los proyectos curriculares de Historia en Bachillerato de la Comunidad Autónoma de la Región de Murcia: profesores y alumnos". Proyecto subvencionado por la Fundación Séneca, 2005, (03003/PHCS/05).

Martínez-Valcárcel, N. (IP): "Cómo se enseña la Historia. La utilización de los libros de texto por el profesorado de Bachillerato". Proyecto subvencionado por el MEC en su convocatoria de Proyectos del Plan Nacional de I+D+i, 2006, (SEJ2006-07485/EDUC).

Martínez-Valcárcel, N. (IP): "La formación histórica de los jóvenes en Historia de España y su relevancia en el desarrollo de las competencias ciudadanas: estudio de resultados al concluir Bachillerato y las Pruebas de Acceso a la Universidad". Proyecto subvencionado por el MEC en su convocatoria de Plan Nacional de I+D+i., 2010, (EDU2010-16286).

Martínez-Valcárcel, N. et al. (2003). Narrativas sobre la enseñanza de la historia en bachillerato. Descripción de la técnica utilizada y consistencia de la misma. *Comunicación presentada en la X Conferencia de Sociología de la Educación,* 18-20 septiembre,Valencia.

Martínez-Valcárcel, N. y Somoza, M. (2014). Las emociones sociales en la enseñanza de Historia de España en Bachillerato: el presente como puente con el pasado y legado de futuro. Comunicación presentada a las"VI Jornadas Científicas de la Sociedad Española para el Estudio del Patrimonio Histórico Educativo", celebradas en Madrid 23-24 de octubre de 2014.

Martínez-Valcárcel, N., Navarro, E., García, M. L., y Torres, A. (2012). *Conocer para cambiar: El uso del libro de texto de Historia de segundo de Bachillerato en las aulas y el pensamiento crítico en la enseñanza.* DIGITUM: Universidad de Murcia. Disponible en http://hdl.handle.net/10201/27433 Consultado el 23/08/2015.

Martínez-Valcárcel, N., Navarro, E., y Zamora, B. (2006). *El uso de los apuntes en la enseñanza de la Historia de España en Bachillerato (1992-2002). ¿Ha cambiado algo después de dos reformas y una década de observación?.* DIGITUM: Universidad de Murcia. Disponible en http://hdl.handle.net/10201/40648 Consultado el 23/08/2015.

Martínez-Valcárcel, N., Souto, X. M., y Beltrán, J. (2006). Los profesores de Historia y la enseñanza de la Historia en España. Una investigación a partir de los recuerdos de los alumnos. *Enseñanza de las ciencias sociales.Revista de investigación,5,* 55-71.

Martínez-Valcárcel, N., Valls, R. y Pineda, F. (2009). El uso del libro de texto de Historia en España en bachillerato: diez años de estudio, 1993-2003 y dos reformas (LGE-LOGSE). *RevistaDidáctica de las Ciencias Experimentales y Sociales,23,* 3-35.

Marzano, R.J. y Kendall, J.S. (2007). *The New Taxonomy of Educational Objectives.*USA: Corwin Press.

Merchán, F.J. (2001). *La producción del conocimiento escolar en la clase de Historia. Profesores, alumnos y prácticas pedagógicas en la educación secundaria.* Tesis doctoral, Departamento de Didáctica de las Ciencias Experimentales y Sociales, Facultad de Ciencias de la Educación, Universidad de Sevilla.

Merchán, F.J. (2002). El estudio de la clase de historia como campo de producción del currículo. *Enseñanza de las Ciencias Sociales. Revista de investigación, 1*, 41-54.

Merchán, J., y Duarte, O. (2014). Los grupos de innovación en la enseñanza de la Historia de España en Bachillerato: innovación, cambio y continuidad. En N. Martínez-Valcárcel, *La Historia de España en los recuerdos escolares. Análisis, interpretación y poder de cambio de los testimonios de profesores y alumnos* (pp.53-74). Valencia: Nau Llibres.

Newton, D.P. (1991). *Teaching with Texts*. London: Kogan Page.

Nicholls, J. (2003). Methods in school textbook Research. *International Journal of Historical Learning, Teaching and Research, 3* (2), 11-26.

Nisbet, J. D., y Entwistle, N. J. (1980). *Métodos de investigación educativa*. Barcelona: Oikos-Tau.

Ortega, N. (1998). El Patrimonio Territorial: el territorio como recurso cultural y económico. *Ciudades, 4*, 33-48.

Osoro, J.M., y Salvador, L. (1994). Criterios y procedimientos para la selección de indicadores de rendimiento en evaluación. *Revista de Investigación Educativa, 16*, 45-47.

Ossenbach, G. (2000). La investigación sobre manuales escolares en América Latina: la contribución del proyecto MANES. *Historia de la Educación: Revista Interuniversitaria, 19*, 195-203.

Ossenbach, G. (2001). "Una nueva aproximación a la historia del curriculum: los textos escolares como fuente y objeto de investigación. A propósito de la *Historia ilustrada del libro escolar en España*, dirigida por Agustín Escolano Benito". *Revista de Educación*, nº 325 (2001), pp. 389-396.

Ossenbach, G. (2005). "La Red Patre-MANES: una experiencia de integración de Bases de Datos y Bibliotecas Virtuales de manuales escolares europeos y latinoamericanos". *Historia Caribe,* nº 10 (2005), pp.135-143, Universidad del Atlántio, Barranquilla.

Ossenbach, G. (2009). "La Manualística escolar y la enseñanza de la historia". *Cuadernos de Historia de la Educación*, nº 16 (2009), pp. 42- 51.

Ossenbach, G. (2010). Manuales escolares y patrimonio histórico-educativo. *Educatio Siglo XXI, 28,* (2), 126-127.

Ossenbach, G. (2011). "Los docentes como autores y usuarios de manuales escolares", en CELADA PERAMDONES, P (ed.): *Arte y oficio de enseñar. Dos siglos de perspectiva histórica. XVI Coloquio Nacional de Historia de la Educación.* El Burgo de Osma (Soria), SEDHE, Universidad de Valladolid, CEINCE, 2011, vol.II, pp. 281-287.

Ossenbach, G. (2013). "Consideraciones críticas sobre la investigación en el campo de la manualística escolar a 20 años de la fundación del Centro de Investigación MANES", en Juri Meda y Ana Mª Badanelli (a cura di): La historia de la cultura escolar en Italia y en España: balance y perspectivas, Macerata, eum Edizioni Università di Macerata (Strumenti della Biblioteca di "History of Education & Children's Literature"), 2013, pp. 107-118.

Ossenbach, G. (2014). "Textbook databases and their contribution to international research on the history of school culture", en History of Education & Children's Literature, vol. IX, nº 1 (2014), pp. 163-174.

Ossenbach, G., Somoza, M. y Badanelli, A. (2007). "La Biblioteca Virtual Patre-Manes de textos escolares europeos y latinoamericanos: análisis de una experiencia". En Escolano Benito, A. (ed.): *III Jornadas Científicas de la Sociedad Española para el Estudio del Patrimonio Histórico Educativo. La cultura material de la escuela. En el centenario de la Junta de Ampliación de Estudios, 1907-2007*. Berlanga de Duero, Soria, Imprenta Gráficas Varona S. A., 2007, pp. 336-354.

Ossenbach, G., y Somoza, M. (2009). *Los manuales escolares como fuente para la historia de la educación en América latina*. Madrid: UNED Ediciones.

Pagès, J, y Sant, E. (coord.) 2015. L'Escola i la Nació. Servei de Publicacions. Universitat Autònoma de Barcelona, 19-33.

Pagès, J. (2005). La comparación en la enseñanza de la historia. *Histodidáctica. Enseñanza de la Historia/ Didáctica de las Ciencias Sociales, 9,17-35.* Disponible en: http://www.histodidactica.es/articulos.htm Recuperado el 12/9/2015.

Pagès, J. (2006a): "Presentació. Ús i abús dell libre de text". *Perspectiva Escolar,* nº 302, 13-14.

Pagès, J. (2006b): "Per què he escrit llibres de text?". *Perspectiva Escolar,* nº 302, 61-67.

Pagès, J. (2008). Los libros de texto de ciencias sociales, geografía e historia y el desarrollo de competencias ciudadanas. Ministerio de Educación de Chile: *Textos escolares de historia y ciencias sociales*. Seminario Internacional 2008. Santiago de Chile, 24-56.

Pagès, J. (2015). La escuela y la cuestión nacional en Catalunya (siglos XVIII-XX), a

Pagès, J. y Oller, M. (2015). Enseñar la justicia, en Hernández, A. Mª. García, C. R. y Montaña, J. L. de la (eds.). Una enseñanza de las ciencias sociales para el futuro. Recursos para trabajar la invisibilidad de las personas, lugares y temáticas. Universidad de Extremadura/Asociación Universitaria del Profesorado de Didáctica de las Ciencias Sociales, 269-278.

Pagès, J. y Santisteban, A. (2014a). ¿Qué sabemos sobre la enseñanza y el aprendizaje de la historia en España? 20 años de investigación. En Plá, S. y Pagès, J. (coord.). 2014. La investigación en la enseñanza de la historia en América Latina. México DF. Universidad Pedagógica Nacional/Bonilla Artigas Editores, 155-192.

Pagès, J. y Santisteban, A. (2014b). Una mirada desde el pasado al futuro en la didáctica de las Ciencias Sociales, en Pagès, J. y Santisteban, A. (eds.): Una mirada al pasado y un proyecto de futuro. Investigación e innovación en didáctica de las ciencias sociales. Barcelona. AUPDCS/Servei de Publicacions de la Universitat Autònoma de Barcelona, vol. 1, 17-39.

Pagès, J., Martínez, N. y Cachari, M. (2014). El tiempo histórico: construcción y referentes en la memoria del alumnado. En N. Martínez, *La construcción de los recuerdos escolares de Historia de España en Bachillerato (1993-2013) Investigación 2009-2013*. (pp. 229-266) Valencia: NauLlibres.

Parcerisa, A. (1996). *Materiales Curriculares. Cómo elaborarlos, seleccionarlos y usarlos*. Barcelona: GRAÓ.

Pérez, M.L. (2004): Patrimonio material e inmaterial. Reflexiones para superar la dicotomía. *Patrimonio Cultural y Turismo. Cuadernos, 9*, 13-28.

Pérez, M.L., Reyes, M.R., Palma, M., Rafel, E., y Piñuel, J. L. (2002). Epistemología, metodología y técnicas del análisis de contenido. *Estudios de Sociolingüística,3* (1), 1-42.

Pineda, F. (2008). *El uso del libro de texto en la materia de Historia de España de COU y 2º de Bachillerato en la Comunidad Autónoma de la Región de Murcia (1993-2003)*. Tesis de Licenciatura presentada en el Departamento de Didáctica y Organización Escolar de la Universidad de Murcia. Febrero de 2008.-

Pingel, F. (2010). *UNESCO Guidebook on Textbook Research and Textbook Revision.*Paris: Braunschweig.

Piñuel, J. L. (2002). Epistemología, metodología y técnicas del análisis de contenido. *Estudios de Sociolingüística, 3* (1), 1-42.

Pozo, M.M., y Ramos, S. (2001). El cuaderno de clase como instrumento de acreditación de saberes escolares y control de la labor docente. *Presentado en elXI Coloquio Nacional de Historia de la Educación: La acreditación de saberes y competencias. Perspectiva histórica, 12-15 junio,* Oviedo.

Prats, J. (2012). Criterios para la elección del libro de texto de historia. *Íber, Didáctica de las Ciencias Sociales, Geografía e Historia, 70,* 7-13.

Prendes, M.P. (2001). Evaluación de manuales escolares. *Revista PIXEL-BIT, 16.*

Prendes, M.P. y Solano, I.M. (2000). Herramienta de Evaluación de Material Didáctico Impreso. Disponible en: http://tecnologiaedu.us.es/nweb/htm/pdf/paz7.pdf Consultado el 14/02/2015.

Puelles, M. (2000). Los manuales escolares: un nuevo campo de conocimiento. *Historia de la Educación. Revista Interuniversitaria, 19,* 5-11.

Puelles, M. (2002). *Educación e ideología en la España Contemporánea.* Madrid: Tecnos.

Puelles, M. (2007). La política escolar del libro de texto en la España Contemporánea. *Revista de Avances en Supervisión Educativa, 6,* 1-21. Recuperado http://www.adide.org/revista/index.php?option=com_content&task=view&id=198 &Itemid=47

Radkau, V. (1996). Los estudios del "Instituto Georg Eckert para la Investigación Internacional sobre Libros de Texto". *Didáctica de las Ciencias Experimentales y Sociales, 10,* 3-9.

Radkau, V. (2000). ¿Una lucha contra los molinos? El Instituto Georg Eckert y los manuales escolares. *Historia de la Educación. Revista Interuniversitaria, 19,* 39-49.

Ramírez, T. (2003). El texto escolar: una línea de investigación en educación. *Revista de Pedagogía, 24(70),273-292.* Recuperado de http://www.scielo.org.ve/scielo.php?pid=S0798-97922003000200003&script=sci_arttext

Ricoeur, P. (2003). *La memoria, la historia, el olvido.* Madrid: Trotta.

Rockwell, E. (2004). Entre la vida y los libros: prácticas de lectura en las escuelas de la Malintzi a principios del siglo XX. En C. Castañeda, L.E. Galván y L. Martínez (Comp.), *Lecturas y lectores en la historia de México* (pp. 327-357). México: CIESAS.

Rockwell, E. (2009). La experiencia etnográfica. Buenos Aires: Paidós.

Rodríguez, G., Gil, J., y García, E. (1996).*Metodología de la investigación cualitativa.* Málaga: Aljibe.

Ruiz, J.I. (2012). *Metodología de investigación cualitativa.* Bilbao: Deusto.

Rüsen, J. (1997). El libro de texto ideal. Reflexiones en torno a los medios para guiar las clases de historia. *Íber. Didáctica de las Ciencias Sociales, Geografía e Historia, 12,* 79-93.

Sacchetto, P.P. (1986). *El objeto informador. Los objetos de la escuela: entre la comunicación y el aprendizaje.* Barcelona: Gedisa.

Sáiz, J. (2011). Actividades de libros de texto de Historia, competencias básicas y destrezas cognitivas, una difícil relación: análisis de manuales de 1º y 2º de ESO. *Didáctica de las Ciencias Experimentales y Sociales, 25,* 37-64.

Sáiz, J. (2013). Alfabetización histórica y competencias básicas en libros de texto de historia y en aprendizajes de estudiantes. *Didáctica de las Ciencias Experimentales y Sociales, 27,* 43-66.

Sáiz, J. y Colomer, J.C. (2014). ¿Se enseña pensamiento histórico en libros de texto de Educación Primaria? Análisis de actividades de historia para alumnos de 10-12 años de edad. *CLIO. History and History teaching, 40.* Recuperado de http://clio.rediris.es

Salkind, N. (1999). *Métodos de Investigación.* México: Prentice Hall.

Salkind, N. (2009). *Exploring Research.* New Jersey: Pearson Education.

Sanchidrian, M.C., y Gallego, M.M. (2009). Los cuadernos escolares como fuente y tema de investigación en Historia de la Educación. En M. R. Berruezo y S. Conejero (Coords.), *El largo camino hacia una educación inclusiva. la educación especial y social del siglo XIX a nuestros días : XV Coloquio de Historia de la Educación* (pp. 769-780). Pamplona: Universidad Pública de Navarra.

Santamarina, C., y Marinas, J.M. (1994). Historias de vida e historia oral. En J. M. Delgado y J. Gutiérrez (Coords.), *Métodos y Técnicas cualitativas de investigación en Ciencias Sociales* (pp. 259-283). Madrid: Síntesis Psicología.

Santervás, E. (2014). *La Historia Escolar: formación y características, permanencias en los libros de texto y cambios para una didáctica crítica.* Trabajo Fin de Master, Facultad de Educación, Universidad de Cantabria. Disponible en: http://repositorio.unican.es/xmlui/bitstream/handle/10902/5515/SantervasDiazEle na.pdf?sequence=1 Consultado el 17/5/2015.

Santisteban, A. (2006). Futuros posibles de la investigación en didáctica de la historia: aportaciones al debate. *Reseñas de Enseñanza de la Historia,4,* 101-122.

Segura, A. (Coord.). (2001). *Els llibres d'història, l'ensenyament de la història i altres històries.* Barcelona: Fundació Jaume Bofill.

Seixas, P. (1993). Parallel crises: History and the social studies curriculum in the USA. *Journal of Curriculum Studies, 25,* 235-250.

Selander, S. (1990). Análisis de textos pedagógicos. Hacia un nuevo enfoque de la investigación educativa. *Revista de Educación, 293,* 345-356.

Shaw, I. F. (2003). *La evaluación cualitativa. Introducción a los métodos cualitativos.* Barcelona: Paidós.

Shulman, L. (1987). Knowledge and teaching: Foundations of the new reform. *Harvard Educational Review, 57*(1), 1-22.

Shulman, L. (2005). Conocimiento y enseñanza: fundamentos de la nueva Reforma. *Revista de currículum y Formación del profesorado, 9* (2), 1-30.

Sikorova, Z. (2008). Textbook-based Activities in the Classroom. En M. Horsley y J. McCall (Eds.), *Peace, Democratization and Reconciliation in Textbooks and Educational Media* (pp.159-165). Utrecht: IARTEM.

Sikorova, Z. (2011). The role of textbooks in lower secondary schools in the Czech Republic. *IARTEM e-Journal, 4,* (2), 1-22.Disponible en: http://biriwa.com/iartem/ejournal/ Consultado el 25/02/2015.

Sikorova, Z., y Cervenkova, I. (2011). Textbook Use in the History, Civics, English and Mathematics Lessons of Czech Lower Secondary Schools. En J. Rodríguez, M. Horsley y S. Knudsen (Eds.), *Local, National, and Transnational Identities in Textbooks and Educational Media* (pp.550-556).Santiago De Compostella: IARTEM.

Smyth, J. (1991). Una pedagogía crítica de la práctica en el aula. *Revista de Educación, 294,* 275-300.

Sobejano, M. J., y Torres, P. A. (2009). *Enseñanza de la Historia en Secundaria. Historia para el presente y la educación ciudadana.* Madrid: Tecnos.

Solano, I.M, Alfageme, M.B. y Amoróa, L. (2001). "Un universo tecnológico en la Sociedad de la Información". Comunicación presentada al Congreso Internacional EDUTEC 01. Edición electrónica

Souto, X.M. (2002). Los manuales escolares y su influencia en la instrucción escolar. *Revista Bibliográfica de geografía y ciencias sociales, 7* (414), 1-6.

Stake, R. (2006). *Evaluación comprensiva y evaluación basada en estándares*. Barcelona: Graó.

Stodolsky, S. (1991). *La importancia del contenido en la enseñanza. Actividades en las clases de matemáticas y de ciencias sociales*. Barcelona: Paidós-MEC.

Thompson, P. (1993). Historias de vida en el análisis del cambio social. En J.M. Marinas y C. Santamarina (Eds.), *La Historia oral. Métodos y experiencias* (pp. 65-80). Madrid: Debate.

Tiana, A. (1999). La investigación histórica sobre manuales escolares en España: el Proyecto MANES. *Clío & Asociados. La historia enseñada, 4*, 101- 119.

Tiana, A. (2000). El proyecto Manes y la investigación histórica sobre los manuales escolares (siglos XIX y XX). *Historia de la Educación. Revista Interuniversitaria, 19,*179-194.

Tiana, A. (Dir.). (2000). *El libro escolar, reflejo de intenciones políticas en influencias pedagógicas*. Madrid: UNED.

Torres, C. A. (2004). *Democracia, educación y multiculturalismo, dilemas de la ciudadanía en un mundo globul*. Barcelona: SigloXXI.

Torres, P.A. (2001). *Didáctica de la Historia y educación de la temporalidad: tiempo social y tiempo histórico*. Madrid: UNED.

Torres, X. (1989). Libros de texto y control del currículum. *Cuadernos de Pedagogía, 168*, 50-55.

Tutiaux-Guillon, N. (2003). Los fundamentos de una investigación sobre concepción de las finalidades cívicas y culturales del profesorado de Geografía e Historia. *Enseñanza de las Ciencias Sociales. Revista de Investigación, 2*, 27-35.

Valera, M. (2010). Sobre manuales escolares. Revista: Escuela Abierta, n. 13, p. 97-114

Valls, R. (1995). Las imágenes en los manuales escolares españoles de Historia, ¿ilustraciones o documentos? *Íber: Didáctica de las ciencias sociales, geografía e historia, 4*, 105-120.

Valls, R. (1998). Felipe II y su época en los manuales de historia. Textos e imágenes (siglos XIX y XX). *Tiempo y Tierra, 7*, 75-105.

Valls, R. (1999). De los manuales de historia a la historia de la disciplina escolar. Nuevos enfoques en los estudios sobre la historiografía escolar española. *Historia de la Educación. Revista interuniversitaria, 18*, 169-190.

Valls, R. (2001a). Los nuevos retos de las investigaciones sobre los manuales escolares de historia. *Revista de Teoría y Didáctica de las Ciencias Sociales, 6*, 31-42.

Valls, R. (2001b). Los estudios sobre los manuales escolares de historia y sus nuevas perspectivas. *Didáctica de las Ciencias Experimentales y Sociales, 15*, 23-36.

Valls, R. (2002). Cambios y continuidades en los manuales y materiales curriculares de historia de la Educación Secundaria Obligatoria. *Gerónimo de Uztariz, 17 y 18*, 67-78.

Valls, R. (2005). El currículum de historia en la enseñanza secundaria española (1846-2005): una aproximación historiográfica y didáctica. *Íber:Didáctica de las ciencias sociales, geografía e historia, 46*, 9-35.

Valls, R. (2007). *Historiografía escolar española: siglos XIX-XXI*. Madrid: UNED Ediciones.

Valls, R. (2008). *La enseñanza de la Historia y textos escolares*. Buenos Aires: Zorzal.

Valls, R., y López, A. (2002). *La dimensión europea e intercultural en la enseñanza de las ciencias sociales*. Madrid: Síntesis.

Valls, R., y Radkau, V. (1999). La didáctica de la historia en Alemania: una aproximación a sus características. *Íber: Didáctica de las Ciencias Sociales, Geografía e Historia, 21*, 89-105.

Vázquez, M. (2010). *Del instituto a la universidad*. Disponible en: www.consumer.es/web/es/educacion/universidad/2010/07/14/194330.php Consultado el 21/12/2014

Villalaín, J.L. (1997). *Manuales escolares en España* (vol. 2). Madrid: UNED.

Viñao, A. (2001). Escuela graduada y exámenes de promoción: ¿necesidad endógena o imposición exógena?, (pp. 537-551). *Presentado en elXI Coloquio Nacional de Historia de la Educación,* 12-15 de julio, Oviedo.

Viñao, A. (2003). La educación en valores y los libros de texto. *Ceapa, 76*, 20-22.

Viñao, A. (2004). Espacios escolares, funciones y tareas: La ubicación de la dirección escolar en la escuela graduada. *Revista Española de Pedagogía, 228,* 279-304.

Viñao, A. (2006).Los cuadernos escolares como fuente histórica: Aspectos metodológicos e historiográficos., *Annali di Storia dell'Educazione e delle Istituzioni Scholastiche, 13,* 17-35.

Viñao, A. (2010). Memoria, Patrimonio y Educación. *Educatio Siglo XXI, 28* (2), 17-42.

Viñao, A. (2011). "Del bachillerato de elite a la educación secundaria para todos (España, siglo XX)", en Guillermo Vicente y Guerrero (coord. y ed.), Historia de la Enseñanza Media en Aragón, Zaragoza, Institución "Fernando el Católico", 2011, pp. 449-472.

Viñao, A. (2012). La historia material e inmaterial de la escuela: memoria, patrimonio y educación. *Educação,35* (1), 7-17.

Viñao, A. (2012)."La historia de las disciplinas escolares en España: una revisión con especial atención a la educación secundaria", en Leoncio López-Ocón, Santiago Aragón y Mario Pedrazuela (eds.), Aulas con memoria. Ciencia, educación y patrimonio en los Institutos históricos de Madrid (1837-1936), Madrid, CEIMES, CSIC y Comunidad de Madrid, 2012, pp. 265-277.

Viñao, A. (2014). Prólogo. En N. Martínez (Dir.) y X. Souto (Coord.), *La construcción de los recuerdos escolares de Historia de España en Bachillerato (1993-2013). Base de Datos 2011-2013* (pp. 3-6). Murcia: Diego Marín.

Viñao, A. (2015). "El Libro escolar". En Jesús A. Martínez Martín (dir.), *Historia de la edición en España 1939-1975*. Madrid, Marcial Pons Historia, 2015, pp. 681-698.

Walker, R., y Horsley, M. (2006). Textbook pedagogy: a sociological analysis of effective teaching and learning. En D. Mcinerney, M. Dowson y S. Van Etten, (Eds.), *Effective schools.Research on sociocultural influences on motivation and learning. Volume 6* (pp. 105-133). USA: Information Age Publishing (IAP).

Weinbrenner, P. (1992). Methodologies of Textbook. Analysis Used to Date. En Council of Europe (1992), History *and Social Studies: Methodologies of Texbook Analysis* (pp.21-34). Amsterdam: Swets Zeitlinger.

Wilson, S.M. (2001). Research on History Teaching. En V. Richardson (Ed.), *Handbook of Research on Teaching* (pp. 527-544). Washington, D.C.: American Educational Research Association.

Zahorik, J. (1991). Teaching Style and Textbooks. *Teaching and Teacher Education, 7* (2), 185-196.